소녀들

소녀들

K-pop 스크린 광장

지은이 | 김은하 듀나 류진희 손희정 심혜경 장수희 조혜영 쥬리 현시원 홍승은
펴낸곳 | 도서출판 여이연
발행 | 고갑희
주간 | 임옥희
책임 편집 | 조혜영
편집·제작 | 사미숙
주소 | 서울 종로구 명륜4가 12-3 대일빌딩 5층
등록 | 1998년 4월 24일(제22-1307호)
전화 (02) 763-2825
팩스 (02) 764-2825
홈페이지 http://www.gofeminist.org
전자우편 gynotopia@gofeminist.org

초판 1쇄 발행 2017년 9월 4일
초판 2쇄 발행 2018년 5월 25일

값 17,000원
ISBN 978-89-91729-33-9 (03330)

여이연 문화 05

소녀들

K-pop 스크린 광장

조혜영 엮음

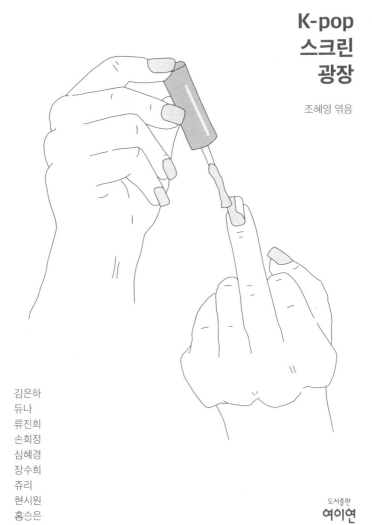

김은하
듀나
류진희
손희정
심혜경
장수희
쥬리
현시원
홍승은

도서출판
여이연

페미니스트 소녀학을 향해

조혜영

소녀 스펙터클

소녀는 스펙터클이다. 최근 몇 년간 한국 사회 곳곳에서 소녀는 끊임없이 매혹과 관심의 대상이 되어왔다. 소녀의 이미지를 보고, 그녀들의 이야기를 들으려는 욕망은 가히 폭발적이다. 왜 소녀에게 이리도 열광할까? 도대체 소녀가 누구이고 무엇이기에.

소녀의 문화적 재현은 실제 십대 여성의 삶에 대한 관심과는 상관없이 과하게 넘쳐나고, 동일한 사안이라도 소녀를 경유하면 관심이 증폭한다. 미디어 문화는 소녀들을 보라고 우리를 유혹하며 그녀들을 응시의 대상으로 만든다. 소녀들은 미디어 문화 모든 곳에 존재한다. 소녀를 논한다는 것은 한 성별의 생애주기의 특정 단계를 자연적으로 묘사하고 법적으로 정의하는 것을 넘어, 지금

이 시대의 미디어 문화가 연령, 성별, 섹슈얼리티와 관련해 어디에 욕망을 투자하고 누구를 타자화하는지를 지표화하는 페미니스트 작업이 된다. 그렇기에 페미니스트 소녀학을 표방하는 이 책『소녀들』의 소녀는 문화적, 사회적, 정치경제적 조건 속에서 구성되고 매개된 소녀로, 소녀성girlhood과 소녀 되기를 포함한다. 그렇다고 주체로서의 소녀를 완전히 배제하는 것은 아니다. 왜냐면 이 소녀성을 주조하고, 협상하고, 파열을 내는 데 (매개된) 소녀들 또한 생성과 운반의 행위자로서 역동적으로 참여하고 있기 때문이다.

그중에서 대중문화는 소녀를 스펙터클로 만드는 가장 적극적인 장이다. 대중문화에서 소녀는 청순가련, 국민 첫사랑, 국민 여동생, 롤리타, 비타민, 과즙, 4차원, 걸 크러쉬 등의 다양한 이름 아래 때로는 노골적인 관음증의 성적 대상으로, 때로는 유사 친족관계의 친밀함으로 포장된 통제 하에서 육성하는 롤플레잉 게임의 성장 캐릭터로, 때로는 온갖 난관에도 꿈을 좇는 다른 소녀들의 역할 모델이자 자기계발에 충실한 신자유주의적 주체로, 때로는 성실하고 열정적인 회사원이자 기업과 국가의 이미지 상품으로, 때로는 변하지 않는 비현실적 과거의 순수함으로, 때로는 샘솟는 생기와 활기의 저장소로 엄청난 관심을 모은다. K-pop 걸그룹과 십대 여성 가수들, "소녀에서 숙녀로..."라는 헤드라인이 따라다니는 십대 중후반의 젊은 여성 배우들, 그리고 광고와 버라이어티 쇼에 출연하며 일거수일투족 미디어의 관심을 받는 십대 여성 스포츠 스타들까지 대중문화에서 소녀는 가장 주목받는 이미지 상품이다.

　스펙터클로서의 소녀는 대중문화에 국한되지 않는다. 빈곤, 노동, 이주, 정치, 외교, 역사, 민족담론 같은 사회적 문제에서도 소녀는 쉽게 스펙터클이 된다. 2016년 5월 생리대를 살 돈이 없어 깔창을 사용한다는 여학생의 사연이 언론에 보도되면서 저소득층 여성 청소년의 빈곤이 크게 이슈화되었다.[1] 기본 필수품임에도 높은 가격 때문에 생리대를 사용하지 못하는 일은 소녀들뿐만 아니라 노숙자나 저소득층 성인 여성에게도 충분히 일어날 수 있다. 그러나 크게 주목받지 못했던 이 문제는 '소녀'를 경유하자 사회에 큰 파장을 일으키며 '뉴스'가 되었다.

　빈곤 같은 위기에 처한 소녀들뿐만 아니라 사회정치 현안에 목소리내기를 두려워하지 않는 '걸 파워' 소녀들 역시 동시대 뉴스가 선호하는 이야기꺼리이자 볼거리이다. '촛불 소녀'는 2008년 광우병 미국 쇠고기 수입 논란으로 100일 넘게 전국적으로 지속되었던 시위 때 처음 등장했다. 촛불 소녀와 그녀들의 후예는 어떤 다른 세대, 성별보다 주목받는 광장정치의 주체이자 아이콘이었다. 그런데 이후 참여의 경험을 키워갔던 어린/젊은 여성들은 촛불을 들고 있는 단발머리 소녀의 귀여운 그림으로 여기저기서 표상될 만큼 광장을 대표해왔을 뿐만 아니라 자신들의 개별적, 집단적 정치적 발언을 꾸준히 증가시켜왔음에도, 커다란 정치 이벤트 때마

1　박효진, 「생리대 살 돈 없어 신발깔창, 휴지로 버텨내는 소녀들의 눈물」, 『국민일보』, 2016. 5. 26. http://news.kmib.co.kr/article/view.asp?arcid=0010647728&code=61121111

다 성인남성들에게 매번 '처음'으로 발견되며 예외적인 스펙터클이 되었다. '정치에 무관심하고 무지했던 (혹은 소비에만 관심이 있던) 어리고 젊은 여성들이 이번 정치 참여를 통해 정치주체로 **새롭게 부상하고 각성했다**'는 서사는 시민들의 광장정치가 활성화된 지난 10년간 반복된 레퍼토리였다. '진보적인 성인 남성'에게 보이고 승인받아야, 즉 스펙터클이 되어야 정치주체가 될 수 있다는, 그래서 결국은 성인 남성들의 정치 콘텐츠에 영향을 받는 소비주체로 재영토화되는 이 지긋지긋한 서사는 '촛불 소녀'들이 페미니스트로 각성한 주된 이유였다. 박근혜 전 대통령 퇴진운동으로 시작된 2016년의 정치광장에서 촛불 소녀들은 다른 (성인 남성) 주체에 의해 발견되는 스펙터클이 되거나 80년대 민주화운동 세대 남성의 '딸'로 호명되는 것을 거부했다. 그녀들은 자신들의 목소리를 키우고 비전을 가시화하기 위해 '순수하고 무지한 소녀'가 아니라 '배운 여자', '지옥에서 온 헬페미'로서 이미지의 소유권을 주장하기 시작했다. 스펙터클의 폐기가 아니라, 자기만의 방식으로 스스로를 정치적 스펙터클로 기획하는 것은 촛불 세대의 새로운 존재 방식이다.

이러한 소녀의 스펙터클화는 동시대뿐만 아니라 역사적 사건을 재현할 때도 일어난다. '일본군 위안부'가 그 대표적 예다. 대중들은 '일본군 위안부'가 재현될 때, 한국현대사의 굵직한 사건을 몸소 겪은 경험 많은 현재의 나이든 여성들보다 그 여성들의 과거 이미지인 상대적으로 순수하다고 가정되는 소녀를 더 친근하게 느끼고 편해한다. 때문에 소녀 이미지는 대중들의 역사 접근성을 높인다. 2011년부터 전국 30여 곳과 미국, 독일까지 퍼져나가고 있는 소녀상은 여성인권, 군사주의, 제국주의, 민족주의, 역사인식, 정권교체, 외교전략 등이 얽혀있어 복잡한 '일본군 위안부' 문제를 대중적으로 알리고 지속적으로 관심을 갖게 한 대표적 표상이다. 소녀상은 전쟁 위안부로 끌려갔던 과거의 주체를 지시하며 일본의 범죄 사실을 직접적으로 가리킨다. 동시에 작고 다소곳하지만 야무져 보이는 소녀상은 일본의 진정한 공식적인 사과와 보상이 이루어진다면 상처를 입지 않은 '최초' 상태의 힘과 잠재성을 회복할 수 있을 거라는 집단적 믿음을 상연한다. 이러한 소녀의 역사적 재현은 한국을 중심으로 근현대사의 여성노동자들을 다뤄 베니스비엔날레에서 은사자상을 수상한 다큐멘터리 〈위로공단〉(임홍순, 2014)에서도 반복된다. 산업화 시대에 '공순이'라 불렸던 중년의 여성노동자들은 인터뷰를 통해 한국 현대사의 신성한 영웅으로 호명되는 와중에 공장에서 처음 일을 시작하던 소녀의 이미지로 끊임없이 환원된다. 남성 노동자를 비롯한 진보적 역사의 남성 주체들은 소년으로 이미지화되는 경우가 적은 반면 여성들은 끊임없이 소녀로 회귀된다. 마치 여성들이 역사 속에서 제대로 의미화되고 자신이 속했던 사건의 가치가 회복되려면 소녀 상태로 되돌아가야 하는 것처럼 말이다.[2]

21세기 소녀, 신자유주의 주목경제의 이상적 주체

그런데 소녀는 왜 이렇게 편재하는 스펙터클이 된 걸까? 왜 소년과 달리 소녀는 미디어 문화에서 더 많은 관심을 모으는 걸까? 왜 역사 속 여성은 남성들과 달리 소녀의 이미지로 환원되는 걸까? 정형화된 소녀 이미지가 잘 팔리는 상품이 되고, 소녀들 역시 그 스타일을 구매하도록 부추기는 시장, 즉 소녀 산업의 급격한 성장을 우리는 어떻게 봐야할까?

아마도 많은 이들은 시각문화에서 어린 여성들까지 성적 대상으로 삼는 여성 일반에 대한 고도의 성애화를 문제 삼을 것이다. 특히 K-pop 문화산업에서 십대에 활동을 시작하는 대다수의 걸그룹은 청순함과 섹시함을 동시에 요구받는다. 이들은 이성애 남성 팬들에게 위협이 되지 않을 만큼의 적당히 수동적이고 아이 같은 순수함을 유지해야한다. 그리고 동시에 '삼촌팬'이라 불리는 나이 차가 많은 남성 팬들이 어린 소녀를 성적 대상으로 삼는 데 대한 도덕적 죄책감을 덜기 위해 소녀들이 자율적으로 자신을 성상품이자 매력자본으로 만들며 그 이익을 나눠 갖고 있다는 믿음을 줘야한다. 소녀들은 '삼촌팬'에게 사랑받기 위해 자신의 몸과 매너를 섹시하게 다듬어야 하지만 정신적으로는 여전히 순진무구하

---

2   문화 담론에서 '소녀'는 이미 현실화된 현재보다는 여전히 잠재성을 품고 있는 과거나 파괴 위에서 정초되는 변신의 미래 시간에 존재하는 경향이 있다. 철학자 질 들뢰즈가 '소녀-되기'를 소수자 되기의 정수로 봤던 것도 유사한 맥락이라고 볼 수 있다. 가장 취약하지만 최대의 잠재성을 가진 존재 혹은 망가진 현재와 새로운 창조가 시작되는 미래 사이의 시간에 존재하는 소녀는 봉준호 감독의 영화에서도 디스토피아 세계의 '최후-최초의 소녀'로 자주 재현된다. 〈괴물〉(2006)의 현서, 〈설국열차〉(2013)의 요나, 〈옥자〉(2017)의 미자는 몰락해가는 세계에서 가장 윤리적이며 그래서 미래의 실낱같은 희망을 담지한 유일한 존재다.

고 무성애적이어야 하며, 젠더와 나이의 구조적 위계에는 무지하지만 문화시장에서는 자신의 육체를 상품화하고 이용하는 경제적 주체로서 자신의 '선택'과 시장의 동학을 충분히 이해하고 있어야 하는, 즉 이미지를 착취당하지만 피해자여서는 안 되는 분열을 겪는다. 그 분열을 가리는 데 가장 효과적인 것이 걸그룹 소녀들의 명랑함과 구김살 없음이다. 그녀들의 활기찬 성격은 아동기와 청소년기 특유의 생기 그 자체를 상품화 하는 것이기도 하지만, 은밀히 수동성과 피해자성을 가리는 도구가 되기도 한다. 다시 말해, K-pop의 소녀들은 '나는 알지만 그러나…'를 실천하는 '롤리타'를 충실하게 재현한다. 그러나 이것만으로는 소녀 스펙터클의 편재화를 다 설명할 수 없다. 한국 엔터테인먼트 산업에는 소녀 가수와 배우들을 좋아하는 여성 팬덤이 명백히 존재하고, 대다수의 소녀들 역시 K-엔터테인먼트가 전시하는 소녀성을 구현하고 수행하기 위해 노력하기 때문이다. 그뿐 아니라 위에서 언급했던 것처럼 사회, 정치의 영역에서도 성애화되지 않는 소녀 이미지의 차용과 소녀 되기가 활발하게 일어나고 있다.

영미권의 페미니스트들은 2000년대 중반부터 전 지구적으로 소녀 스펙터클이 편재화 된 주요 이유로 두 가지를 든다(Gonick 2006; Gonick, Renold, Ringrose & Weems 2009; MacRobbie 2008; Projansky 2014; Switzer 2010). 하나는 신자유주의와 포스트페미니즘의 결합으로 구성된 21세기 소녀주체이고, 다른 하나는 미디어 주목경제의 조건 속에서 부상한 셀럽 문화celebrity culture이다.[3] 이는 한국적 맥락에서도 주목해 볼만한 통찰이다.

사라 프로얀스키에 따르면, 소녀는 신자유주의 전 지구적 경제의 이상화된 주체이다. 소녀는 "유연하고, 적응력이 뛰어나고, 열정적이고 지적이며, 상품 소비의 활력 좋은 참여자이며, 개인적 책임감이 높고, 일에 있어 고정되지 않고 끊임없이 이동"[4]한다. 이미지와 스타일적으로도 정형화된 소녀성의 귀엽고, 부드럽고, 말랑말랑하고, 탄력성이 있고, 산뜻하고, 사소한 것에도 고루 흥미를 느끼는 특징은 대표적인 신자유주의적 미학으로 언급되곤 한다(Ngai, 2015). 화려하지만 부담스럽지 않아 쉽게 손에 넣을 수 있고 접근성이 좋은, 정형화된 소녀성은 여전히 견고한 이성애중심의 가부장제 문화산업과 주목에 민감한 소녀 모두가 참여해 형성한다. 소녀는 여기서 단순히 피해자나 취약한 자가 되지 않는다.

---

3   영미권의 현대적 소녀학은 1960-70년대 스튜어트 홀과 레이몬드 윌리엄스가 주도한 현대문화연구소(CCCS)에서 시작되었다고 할 수 있다. 소위 버밍엄 학파로 불렸던 현대문화연구소는 텔레비전과 잡지 등 대중매체와 수용자의 역학 관계를 중심으로 하위문화실천에 많은 관심을 보이며 문화연구라는 신좌파의 새로운 방법론을 제시했다. 문화연구는 모드족, 스킨헤드족, 히피, 오토바이족 등의 소수자나 하위주체의 스타일을 통한 저항의 실천 가능성에 초점을 맞추었다. 그러나 이후 흑인음악을 연구한 폴 길로이나 소녀문화를 연구한 안젤라 맥로비는 기존의 하위문화 연구가 지나치게 백인청년 노동계급남성을 중심으로 이루어졌다고 비판했다. 특히 안젤라 맥로비(1980:1984:1994)는 소녀들의 잡지와 텔레비전 수용 등을 분석하고 소녀들의 저항성을 읽어내며 소녀학 연구의 최전선에 섰다(『한국 사회 미디어와 소수자 문화 정치』 참조). 한국에서도 1990년대 중반에서 2000년대 초반까지 신좌파 문화연구의 영향을 받아 소녀들의 하위문화에 대한 연구가 이루어진 바 있다. 팬덤, 팬픽, 동인지, 야오이, 가출, 원조교제, 임신을 소재로 제도권 밖의 십대 소녀 문화를 연구하며 '십대여성=학생'이라는 성체성을 깨는데 크게 일조했다. 같은 시기 유사한 맥락에서 가출청소년들을 다룬 민족지 영화 〈나쁜 영화〉(장선우, 1997)와 〈눈물〉(임상수, 2000)도 제작되었다. 한편, 맥로비는 2008년 저서인 『페미니즘의 여파』에서는 구조를 지운 채 개인에게 집중하는 포스트페미니즘의 부상 이후 대중문화에서의 소녀의 저항성은 신자유주의에 포섭되었다고 성찰한다.

4   Sara Projansky, *Spectacular Girls: Media Fascination and Celebrity Culture*(New York University Press, 2014), Kindle Electronic Edition: Introduction, Location 304.

'모든 것을 욕망하고 모든 것을 가질 수 있다'는 정신을 소녀들에게 불어넣는 포스트페미니즘은 스타일을 소비하는 소녀를 독립적이고 자율적이며 진보적인 감각으로 포장한다. 이 시대 소녀들은 '걸 파워'의 독립성을 추구하지만 동시에 자신의 성애화된 몸과 그녀의 인격 혹은 개성을 끊임없이 전시하는 상품소비의 시장에 포획된다. 이 지점에서 소녀의 모순과 양가성이 발생한다. 소녀들은 오늘날의 소셜 네트워크 문화 속에서 스스로를 성공적으로 상품화할 능력이 있을 만큼 미디어 리터러시와 창조성이 뛰어나고 자율적 참여자로서 행위자성을 갖게 되지만, 동시에 자발적으로 자신을 전시하고 상품화하며 집단적이고 익명적인 타인의 평가인 평판에 종속시키기 때문에 언제든 스캔들로 추락할 위험에 노출된다.

특히 많은 이들이 인지할 만큼의 셀럽인 경우에 외모, 패션, 예술 퍼포먼스, 운동능력, 지성, 긍정적 태도와 자신감 등을 선보이며 탁월함으로 주목을 받지만, 그만큼 미디어는 큰 뉴스거리가 될 그녀들의 추락 순간을 집요하게 기다린다. 추락의 폭이 크면 클수록 미디어는 열광한다. 자신감 결핍, 불안과 나약함, 실수, 못된 성격, 나쁜 평판, 왕따, 식이장애, 연애와 섹스, 과잉 성애화, 임신 등이 소녀들을 스펙터클에서 스캔들로 만드는 이유가 된다. 소녀들의 나이는 갑자기 계도와 계몽을 핑계로 모든 이들이 한마디씩 할수 있는 알리바이가 된다. 그녀들은 경배와 칭송의 스펙터클이 아니라 경멸과 우려의 스캔들이 된다. 경배의 소녀와 경멸의 소녀는 능력, 계급, 인종 등에 따라 나누어지기도 하지만, 종종 한 소녀 내에 공존하며 진동한다. 중요한 것은 주목경제의 조건 속에서 불운한 소식마저도 볼거리가 되는 시대에 사실상 스캔들은 또 하나의 스펙터클이 된다는 것이다. 물론 이 전면적이고 편재화된 스펙터클화마저도 공평하지 않다. 경배든 경멸이든 아예 미디어 문화 내에서 당대의 관심사에서 벗어나 가시화되지 못하는 소녀들이 있기 때문이다. 미디어가 소녀성을 재현할 때 저소득층, 소수인종, 장애인, LGBTQ 등의 소수자 소녀들은 거의 비가시화된다. 그러나 소수자 소녀들도 어떤 우연적 사건을 만나거나, 은유를 위한 도구가 되거나, 소수자성의 미학적 스타일만 취하는 경우에는 스펙터클 혹은 스캔들이 되기도 하다.

이렇게 경배와 경멸이라는 양가성은 미디어 문화가 주조하는 동시대 소녀의 중요한 특징이다. 무엇이든지 할 수 있는 소녀can-do-girl와 위태로운 소녀at-risk-girl(Projansky 2014), 독립적이고 자율적인 걸 파워 소녀와 제대로 된 주체화에 성공하지 못한 채 존재 자체가 취약하게 되는 오필리어 소녀(Gonick 2006), 임파워먼트empowerment의 페미니스트 소녀와 은유를 위한 도구가 되거나 성적 대상을 자처하는 소녀는 분리되거나 대립된다기보다는 모두 신자유주의적 포스트페미니스트 소녀 주체의 모순적 양상이 된다. 시민들의 디지털 미디어 리터러시가 높아지고 "이미지와 비디오 클립이 자유롭게, 반복적으로, 이야기가 연속되지 않는"[5] 식으로 유통되는 융합 미디어 환경에서 스펙터클과 스캔들을 오가는 소녀

5   Ibid, Location 188.

의 양가적 이미지는 더 걷잡을 수 없이 널리 배포된다. 그래서 미디어의 큰 주목을 받는 소녀는 그저 한 개인일 뿐만 아니라 공공의 동시대 소녀성을 구성하고, 협상하고, 퍼트리는 기능을 한다.

유사한 맥락에서 한국에서도 최근 미디어 문화와 21세기 소녀의 역학관계에 대한 의미 있는 연구가 시도되고 있다. 몇몇 주요 연구만 소개하자면, 김예란(2006)은 모바일 인터넷 문화에서의 소녀의 성찰적 글쓰기를, 김애라(2016.11; 2016.12)는 소셜 미디어에서 셀럽을 숭배하거나 스스로 셀럽이 되며 패션, 화장, 성적매력, 다이어트와 성형, 인테리어 등을 중심으로 여성성을 구성하고 판매하는 주목경제 시대 신자유주의 주체로서의 소녀들을, 한지희(2015)는 일제 강점기의 모단걸부터 국민여동생 문근영을 거쳐 배드걸 이효리까지 우리시대 대중문화에서의 소녀 재현의 계보학을 분석한 바 있다. 한국에서 소녀의 스펙터클이 넘쳐나고 있음에도, 정작 소녀들이 이러한 문화에 어떻게 반응하고 관계 맺고 있는지 그리고 현대 미디어의 소녀 재현이 소녀들에게 어떤 영향을 미치는지에 대한 연구는 미진한 상황에서 이러한 작업의 소중함은 아무리 강조해도 지나치지 않다. 사실 소녀학은 더 많이 나와야하고, 더 다양해져야 하며, 더 간학제적으로 연구되어야 한다.

첨예하고 뜨거운 페미니즘의 최전선

이 책의 아이디어는 2016년 2월 도서출판 여이연 기획위원회가 모인 자리에서 처음 나왔다. 당시 이 아이디어를 촉발한 것은 2015년 말에서 2016년 사이 미디어의 소녀 재현을 둘러싼 논쟁적인 담론들의 동시다발적 증식이었다. 당시의 주요 논란을 조금만 언급하면 이렇다. 2015년 10월 발매된 아이유의 네 번째 미니앨범인《CHAT-SHIRE》를 둘러싼 '롤리타' 논쟁, 2015년 11월 〈마이 리틀 텔레비전〉(MBC)이라는 방송 프로그램에서 JYP 다국적 걸그룹 트와이스의 대만 출신 멤버 쯔위가 청천백일만지홍기를 들었다는 이유로 중국의 보이콧 소동이 있은 후 단독 사과를 한 사건, 국민 프로듀서라는 정치적 투표에 가까운 참여방식으로 101명의 연습생 소녀 중 11명의 걸그룹 멤버를 선발하는 서바이벌 프로그램 〈프로듀스 101〉(Mnet, 2016년 1~4월)의 흥행, 촛불 소녀 세대의 2015년 페미니스트 선언, 2015년 12월 한일 일본군 위안부 협상에 일본대사관 앞 소녀상 철거가 포함되어있다고 알려지면서 벌어진 논란 등이 그것이다. 기획위원회는 이 각각의 사안들이 완전히 상이한 맥락에 위치해있기 보다는 21세기 소녀(성) 풍경의 양가적이고 분열적인 양상이라고 보았다. 그래서 링크되지 않고 이질적인 것처럼 보이는, '이성애 가부장제 문화에서 대상/도구화되는 소녀', '역사·외교적 네트워크의 의미망에 놓인 소녀', '주체적 시민으로 참여하고 변화를 위해 싸우는 소녀'를 한데 펼쳐놓고 이접시키며 21세기의 걸스케이프girlscape를 그려내기로 했다.[6]

이 책의 제목인 '소녀들'은 개별적이면서도 집단적이고, 사적이면서도 공적인 소녀들이다. 아홉 명의 필자들은 농시내 소녀를 중심으로 해서 벌어진 논란을 스캔들이 아닌 소녀학의 중요한 사건으로 위치시키기 위해 아이유, 설리, 쯔위, 김새론, 롤리타, 퀴어 소녀, 촛불 소녀, 소녀상 등을 직접 거명하고 이들을 둘러싼 담론을 분석한다. 이 이름들은 한 명의 주목받는 소녀 개인이나 표상을 가리키기도 하지만, 동시에 그 도드라진 이름을 둘러싸고 새롭게 구성되고 변화하는 각각의 소녀성/소녀 되기를 지칭하기도 한다. 그래서 종종 한 개인 소녀 내에 분열과 충돌을 감수하는 복수의 '소녀들'이 존재하기도 한다.

예를 들면, 아이유는 처음으로 직접 프로듀서로 나선《CHAT-SHIRE》앨범에서 자신이 더 이상 십대 소녀가 아니며 스물셋이라는 성인의 나이에 이르렀음을 노래한다. 그러나 아이유는 자신의 성장을 알리기 위해 "더 이상 소녀가 아니"라고 선언했던(더 정확히 말하자면 프로듀서 박진영의 기획을 따랐던) 박지윤의 〈성인식〉 방식을 선택하지 않는다. 아이유는 현재의 K-엔터테인먼트 문화에서는 소녀로 남아있든 더 이상 소녀가 아님을 선언하든 모두 남성들의 성적 대상이라는 덫에 걸릴 것이라는 사실을 꿰뚫어 보는 것처럼 보인다. 그래서 그녀는 더 교묘하고 모호한 방식을 택한다. 그녀는 대상화되고 도구화된 이미지 상품과 창조적 작가로서

6   아르준 아파두라이는 전 지구화의 흐름 속에서 문화적 역동성과 상호작용을 묘사하기 위해 '풍경(-scape)'이라는 접미어를 사용한다. 이 접미어에 붙는 것은 민족(ethnoscape), 미디어(mediascape), 기술(technoscape), 자본(financescape), 이념(ideoscape)의 다섯 가지 풍경이다. 나는 여기에 소녀들이 미디어를 타고 지역적일뿐만 아니라 전 지구적으로 유동하는 양상과, 분열 및 충돌 속에서 복수로 존재하는 '소녀들'의 걸 스펙트럼을 강조하기 위해 '걸스케이프'라는 조어를 제시한다. 『고삐 풀린 현대성』(아르준 아파두라이, 2004)과 "Imperial Feelings: Youth Culture, Citizenship and Globalization"(Maira, 2004) 참조.

의 아티스트 사이의 자기 분열을 동화의 주인공을 차용한 가사에 내포시킨다. "주체이며 능동체인 채로 자유롭기를 갈망하는 그녀의 선천적인 욕구와 또 한쪽에서는 그녀에게 피동적 존재이기를 원하는 색정적 경향과 사회적 압력 사이에 격심한"[7] 분열, 투쟁, 협상이 고스란히 그녀 앨범의 서사로 전개된다. 아이유는 삼촌팬이라 불린 팬덤이 '롤리타'의 이미지를 그녀에게 끊임없이 요구해온 사실과 자신도 알면서 모른 척 순진함을 연기하며 원하는 반응을 제공해왔음을 드러낸다. 그녀는 문화시장과 자본에 완벽히 속아 넘어간 피해자도 아니고, 온전한 선택권을 가지며 그 상황을 즐겼던 자율적 주체도 아니다. 그녀는 분열적 존재다. 그녀의 이러한 전략을 선명한 저항으로 독해하기는 어렵다. 다만 이 역학관계를 알고 있는 주체로 자신을 설정하고, 분열과 모순을 드러내며 대중을 불편하게 한다. 아이유는 대중문화 내에서 대상화를 넘어 주체로 존재하기 위해 여성성을 끊임없이 협상하는 새로운 소녀성의 표본이다. 심지어 그 와중에 자신의 창작 재능을 키우고 성실한 직업윤리를 수행하며 걸 파워의 면모도 보여준다.

　한편 아이유와 달리 논란의 중심에 선 또 한명의 아역배우 출신 걸그룹 멤버 설리는 미디어의 관심과 대중의 반응을 적극 활용하며 스펙터클과 스캔들 사이를 끊임없이 진동한다. 설리도 저항적 주체라기보다는 K-엔터테인먼트가 키워낸 분열된 소녀주체이

7　시몬느 드 보봐르, 『제2의 성』, 선영사 번역실 옮김, 선영사, 1986, 123-124쪽. 본 저서의 1부 「소녀란 무엇인가」(김은하)에서 재인용.

다. 재미있는 것은 이들이 적어도 대중들이 자신에게 원하는 욕망을 알고 어떤 방식으로든 그 앎을 표현하고자 하는 '아는 소녀'라는 것이다. 그리고 이러한 소녀들의 행동은 무성애화된 소녀들의 가정되고 계약된 무지 위에서 불편함 없이 소녀들을 성적 대상화했던 남성 대중의 심기를 거스른다. 이 소녀들은 분명 스펙터클로서 소비되고 성적 대상화되고 있지만, 완전히 교환되지 않는, 여전히 약분 불가능한 잔여가 있다.

이렇게 대상과 주체, 스펙터클과 스캔들을 진동하는 21세기 소녀성은 이 책의 필자들의 공통된 관점이다. 또한 아홉 명의 필자들은 소녀학이 아직 페미니즘 연구의 주변부지만, 가장 첨예하고 뜨겁게 여성성이 재구성되고 협상되는 페미니즘의 최전선이라고 믿는다. 소녀는 가시적이면서도 비가시적이다. 이미지는 과잉되지만 그 이미지의 소녀주체는 주변화된다. 자신의 이미지로부터 가장 소외되는 이들이 아마도 소녀일 것이다. 때문에 필자들은 소녀를 기호이자 주체, 재현이자 현실, 스펙터클이자 매체, 상품이자 생산자, 지역적이면서 전 지구적인 것으로 다룬다. 아홉 편의 글은 기반하고 있는 분야도 글쓰기 스타일도 모두 다르다. 학술적 논문부터 문화비평, 편지, 페미니즘 운동의 성찰과 보고서까지, 소녀는 이렇게 가로지르고 이접한다. 이 책의 부제가 'K-pop, 스크린, 광장'인 이유도 여기에 있다고 할 수 있다.

책의 구성

1부 김은하의 「소녀란 무엇인가」는 이 책의 훌륭한 입문 역할을 한다. 이 글은 소녀의 근대적 개념사다. 김은하는 서구와 한국을 가로지르며 소녀의 계보를 치밀하게 짚어간다. 당연하지만 서구의 21세기 소녀를 설명하기 위한 포스트페미니즘의 관점이 한국의 현실과 완전히 일치할 수는 없다. 그렇기 때문에 한국적 맥락과 전 지구적 맥락을 모두 이해하며 소녀의 정의, 명명, 범주화가 어떻게 변화해왔는지를 기술하는 작업은 큰 의미가 있다.

2부 '이미지 상품과 아티스트 사이의 소녀들'은 K-엔터테인먼트의 소녀들을 둘러싼 담론과 의미망을 분석한다. 손희정은 「베이비로션을 입은 여자들: 설리, 아이유, 로리콤」에서 아이유와 설리를 둘러싸고 벌어졌던 롤리타 콤플렉스 논쟁의 핵심 질문이, 아이유의 앨범과 설리의 인스타그램 사진이 "롤리타 콤플렉스냐 아니냐?"가 아니라 "성적 대상화와 주체화는 그렇게 선명하게 분리할 수 있는 것인가?"였음을 적확하게 짚어낸다. 이 질문은 여성의 성장 및 섹슈얼리티와 관련해 규범-일탈, 피해-가해, 대상화-주체화의 이분법적 구도를 깨고 21세기 셀럽 소녀의 소녀성을 한층 더 깊이 있게 논의할 초석이 된다. 한편 류진희의 글 「걸그룹 시대와 'K-엔터테인먼트'」는 다국적 걸그룹 트와이스의 대만 출신 멤버 쯔위가 청천백일만지홍기를 들었다는 이유로 비난을 받고 사과했던 일을 동아시아적 사건으로 재위치시킨다. 당시 만 17세로 '상큼발랄한' 개성을 자랑했던 쯔위는 중국 팬덤이 보이콧을 선언하자 이 모든 논란을 책임지며 초췌한 모습으로 사과 동영상을 찍어 배포했다. 여기에 관리자, 보호자, 양육자, 프로듀서, 사장 등의 이름으로 이 모든 프로젝트를 기획하고 소녀들을 보호하는 주체로서 자신들을 홍보하던 박진영과 기획사는 없었다. 이에 류진희는 시장 확대와 이윤만을 바라보며 다문화, 다국적multinational 상품으로 키운 걸그룹이 기획사의 의도와는 달리 어떻게 민족, 정치, 경제, 외교적 차이와 갈등이 첨예화되는 초국적transnational 사건의 핵심이 되는가를 날카롭게 지적한다.

3부 '걸스 온 스크린'은 스크린 안과 밖을 넘나들며 영화에서의 소수자 소녀성을 논의한다. 듀나의 「퀴어 소녀: 소녀에겐 미래가 필요하다」는 한국영화에서 여성 동성애가 오로지 소녀성만을 중심으로 구축되었음을 비판한다. 〈여고괴담 두 번째 이야기〉 (1999), 〈장화, 홍련〉(2003), 〈써니〉(2011), 〈아가씨〉(2016)까지, 레즈비언의 재현은 늘 '소녀'에 머물러 있다. 이것은 이성애중심 사회가 비규범적인 레즈비언을 가부장제 제도 내로 언제든 재규범화하려는 시도와 맞닿아있다. 성소수자 혐오자들의 왜곡된 홍보 문구에서도 볼 수 있듯이 한국에서 성소수자는 늘 과잉성애화된 존재로 묘사된다. 그러나 레즈비언은 예외다. 특히 상업영화에서의 레즈비언은 무성애적으로 그려진다. 스크린의 '퀴어 소녀'들은 이중적으로 탈성애화된다. 소녀라는 측면에서 한번, 레즈비언이라는 측면에서 또 한 번. 스크린의 퀴어 소녀들은 자신의 욕망을 갖고 성장해나가는 인물이라기보다는 배우의 팬과 관객들이 자신의 욕망을 쉽게 투영할 수 있는 도구이다. 퀴어 소녀의 스크린 재현에 있어 이정표를 세웠던 〈여고괴담 두 번째 이야기〉 이후 거의 20년이 되어감에도 기이하게 퀴어 소녀들은 자라지 않는다. 듀나는 이 글에서 시간이 멈춰진 비존재의 소녀들을 자기 욕망을 가진 시간을 달리는 존재로 깨우려 한다. 심혜경의 「김새론: 뉴-걸 혹은 새론-소녀」는 아마 국내에선 유일무이한 '아역배우론'일 것이다. 사실 '아역배우'는 이 글의 취지를 거스르는 단어다. 심혜경은 강아지나 어린 고양이처럼 작고 귀엽고 어린 시절에 한정되어 잠시 소비되는 '아역배우'라는 범주를 깬 배우로 김새론을 정의하기 때문이다. 심혜경에 따르면, 김새론은 대안 가족의 구심점, 다중소녀체, 가부장제 권위에 저항하는 소녀, 역사적 주체로 자신의 경력을 쌓아가며 '새론-소녀'라는 새로운 소녀성을 구축한다. 이러한 그녀의 경력은 쉽게 빠질 수 있는 '국민여동생' 함정과 '삼촌팬'을 피해 가게 한다. 정말로 김새론이 주체적으로 기존의 소녀성, 유약함, 순결함, 선함에 결별을 고하고 있는지는 알 수 없다. 다만 심혜경은 김새론이라는 텍스트를 통해 새로운 소녀성에 주목함으로써 신자유주의 가부장제에 복무하는 대중문화의 외부를 발견하고 주목의 다른 가능성을 상상한다.

4부 '초국적 소녀상'은 '일본군 위안부' 소녀상을 매개로 소녀의 초국적성을 탐색한다. 장수희와 현시원의 두 글은 기존의 '일본군 위안부'에 대한 글들과는 매우 다른 궤도를 돈다. 장수희의 「일본군 위안부, 촛불 소녀 그리고 민주주의」는 소녀상을 둘러싸고 일어날 수 있는 연대의 가능성을 느슨하지만 가능한 크게 확대한다. 장수희는 우에노 치즈코의 입장처럼 민족주의를 비판하는 일본 페미니즘이 자칫 '탈제국' 페미니즘이기보다는 역사성 망각으로 귀결될 수 있음을 경고하며 글을 연다. 그리고 '일본군 위안부'의 목소리로 구성된 '소녀적인 것'이야말로 '탈제국' 페미니즘을 링크시킬 수 있는 가능성을 갖는다고 주장한다. 일본의 전쟁범죄와 남성의 폭력에 대해 공식적 사과를 받고자 하는 '일본군 위안부'들의 목소리는 제국주의, 군사주의, 가부장제, 비역사성에 저항하고 반대하는 것이기에, '소녀적인 것'이란 평화주의와 민주주의를 회복하려 하는 초국적 발화다. 장수희는 한국과 오키나와의 '일본군 위안부'의 증언, 오키나와 반기지 평화운동, 미군기지 사드배치를 반대하는 성주의 촛불 소녀들을 연결하며, '소녀적인 것'을 '정치적인 것'으로 재정의한다. 한편 현시원의 「'위안부' 소녀싱과 '국민 프로듀스'의 조우: 이상한 이상화」는 이 책에 실린 글 중 가장 낯선 관점을 제공한다. 이 글은 '위안부' 소녀상과 '프로듀스 101'의 걸그룹 연습생들을 연결한다. 현시원이 이 두 이미지에서 공통적으로 찾아낸 것은 21세기 디지털 미디어 시대의 '소녀 매체성'이다. 두 소녀는 의미론적으로는 상이하다. 전자가 '일본군 위안부'의 피해와 역사성을 환기하고 일본제국과 가부장제의 범죄를 고발한다면, 후자는 그야말로 엔터테인먼트 컨텐츠로서 즐거움과 위무를 목적으로 한다. 그러나 이미지의 매체성에서 두 소녀는 모두 집단적이고, 참여적이며, 쉽게 변형가능하고, 감정이입이나 욕망의 투사가 쉽고, 움짤이나 미니어처 소녀상 같은 저용량/저화질 이미지poor image로 소셜 미디어 등을 통해 급속도로 널리 유통된다. 이러한 소녀 이미지의 매체성은 접근성과 참여도를 높이지만, 정형화된 소녀성을 강조하는 효과를 가져 오기도 한다. 현시원은 왜 소녀와 여성은 용기 있게 전쟁범죄를 증언한 '일본군 위안부'와 같은 영웅일 때조차도 한 명으로 재현되지 않는가라는 흥미로운 질문을 던진다. 여기서 한명의 소녀는 단순히 개인적이고 개별적인 소녀라기보다는 자신의 물질성 속에서 욕망의 차이를 갖고 이미지의 소유권을 주장하는 소녀다.

5부 '소녀처럼 싸워라'는 앞의 글들이 문화 재현과 아이콘에 초점을 맞춘 것과 달리 진짜 현실의 소녀들의 이야기를 들려준다. 어찌 보면 현시원의 글에서 제안했던 '한 명의 소녀'라 할 수 있을 것이다. 더군다나 이 두 글은 그 한명 한명의 동료 소녀들, 젊은 여성들에게 건네는 연대의 말이라는 점에서 더 의미가 있다. 쥬리는 청소년운동단체 '십대섹슈얼리티인권모임'에 참여해 겪었던 자신의 운동경험과 성찰을 나눈다. 실제 사례와 십대 여성들의 풍부한 인터뷰가 포함되어 있는 「여성 청소년의 인권과 자기결정권」을 재미있게 읽는 법은 앞의 글들과 연관해 읽는 것이다. 청소녀 당사자가 바라본 의제강간, 보호자 가부장과 자본이 여성 청소년에게 요구하는 덕목 간의 간극, 그리고 실제 여성 청소년들에게 "외모 꾸미기는 순응이면서도 저항"이고 "개인적 취향의 실천이면서도 사회적 메시지를 던지는 행위"라는 지적은 앞의 논의들을 더 구체적이고 풍부하게 만들어 줄 것이다. 마지막 글 홍승은의 「촛불 소녀, 페미니스트 되다」는 촛불 소녀가 어떻게 페미니스트로 각성하게 되었는지를 서술한다. 홍승은의 정치 참여 여정은 곧 동시대 젊은 여성들의 공통경험이라고 할 수 있다. 자신의 동생과 함께 '촛불 소녀'로 광장정치를 경험했던 홍승은은 그 후 각종 진보적 청년단체, 시민단체, 정당 활동을 한다. 그러나 처음 느꼈던 주체적 시민으로서의 정치적 해방감을 쉽게 경험할 수는 없었다. 언제나 젊은 여성은 의미 있는 정치적 참여와 실천을 해도 외모와 젊음으로 평가되고 끊임없이 성별로 환원되며, 예외적이고 특별한 존재가 된다. 이러한 경험 속에서 홍승은은 '오빠가 허락한 운동'에서 벗어나 해방의 힘을 믿는 페미니스트가 되기로 한다. 이 글에서 가장 빛나는 부분은 서간체 양식으로 쓰인 "B에게 보내는 편지"다. B는 누굴까? 나는 그것은 자신과 동생, 동료들의 어린 시절 그리고 지금의 소녀들이라고 믿는다.

대다수의 글들이 2015년과 2016년의 시의성 있는 사건을 다루고 있다. 출판이 예상보다 조금 늦어졌지만 그 안타까움을 상쇄할 만큼 이 글들이 제기하고 있는 질문과 분석은 여전히 너무나 유효하고 강력하다. 이렇게 흥미롭고 날카로우며 사유를 확장해주는 글을 써준 필자들에게 다시 한 번 무한한 감사를 드린다. 이 글들은 21세기 간학제적 '소녀학'의 새로운 지평이 될 것이라 믿어의심치 않는다. 이 책이 나올 수 있도록 지원을 아끼지 않은 도서

출판 여이연 기획위원들께도 감사드리고 싶다. 박미선, 손희정, 나영정, 사미숙, 박이은실, 양경언 위원들은 실질적 기획을 함께 하고 최적의 필자들을 추천해주었다. 특히 출판 업무를 담당한 사미숙 선생님께는 이 지면에 담지 못할 만큼의 감사하고 미안한 마음을 갖고 있다. 게으르고 욕심 많은 책임 편집자가 원하는 것을 가능한 들어주려 물심양면 애써주셨다. 책의 디자인을 맡아준 고영선님께도 감사드린다. 21세기 소녀의 양가성을 표현해달라는 무리한 요구를 실현하기 위해 여러 번의 수정과 논의를 거치는 협업 과정을 마다하지 않았기에 이런 결과가 나올 수 있었다.

현재 이 세계는 소녀와 젊은 여성에게 가혹하다. 세계는 소녀들에게 끊임없이 이중 잣대를 들이대며 그 모든 것을 한 몸에 껴안으라고 명령한다. 분열과 모순으로 존재 자체를 분투해야 하는 상황이다. 그러나 나는 소녀들은 누구보다 영리한 협상가라고 생각한다. 그들은 여전히 포섭되지 않는 에너지, 기존 체제에 완전히 수렴되지 않는 잔여를 보유하고 있다. 그것은 주체와 대상의 이분법을 흐리는 행위, 혹은 주체와 대상 간의 새로운 관계 설정 어딘가에 있다. 지금 당장 저항적이지 않아도 좋다. 다만 해방의 힘을 믿으며, 소녀들이 타자로 남아있기를 강제하는 세계를 교란하는 반사거울을 들고 꺼지지 않는 목소리를 내자. 그것은 비존재로 존재하기를 넘추고 미래를 응시하며 자신의 언어와 비전을 찾아가는 여정이 될 것이다. 이 책을 바로 그러한 한명 한명의 소녀들에게 바친다.

참고문헌

아르준 아파두라이, 『고삐 풀린 현대성』, 차원현 외 옮김, 현실문화연구, 2004.

한국방송학회 엮음, 전규찬 외 지음, 『한국 사회 미디어와 소수자 문화 정치』, 커뮤니케이션북스, 2011.

김애라, 「소셜미디어 소녀시장과 디지털(소비)정보를 통해 구축되는 십대여성 성」, 『한국청소년연구』 4호, 한국청소년정책연구원, 2016.11, 149-173.

_____ , 「소녀들의 디지털 노동 로맨스—신경제 징후적 여성 노동」, 『문학과 사회』 29(4), 문학과 지성사, 2016.12, 50-63.

김예란, 「소녀성과 육체의 미디어화: 모바일 커뮤니케이션 역사의 자기성찰적 해석」, 『미디어, 젠더 & 문화』 5호, 한국여성커뮤니케이션학회, 2006.04, 8-40.

김예란, 김효실, 정민우, 「광장에 균열내기: 촛불 십대의 정치 참여에 대한 문화적 해석」, 『한국언론정보학보』, 한국언론정보학회, 2010.11, 90-110.

MacRobbie, Angela, *The Aftermath of Feminism: Gender, Culture and Social Change*, Sage Publication, 2008.

Ngai, Sianne, *Our Aesthetic Categories: Zany, Cute, Interesting*, Harvard University Press, 2015.

Projansky, Sarah, *Spectacular Girls: Media Fascination and Celebrity Culture*, New York University Press, 2014.

Gonick, Marnina, "Between Girl Power and Reviving Ophelia: Constituting the Neoliberal Girl Subject" 2006 *NWSA Journal*, Vol. 18 No.2 (Summer).

Gonick, Marnina, Emma Renold, Jessica Ringrose and Lisa Weems, "Rethinking Agency and Resistance: What Comes After Girl Power?" *Girlhood Studies* 2(2), Winter 2009: 1-9.

Maira, Sunaina, "Imperial Feelings: Youth Culture, Citizenship and Globalization" In Marcelo Suarez-Orozco and Desiree Baolian Qin-

Hilliard(eds), *Globalization: Culture and Education in the New Millennium*, Berkeley: University of California, 2014.

Switzer, Heather, "(Post)Feminist Development Fables: *The Girl Effect* and the Production of Sexual Subjects", *Feminist Theory*, 12(3) 345–360, 2010;

차례

소녀란 무엇인가[1]

김은하

국어사전은 소녀를 "아직 완전히 성숙하지 아니한 어린 여자"로 정의하며 유의어로 계집애, 계집아이, 아가씨 등을 들고 있다. 이는 소녀가 임신과 출산 등 생물학적 기능이 성숙하지 못했기에 성인 여자와 구별될 수 있음을 암시한다. 그러나 나이가 어려도 초경을 하면 생리학적으로 재생산 기능을 갖추게 된다는 점에서 '성숙'의 의미는 다시 모호해진다. 국어사전은 이러한 정의가 불완전함을 자인하듯 소녀를 "결혼하지 아니한 여자가 윗사람을 상대하여 자기를 낮추어 이르는 일인칭 대명사"로 재차 풀이하고 있다. 이두 번째 정의는 마치 로맨스 드라마의 상투적 결말이 그러하듯 결혼이 규범적 여성성을 획득한 여성에게 주어진 보상이거나 혹은소녀가 특유의 불완전성을 벗어나 완전한 여성이 되는 절차임을주지시킨다. 이는 소녀기는 유년기와 성인기 사이에 문화가 인위적으로 개입해 만들어낸 틈, 즉, 어린 여자가 가부장제가 요구하는과업을 완수함으로써 '진정한 여성'이 되기 위한 통과제의적 시간임을 뜻한다. 즉, 성장은 씨앗이 자라 열매를 맺는 것과 같은 자연스러운 과정이 아니라 생물학적 여성이 가부장제 사회가 여성에게 요구하는 규범과 가치들을 체득함으로써 사회에 편입되는 성별 사회화의 과정이다. 그러므로 소녀는 어머니의 몸에서 벗어나와 아버지의 법의 세계로 진입하면서 복종적 주체를 형성해가야한다. 그러나 소녀는 문화의 법질서에 수렴되기를 거부하는 항의

---

1   이 글은 『여/성이론』 34호(여이연, 2016)에 '소녀'라는 제목으로 실린 글을 수정한 것임을 밝힙니다.

와 거부의 에너지로 가득한 이질적인 주체이기도 하다. 시몬느 드 보봐르의 말을 빌리면 "소녀기는 주체이며 능동체인 채로 자유롭기를 갈망하는 그녀의 선천적인 욕구와 또 한쪽에서는 그녀에게 피동적 존재이기를 원하는 색정적 경향과 사회적 압력 사이에 격심한"[2] 투쟁이 일어나는 시기이다.

소녀의 탄생

소녀에 대해 알기 위해 '소녀'가 탄생한 기원의 시공간으로 되돌아 갈 필요가 있다. 소녀는 나이와 성차가 개인을 분류하는 보편적 잣대로 기능하게 된 근대에 들어 폭넓게 사용되기 시작한 어휘이기 때문이다.[3] 전근대 사회에서 소녀는 결혼하지 않은 여자가 스스로를 낮추어 부르는 말인 소저小姐와 동일하게 사용되었다. 그러나 고어古語 사전에서 소녀라는 단어를 찾을 수 없으며, 1920년대 이전에 활발히 쓰이지 않았다는 점에서 소녀는 중세봉건 사회에서 근대 사회로 이행하는 과정에서 탄생한 말로 볼 수 있다.[4] 소녀라는 말은 그 쓰임이 완전히 일치하지는 않지만 서양식 교육을 받는

---

2   시몬느 드 보봐르, 『제2의 성』, 선영사 번역실 옮김, 선영사, 1986, 123-124쪽.

3   일반적으로 '청소년'은 9세 이상 24세 이하의 인구 층을 가리키는 기술적 범주의 용어이다. 그러나 청소년은 성별과 무관하게 남성을 그 대표성으로 하는 '청소년'이라는 이름으로 명명되고 있다. 여성주의 연구자들은 청소년이라는 용어는 남녀 간의 젠더차이와 권력관계를 간과할 수 있다고 비판하며 '청소녀'라는 새로운 명칭을 통해 소녀가 특정한 사회, 문화, 경제적 맥락 속에서 남자 청소년, 성인 남성/여성과 다르게 사회문화적으로 구성된 범주임을 인지할 것을 요청하고 있다(추주희, 「탈주하는 청소년/청소녀의 성과 삶」, 진보평론편집부, 『진보평론』 제35호, 2008, 169쪽).

4   최배은, 『한국 근대 청소년소설의 징치적 무의식』, 박문사, 2016, 397쪽.

여학생을 뜻한다는 점에서 혼인이 유예되고 여성들이 교육의 대상이 되는 과정에서 보편적으로 사용되기 시작했다. 다른 한편으로 '소녀'는 오늘날 사람들이 소녀를 떠올릴 때 자동적으로 따라오는 문화적 관념들, 즉 청순미 혹은 순결 등의 의미론적 내포를 지닌 성별화된 개념이다. 이는 소녀의 탄생에 연령주의와 성차라는 문제설정이 개입되며 그것이 착종된 형태가 '소녀'임을 뜻한다.

소녀의 탄생을 이야기하기 위해서는 인간의 성장과 발달에 대한 관점이 근대에 들어 크게 변화하면서 청소년 개념이 탄생했다는 점부터 숙지되어야 한다. 청소년은 인간의 삶을 연령에 따라 나누고 각 시기의 과업을 부여한 생애주기의 한 단계를 가리키는 용어이다. 이러한 개념은 자연적 시간의 자명하고 불변적인 속성에 의한 것이 아니라 사회문화적 조건에 영향 받는다는 점에서 가변적이다. 개인의 발달단계 양상은 특정 사회의 문화적 기대로부터 영향 받기에 청소년기 과업이라고 할 성숙은 다분히 문명화된 개념이다. 이를 테면, 근대의 청소년기는 성인의 삶을 준비하는 단계에 지나지 않지만, 근대 이전의 청소년은 일찌감치 성인의 역할을 수행했고 아이가 아닌 '성인'으로 대우받았다. 물론 완전한 성인으로 받아들여진 것은 아니었지만 청소년들은 작은 어른으로서 어른과 비교적 동등한 권리를 부여받았다. 그러나 근대로의 진입과 함께 청소년기가 발명됨으로써 청소년은 사회의 각별한 기대를 받는 미래의 잠재태로 주목받는 한편으로 여러 가지 규제에 억눌린 '주변인'의 위치에 놓인다.[5]

청소년으로서 소녀는 사회의 주변부 집단으로서 인간적 권리와 자유가 억압당하는 한편, 공부를 통해 신분상승 해야 한다는 압력에 시달리게 된다. 그 결과 청소년은 오늘날 삶의 주도권을 상실한 채 성인과 사회에 완전히 의존해야 할 무기력한 존재가 되었다. 앞서 보았듯이 전근대사회에서는 연령이 인생을 구획하는 결정적 기준이 될 수 없었다. 하지만 근대 사회는 시간을 주재하는 주체의 의지가 삶의 결정적 요소가 됨으로써 생애를 시간에 따라 규율하게 된다. 더욱이 자율보다는 타율과 규율이 청소년을 지도하는 방법으로 제시되기 때문에 청소년기는 격동의 진앙지가 될 수밖에 없다. 청소년은 미성숙하다는 세간의 인식과 달리 사리분별력을 갖추었을 뿐 아니라 어디까지나 스스로를 개인으로 인식할 수밖에 없는 독자적 존재이지만 미성년으로 취급당하기 때문에 격렬한 위반의식을 내장하고 있다. 그럼에도 청소년은 계급이 획득의 대상으로 변화한 근대 사회에서 가족의 신분상승이라는 무거운 책무를 짊어지고 공부의 판옵티콘에 갇혀 스스로를 도구화하기를 강요당하며 부모와 사회에 대한 증오심과 죄책감에 사로잡히기 쉽다. 더욱이 갈수록 학령기가 길어지고 청소년 간 경쟁이 치열해짐으로써 청소년의 사회적 참여 및 활동은 거의 불가능한 것이 되고 말았기 때문에 청소년기는 더욱 고통스러운 시간이 되고 있다.

다른 한편으로 소녀는 소년 일반이 겪는 문제와 다른 것들을

---

5   김현철, 「청소년은 누구인가?」, 김현철 외, 『이팔청춘 꽃띠는 어떻게 청소년이 되었나?』, 인물과 사상사, 2009, 46쪽.

경험하게 된다는 점에서 청소년 범주에 완전히 환원되지 않는다. 한지희에 의하면 소녀라는 언어 기표가 서양식 관념의 근대 소녀의 범주로 재의미화된 것은 1908년이다. 최남선은 잡지 『소년』에서 자신을 포함한 십대 남학생들을 동급에 해당하는 서양의 소년으로 새롭게 지칭하고 서양식 관념의 근대 소년의 범주를 탄생시켰다. 소년은 국난의 위기를 극복함으로써 신대한의 독립과 미래를 이끌어갈 근대적 주체의 이름이었다. 이러한 소년의 기획 속에서 근대적 소녀는 근대 소년에 상응하는 언어기표로서 우발적으로 탄생했으며, 그 기의가 텅 비어있다는 점에서 "소년의 잉여"라고 할 수 있다.[6] 이러한 판단을 뒷받침하듯 소녀는 서양식 교육을 받은 여학생을 뜻하는 말이지만, 일반적으로 '신여성'과 다른 의미론적 자질을 지닌다. 신여성은 침묵과 숙명과 순종의 악덕이 아닌 개성의 권리와 반항의 미덕 등과 같은 근대적 개인의 자질들을 드러내는 근대성의 표상이었다. 때로 그것은 모던 걸이라는 풍자적인 이름으로 불릴 만큼 혐오와 우려의 대상이었다. 그러나 소녀는 신여성이 가지는 남녀평등이나 권리의식 등을 결여하고 있는 이름이다.[7] 소녀는 신여성과 달리 개체로서의 자각이 전무하다는 점에서 '계몽enlightenment'에 미달하는 존재인 것이다. 이러한 점 때문

---

6   한지희, 『우리 시대 대중문화와 소녀의 계보학』, 경상대출판부, 2015. 71-74쪽.
7   식민지 조선의 신여성은 일본의 '새로운 여자들'에 비유된 점에 주목할 필요가 있다. '신여성'은 1911년에 일본 최초의 여성잡지인 세이토를 창간하고 이 잡지를 중심으로 전개된 연애의 자유와 남녀평등, 성차별 철폐 등을 핵심 사상으로 공유한다.(김경일, 『여성의 근대, 근대의 여성』, 푸른 역사, 2004. 22쪽).

에 성인여성이 인간의 타락에 책임이 있는 성적이고 물질적인 존재로 함의되는 것과 달리 소녀는 도덕적으로 우월한 구원자, 즉 '진정한 여성'으로 여겨지기도 한다. 소녀는 국난의 위기로부터 민족을 구해낼 주체가 아니라 미래의 구성원을 양육할 교육받은 현모양처의 자질을 갖출 것을 요구받았다.

소녀의 탄생을 엿보기 위해서는 먼저 아동기의 발명에 대해 살펴보아야 한다. 근대사회로의 이행은 어린이의 지위와 역할을 크게 바꾸어 놓으면서 독자적인 존재로서의 어린이를 역사적으로 등장시켰다. 배경내에 의하면 의학의 진보와 과학의 발달에 따른 생활환경의 개선으로 유아사망률이 감소하면서 아이들의 인구가 늘어나자 아이들에 대한 특별한 관심이 고조되기 시작했다. 다른 한편으로 국민국가의 형성은 통일된 의식과 언어를 갖춘 국민의 양성을 필연적으로 요구하면서 보통국민교육의 국가적 체계가 갖추어지기 시작한다. 이제 아이들은 직접적인 생산관계에 편입되지 않고 학교라는 근대적 국민교육기관 내에서 국민으로서의 통일된 자질을 갖추고 미래의 경제활동을 준비하는 데 상당한 기간을 보내게 된다. 이러한 사회변화에 따라 아이들은 이제 생산현장이 아닌 가정과 학교에서 특별한 보호와 가르침의 대상으로 위치지어졌고, 독자적인 인생의 단계를 거치면서 성인과 구분되는 독자적인 세계와 행동양식, 문화를 형성하고 있는 존재라는 관념이 일반화되기 시작한 것이다.[8]

이렇듯 아동기가 발견됨으로써 여성들에게 모성적 자질이 요구되는 한편으로 소녀 교육의 목표가 구체화된다. 이화학당 등 신교육 기관의 여성 교육의 목표는 여아를 모범적 주부로 만드는 것이었다.[9] 소녀는 가정에서는 부모를, 학교에서는 교사를 따르는 수동적인 존재이기를 요구받는다. 이러한 노력은 개인이 '좋은 삶eudaemonia'이나 탁월성의 가치를 실현할 자유를 향한 정진이 아니라 좋은 어머니, 양처가 되기 위한 자기의 도구화를 뜻한다. 소녀들에게는 미래 세대의 양육을 책임지는 현모양처가 되기 위한 교육이 최우선시 되었다. 즉 소녀는 자기실현을 향해 성장하기보다 국민의 일부로 호명되어 수동적인 미래만을 부여받게 된다. 진정한 개인이 될 수 없으므로 욕망이나 열정 등을 표현해서는 안 되고 '자아'에 대한 어떤 주장도 하면 안 되는 수동화된 존재가 이상적 소녀이다. 이러한 현모양처 기르기로서의 소녀 교육은 해방 전후와 개발독재기를 지나면서도 크게 달라지지 않았다.

여성이라는 몸

오정희의 「중국인 거리」(1979)는 한국 전쟁 직후를 배경으로 전후

---

8   서구의 경우, 청소년에 대한 표상은 빅토리아 중간계급으로부터 출현해 전 사회계층으로 확산되었다. 부르주아계급은 노동계급에 비해 자녀교육에 동원할 수 있는 자원을 갖고 있고, 이는 부르주아계급 가정의 자녀들이 노동계급 자녀에 비해 노동의무로부터 면제되게 했다. 산업화가 촉진되고 이에 따라 공교육 기간이 늘어남에 따라 부르주아계급에서 출현한 청소년기의 독립현상은 점차 전 사회계급으로 확대되었다. 한국사에서 청소년기의 발명에 대해서는 배경내의 글(배경내, 「어린이 그리고 인권」, 문화과학사, 『문화과학』, 봄호, 2000, 97쪽)을 참고할 것.

9   한지희, 앞의 책, 140쪽.

국가재건을 가부장적 질서의 복권으로 알레고리화하는 한편으로 소녀들이 성장의 과정에서 겪는 혼란을 그려낸다. 주인공인 소녀는 다산으로 고통 받는 어머니를 혐오하는가 하면 양공주 매기언니를 통해 섹슈얼리티의 모험과 쾌락의 가능성을 엿본다. 그러나 기대는 곧 폐기되고 성장에 대한 불안이 엄습한다. 술 취한 흑인 군인이 매기언니를 이층에서 던져버림으로써 구식민지 가부장제가 신식민지적 형태로 변모해가던 시기 주변부 여성의 희생자로서의 위치를 감지하기 때문이다. '나'는 닮고 싶은 여자를 발견하지 못한 채 어머니가 여덟 번째 아이를 낳느라 "차라리 죽여줘"라고 비명을 내지르는 사이 "이해할 수 없는 절망감과 막막함"[10] 속에서 '초조初潮'를 경험한다. 소설은 소녀가 여성의 육체를 갖게 됨으로써 무성적인 어린아이의 시간에서 추방되어 아버지의 법에 종속된 복종적 주체가 될 것임을 암시한다. 소녀가 보여주는 불안정한 심리는 월경 그 자체에 대한 것이 아니라 여자들의 몸에 대한 문화적 해석과 이에 대한 심리적 공포감의 표현이라고 할 수 있다.

소설은 소녀들이 여러 딜레마에 직면할 것임을 암시한다. 처녀성의 상실, 강박관념적이며 무조건적인 사랑, 어머니의 배신에 대한 발견, 혹은 역할 모델로 작용할 수 있는 '적절한' 여성을 발견하는 데 드는 어려움이 그것이다. 이는 여성으로 성장해가는 과정은 자유로운 주체가 되는 것이 아니라 종속을 향한 고통스러운 자기 포기임을 암시한다. 소녀들이 성숙한 여성의 육체를 갖게 되었다

10   오정희, 『중국인 거리』, 문학과지성사, 1981, 81쪽.

는 사실은 결코 자유의 증대를 뜻하지 않는다. 보봐르는 "사춘기는 여성에게 있어서 무척 어렵고 힘들며 또한 아주 결정적인 과도기이다. 여태까지 그녀는 자주적인 존재였지만, 이제 그 주권을 버려야 한다. 그녀는 남자친구들처럼, 아니면 그들보다 한층 더 괴로운 방법으로 과거와 미래 사이에서 갈등을 느끼게 된다. (중략) 이렇듯 격심한 갈등은 어린 여자 아이가 여성으로서의 육체를 갖게 됨으로써 시작되게 된다"[11]고 함으로써 소녀들의 발달 과정에서 여성적 육체의 획득이라는 과정이 단순히 생물학적인 문제가 아니라 자유의 포기이자 가부장적 권위로의 종속을 요구받는 고통스러운 규율화임을 암시한 바 있다.

이를 테면, 소녀들은 가정과 학교에서만이 아니라 동화나 소설 그리고 미디어 등 재현 텍스트를 통해 몸의 자유를 규제하는 온갖 담론들에 둘러싸이게 된다. 푸코는 여러 저작에서 근대의 훈육 기구(감옥, 학교, 병원)와 근대의 훈육담론들(의학, 인구론, 정신분석학)이 몸짓과 몸, 그리고 하루하루의 행위에 개입하며 몸을 권력의 효과로 만들어내는 방식을 밝히고 있다. 그러나 근대적인 남성의 몸이 자본주의 사회에서 생산하고 노동하기 위해 훈육되는 유순한 몸이라면 여성들은 남성의 욕망의 대상으로 구성되면서 소녀 자신의 욕망을 부인하거나 억압함으로써 근본적으로 탈성화되고 순종적인 몸을 구성하도록 요청받는다. 소녀의 몸은 우선적으로 성적으로 타락한 성인 여성의 몸과 대비되는 것으로 순결함 혹은 청

11 시몬느 드 보봐르, 앞의 책, 127쪽

순함으로 표상된 정숙한 몸이다. 소녀들에게 요구되는 부끄러움과 수줍음은 이상적인 소녀의 가장 필수적인 자질로 사랑스러운 소녀를 완성시킨다. 정숙하다는 것은 방탕한 욕망과 무절제한 욕망, 죄 많은 욕정 등 사춘기를 사로잡는 성적 욕망을 억압해야 한다는 요구를 담고 있다.[12] 그러나 이렇듯 소녀들의 정숙한 행동은 오히려 남성들에게 강력한 성적 함의를 일깨움으로써 소녀를 성적 욕망의 대상으로 만드는 역설적인 상황이 발생한다. 소녀는 성적 관음의 대상이자 미성년 성매매나 강간 등 성적 폭력의 희생자이다. 소녀가 된다는 것은 자기 육체의 편안함으로부터 영원히 추방된다는 것을 뜻한다.

흥미롭게도 소녀의 조신한 몸가짐은 소녀에게서 성숙한 여성의 징후를 드러냄으로써 남성욕망의 시선 속에 포획되게 만든다. 이를 테면, 한국의 엔터테인먼트 산업에서 소녀 가수들은 인간의 손이 닿을 수 없는 곳에 존재하며, 따라서 섹슈얼리티(본래 성애)와 같은 세속적인 것으로 '더럽혀지지' 않은 표상이기에 대중의 열광을 끌어낼 수 있었다. 특히 초기 걸그룹의 정숙함과 귀여움의 전략은 요정이라는 호칭에서 엿볼 수 있듯이 비현실적인 순수함의 성애였다. 그러나 최근 들어 상업 엔터테인먼트는 소녀들에게서 더 이상 순수만이 아니라 섹시함의 코드를 끌어내 관중에게 어필하고 있다. 바비인형에 비견할 만큼 비현실적으로 날씬하고 완벽한

---

12   이에 대한 자세한 논의는 다음의 논문을 참조할 것. 김진아, 「품행지침서에 나타난 여성의 몸: 『젊은 여성에게 주는 설교』와 『딸에게 주는 아버지의 유산』」, 한국근대영미소설학회, 『근대영미소설』, 제18집 제3호, 2011, 75-76쪽.

몸매의 '쎅시한' 소녀들은 더 이상 순진한 교복소녀들이 아니다. 성애적 코드를 강조한 걸그룹의 상업화 전략은 소녀들에게 금기시된 성적 욕망과 표현의 욕구를 충족시키는 것 같지만 기실 소녀가 볼거리의 대상으로 소비되기 시작했음을 뜻한다. '쎅시한' 소녀는 남성의 성적 욕망을 일깨우기 위한 도구이면서 동시에 남성의 쾌락을 위해 헌신하는 노예의 몸으로 전락한다. 이들을 향한 삼촌 팬들의 지지는 소녀가 치열한 경쟁과 끝이 없는 사회적 불안으로 특징화되는 신자유주의 하에서 남성성의 위기를 위무하는 새로운 볼거리로 등장했음을 뜻한다.

젠더화된 사회적 관행들은 육체의 의미와 특징을 변형시키고, 특정한 여성다움의 이미지를 재강화하는 방식으로 여성의 몸을 형성함으로써 젠더화된 육체를 만들어내는 데 작용한다. 소녀들에게 여성이 된다는 것은 두려움과 거부의 대상이자 열렬한 선망이 어지럽게 뒤섞인 복잡한 경험이다. 특히 현실적으로 여성들이 소유한 자본이 취약한 사회에서 아름다운 여성이 되는 것은 보상으로 돌아오기 때문에 이상화하고 성취해야 할 과업이 되기도 한다. 따라서 소녀들은 자신들의 육체를 아름답게 가공하기 위한 자기희생적인 노력을 마다하지 않는다. 다이어트, 식이요법, 성형수술 등 십대소녀들은 미용 산업의 부추김에 힘입어 미적 희생제의의 경주를 마다하지 않는다. 아름답고 섹시한 육체는 여성의 정체성에 있어서 가장 중요한 요소가 되고 있기 때문이다. 성장하는 소녀들은 자기 신체의 주인이 되는 과정에서, 그리고 남자로부터 인정받기 위한 육체의 시련 속에서 승리감에 도취되거나 자기고양감에 사로잡히기도 한다. 따라서 소녀들의 육체 관리가 복종적 주체의 형성으로 이어진다고 단정하기 어려운 측면이 있다. 소녀들이 자기희생을 통해 힘들게 획득한 여성성이 찬양받기 위해 분투하는 과정은 분명 매저키즘적인 것이지만, 이는 가부장적 권력에 복종하는 것이라기보다 권력을 갖고자 하는 욕망에서 비롯되기 때문이다. 그렇지만 관리하는 자아와 복종적 몸짓을 별개로 구분할 수 있다는 것은 이론적 허구일 수도 있다.

획일적인 여성의 미에 가까이 가기 위한 소녀들의 노력은 기실 문화적으로 세련된 품행지침서의 역할을 은닉하고 있다. 몸 가꾸기는 여성들이 특정한 자아이기 이전에 시각적으로 아름다운 대상이 되도록 표준화를 요청한다는 점에서 획일적인 여성적 이상을 제시한다. 자신의 육체를 '쎅시하게' 치장한다고 해서 소녀들이 성적 권리를 갖는 것이 아니라 성적 볼거리의 대상으로 여성 간 상호경쟁에 뛰어드는 것이지만, 경쟁의 너머를 보기는 어렵다. 소녀들의 몸 가꾸기는 개인의 자연스러운 욕망의 솔직한 표현이라기보다 남성들의 판타지를 그대로 반영하거나 혹은 연출해내야 하는 것이기에 균질화된 몸에 도달하는 것을 목표로 삼는다. 거기에서 우리가 볼 수 있는 것은 사실상 개인적인 욕망이나 열정 등의 표현과 충족이 금지되고 자아에 대한 어떤 주장도 불허당한 볼거리로서의 소녀이다. 이때 여성의 몸은 개성을 담지한 각각의 몸이 아니라 가부장제와 엔터테인먼트 사업이 요구하는 대상화, 성품화된 몸이다. 그러므로 소녀 자신이 스스로의 몸과 주체적이고 개인적인 관계를 맺기 불가능하다. 아름답고도 성애화된 소녀의 몸은 여전히 여성이 자신을 개별적인 재능이나 인격, 권리를 가진 존재로 상정하지 못하게 만든다.

문화의 타자

청소년은 한 사회의 어떤 집단보다도 취약한 위치에 놓인 하위 집단이다. 이들은 성인과 다를 바 없는 육체를 가졌으면서도 아직 어리다는 이유만으로 미성숙하고 불완전한 존재로 취급받는다. 따라서 시민으로서의 권리와 자유를 갖지 못할 뿐만 아니라 성적 욕구나 표현을 금지 당한다. 기실 미성년이란 말은 물리적인 연령을 규정하는 법과 제도의 산물일 뿐이다. 이는 소년과 소녀가 허구적 기호임을 뜻한다. 그럼에도 불구하고 문화는 청소년이 미성숙하다는 이유로 시민적 권리를 짓누르는 제도와 문화의 억압성을 미성년에 대한 '보호'와 '육성'이라는 미명 하에 알리바이화한다. 보호정책은 청소년들의 다양한 권리들을 보호하는 것이 아니라 사실상 청소년을 불완전하고 미성숙한 존재로 차단·통제하는 정책이다.[13] 청소년들은 이렇듯 권리를 먼 미래로 유예당하는 한편으로 국가주의의 기획 속에서 미래의 자원으로 정체화됨으로써 공부기계가 되기를 강요당한다. 이들은 효율적인 생산의 주체가 되기 위해 학교에서 공교육의 의무를 성실히 져야 하며, 조한혜정의 표현을 빌면 올림픽에 나가는 선수인 양 어머니의 섬세한 지도, 감독 속에서 신분상승이라는 목표를 짊어지고 대학입시를 향해 매진해야 한다.[14]

소녀는 이렇듯 십대 미성년으로서 사회에 존재하는 연령서열주의에 의해 독립적으로 사고하고 행동할 개인의 권리를 박탈당한다는 점에서 소년과 동일하게 마이너리티 집단에 속한다. 그러나 소녀는 사회가 선호하는 우월한 노동력인 소년보다 더 많은 차별을 가정과 학교에서 경험하며 착한 소녀가 되라는 이데올로기를 강요받는 동시에 빈번하게 성적 폭력의 대상이 되기에 문화의 이중적 타자이다. 소녀는 여성으로서 자기에 대한 배려의 기술을 배워야 하지만 스스로를 타인과 타인의 욕구 그리고 욕망과 관련해서 정의하도록 강제당하기 때문에 자기로부터 소외된다. 어린아이와 여성을 결여된 존재이자 가부장의 보호와 지배를 받아야 할 존재로 여기는 근대의 정치구조 하에서 소녀가 여성을 면할 수 없는 한 이러한 현실은 바뀌기 어렵다. 소녀/여성은 아버지/남성의 보호와 통제가 필요한 수동적 존재로 받아들여지기에 시민적

---

13   이동연에 의하면 청소년 정책의 역사는 청소년이 '보호'와 '육성'의 주체로 오랫동안 인식되어 왔음을 증명한다. "1961년에 제정된 '미성년자보호법'에 의해 청소년은 도덕적, 윤리적 훈육·보호 대상으로 규정받게 되고, 한편으로 이듬해 '아동복리법'이 생겨나면서 청소년을 복지의 대상으로 인식하게 되었다. 이 당시에 형성된 청소년 관련 양법 체제가 국가의 청소년에서 이른바 '보호'와 '육성'이란 양분법적 큰 틀을 형성하는 데 기반이 되었다. (중략) 보호의 담론이든, 육성의 담론이든 국가의 청소년 정책은 청소년을 대상화하고 타자화하는 이데올로기적 일관성을 갖는다."(이동연, 「청소년은 저항하는가?—청소년 주체형성의 다중성 읽기」, 오늘의 문예비평 편집위원회, 『오늘의 문예비평』, 2009년 봄, 8-39쪽).

14   조한혜정, 『성찰적 근대성과 페미니즘』, 또 하나의 문화, 1998, 328-329쪽.

권리를 온전히 소유할 수 없는 문화의 타자이다.

일반적으로 성인들은 17세기 영국의 사상가 존 로크 이래로 사회계약에 의해 탄생한 근대 국가에서 개인의 재산 소유권과 자유로운 이익 추구를 보장받는다. 그러나 경제적 자유만을 지나치게 강조해 사회구성원 모두가 각자 이익만을 추구하다보면 서로 간의 경쟁이 치열해지고 결국은 사회가 해체되거나 도덕적으로 붕괴할 수 있기 때문에 개인은 정치적 권리를 부여받는 한편으로 정의와 양심에 따라 행동할 수 있는 도덕적 자유 속에서 자기 진정성의 이념을 추구할 것을 요청받는다. 그러나 소녀-여성은 경제적 미성년으로서 자유의 권리가 없기 때문에 사회와 부모-남성의 경제력에 의존해야 한다. 또한 소녀-여성은 헌법에 보장된 정치적 기본권을 제한받기 때문에 인권을 침해하는 형태로 법이 제정된다고 할 때조차도 정의와 양심에 의거해 국가의 권위에 불복종하기도 어렵다. 특히나 가부장제 문화는 소녀-여성을 이성이 부족한 자로 간주하고 규범적 여성성을 미덕으로 제시하기 때문에 인간의 기본 권리보다 여성적 의무를 습득하도록 강요당한다.

메리 울스턴크래프트는 18세기 말 계몽주의의 물결에 휩싸인 유럽에서 프랑스혁명을 계기로 인간과 시민의 권리 선언이 이루어지고 있지만, 여성은 여전히 법적으로나 사회적으로 남성의 소유물로 간주되어 어떤 권리도 가지지 못하고 있음에 주목한다. 그녀는 남자들이 자신들의 폭정을 정당화하기 위해 그간 남녀는 서로 다른 미덕을 추구해야 한다는 그럴듯한 명분을 내세움으로써 여성의 각성을 가로막았다고 비판한다. 그녀는 당대의 지성적 권위를 대표하는 밀턴, 루소 등을 공격하며 "우리에게 유순한 가축 같은 존재로 살아가라니 그런 모욕이 어디 있는가! 수없이 많은 사람이 우리에게 그야말로 걸핏하면, 그리고 아주 강력하게, 여자는 매력적인 부드러움으로 순종함으로써 남자를 지배한다고 하지 않았던가!"[15] 라고 반격을 가하며 여자에게도 이성을 깨우고 이성을 사용하게 할 계기가 필요하다고 주장한다. 이는 이성에 대한 인정이 시민적 권리 유무의 근거가 된다는 점을 암시한다.[16] 가부장제 사회는 남성과 여성은 능동성/수동성, 강함/부드러움, 이성/감성과 같이 대조되는 특성을 가진 것으로 규정하며 남성과 여성을 차이 짓는 젠더 이데올로기로 정식화하는데, 이는 여성이 남성보다 이성이 부족하다는 신념을 지지하는 데 사용된다. 근대 사회에서 미성년의 범주에는 유아, 어린이, 청소년이 포함되지만 사회는 잠재적으로 성인 여성마저 미성년으로 간주하는 경향이 있다. 여성을 보호하라는 신사의 명제는 사실상 혼자서 온전히 독립적으로 사고하고 행위할 수 없는 존재에 대한 우월감의 표현인 것이다.

오늘날 우리는 젠더 갈등의 상당부분을 해결한 것처럼 보인다.

---

15 메리 울스턴크래프트, 『여권의 옹호』, 손영미 옮김, 한길사, 2008, 56쪽.

16 중세인들은 어린이 시기가 대개 7세에 종결된다고 생각했다. 17세기까지도 7세와 60세 사이에 속한 사람들을 모두 동일한 사회 범주로 취급했다. 7세를 어린이의 시기가 종결되는 나이로 상정한 것은 7세기 되면 비교적 자유롭게 말을 구사할 수 있고 지각이 깨어 어른과 별로 다를 바 없는 존재가 된다고 여겼기 때문이다. 이런 맥락에서 카톨릭 교회에서는 7세를 이성의 나이, 즉 사리분별이 가능해지는 시기로 간주하기도 했다(정준영, 「한국 사회 속의 미성년의 정치학」, 문학과지성사, 『문학과 사회』, 2004년 봄, 663쪽).

이천 년대 후반에 등장한 알파걸 담론은 소녀들을 더 이상 희생자나 피해자로 재현하는 것은 정치적으로 옳지 않을 뿐더러 현실과 부합하지 않는 듯 여기게 한다.[17] 이는 그간 유년기에 인지, 체력 등에서 남학생들을 앞지르던 소녀들이 십대가 되면 가정과 학교에서 성차별적 관념을 주입받음으로써 낮은 자존감, 정서적 불안, 낮은 성취동기 등을 보여준다는 사춘기 블랙홀 이론과 다르다. 이제 사회적 근심거리가 된 것은 학습 능력이 낮고 위험한 충동으로 불안하기만 한 베타보이들이다. 그러나 알파걸은 성차별 문화를 긍정적으로 극복한 사례로만 볼 수 없다. 여전히 여성들의 임금은 남성보다 낮고 노동 시장에 진입하는 것조차 쉽지 않다는 점에서 알파걸 담론은 일종의 착시현상에 가깝다. 또한 현실에서 분명히 존재하는 소수의 알파걸들은 남녀평등이 성취된 사례라기보다 여성들에 대한 모욕과 차별의 채찍을 더 가혹하게 휘두르는 신자유주의의 부권에 맞서 여성으로서의 자존을 지키기 위해 소녀들이 선택한 전략인지도 모른다. 또한 알파걸은 대학에서 페미니스트로 성장했지만 이렇다 할 사회혁명을 이루지 못한 채 가정으로 되돌아간 어머니 세대의 왜곡된 보상심리의 소산일 수 있다.

소녀 문제의 가장 큰 곤경은 십대의 시절이 성년이 되기 위한 과도적 단계, 즉 일시적인 상태로만 여겨진다는 것이다. 우리는 모

17 알파걸에서 알파(α)는 그리스어로 '처음' 혹은 '첫 번째 가는 것'이라는 뜻으로, 학업, 과외활동, 대인관계, 성취동기, 자기확신, 미래에 대한 비전, 리더십 등 모든 면에서 소녀들이 동년배의 남학생들에게 뒤지지 않으며, 오히려 이들을 능가한다는 뜻을 담고 있다(댄 킨들러, 『알파걸』, 최정숙 옮김, 미래의 창, 2007).

두 어린아이였지만 어린 시절을 망각하듯이 소녀기 역시 망각의 어둠 저 편 속에 던져져 있다. 생물학적 여성이라면 누구나 한때 소녀였지만, 이러한 사실이 소녀들의 주변적 삶을 공적 의제화하는 계기가 되지 못한다. 소녀기는 인생의 한 부분에 불과한 일시적 시기, 즉 이행성을 특징으로 하기 때문에 그다지 중요한 위상을 부여받지 못한다. 고통 받는 소녀들의 이야기들은 사회에서 그다지 관심을 받지 못한 채 소녀기를 순결하거나 훼손되지 않은 시간으로 신비화됨으로써 탈사회화, 탈정치화된다. 소녀는 성인 여성에게는 애도되지 못한 채 자기 안에 살고 있는 낯선 유령이며, 성인 남성에게는 좌절하고 훼손된 남성성을 위로하고 구원할 어린 여신이다.

실상 소녀들은 언제나 늘 가정과 사회를 향해 비명 섞인 항의의 말을 토해낸다. 소녀들은 히스테리와 같은 소극적 방식이나 가출처럼 자기 자신을 통째로 내거는 과감한 방식으로 저항한다. 그러나 저항은 사춘기 특유의 미친 호르몬의 영향이나, 불량소녀의 일탈 행위로 손쉽게 취급된다. 드물게도 소녀들은 동료 집단과의 연대를 통해 자기 자신을 정치세력화하기도 한다. 2008년의 미국산 소고기 수입 반대 집회를 주도한 '촛불소녀'들은 정치 집회의 풍경을 바꾸면서 새로운 정치 세력으로 떠올랐다. 광장공포증은 대표적인 여성의 질병으로 여겨져 왔다는 점에서 정치의 광장에 출현한 소녀들은 세상의 변화를 실감하게 해주었다. 진보적 공론장에 등장한 촛불 소녀들은 진보의 가부장성을 상세해주는 '게

넘녀'였지 성차별주의에 맞서는 페미니스트 히스테리아는 아니었다. 촛불소녀들은 이후 나날이 시장화하는 대학에서 페미니즘에 등을 돌린 알파걸들로 성장하고, 졸업 후 노동시장에서 구조조정의 불안에 시달리며 자기계발에 매진하는 듯 보였지만 신자유주의 시장 체제의 권위주의적이고 가부장적 성격에 대한 절망과 분노인 양, 2015, 2016년 소셜미디어 등을 통해 "나는 페미니스트입니다"라는 급진적인 선언과 함께 공론장에 다시 등장하게 된다. 이러한 사실은 미성년의 저항은 구성원의 지속성이 확보되지 않는 한 연속성을 유지하기 어렵다는 것을 뜻한다. 따라서 "미성년에 새로 편입되는 성원들이 그들의 현실에 걸맞게 지속적으로 의제를 생산해가고 문화 영역에서 정치 영역으로 저항을 확산시키지 않는다면, 새로운 세대의 저항은 사회적 영향력을 미치지 못하고"[18] 소녀들 자신의 삶을 바꾸는 데 영향력을 미칠 수 없을 것이다. 소녀들의 정치적 저항, 다른 주체를 향한 꿈은 끊임없이 주변적으로 밀려나거나 망각되기 쉬운 것이다.

---

18 이에 대해서는 정준영의 글을 볼 것(정준영, 앞의 글, 674쪽).

2부

이미지 상품과
아티스트 사이의
소녀들

베이비로션을 입은 여자들:
설리, 아이유, 로리콤

손희정

젖꼭지에 자유를: 아이콘이 된 여자들

2016년 후반. 아이유와 설리가 "혁명의 아이콘"이 되었다는 한숨 섞인 소리가 들려왔다. 한숨이 섞이는 건 그들이 혁명을 운운할 만큼 전복적이거나 대단히 위협적이지 않기 때문이다. 다만 이들의 행보가 돌출적으로 보일만큼 한국 사회 자체가 고리타분하고 초라한 탓에 아이콘이 된 것뿐이다.

예컨대 이런 식이다. 설리는 어느 날 소셜 미디어 인스타그램에 휘핑크림을 짜먹는 사진을 한 장 올린다. '최자'('최강남자' 혹은 '최강자'의 준말)라는 이름의 연상남과 연애를 하면서 온갖 구설수에 올랐던 터라 휘핑크림을 짜먹는 사진도 즉각 성적인 의미로 해석되고 논란을 불러일으켰다. 하지만 그렇게 소란스러울 일인가.

오히려 흥미로운 것은 설리가 애초에 다른 여자 아이돌과는 조금 다른 위치에 놓여있었다는 점이다. 그의 '불성실한 태도'는 때때로 문제가 되곤 했는데, 이는 우리 사회가 원하는 소녀 이미지와는 다른 것이었다. 한국 사회에서 '소녀'는 전형적으로 '비행 소녀'와 '개념딸'로 양분되어 멸시와 숭배 사이를 진동하는 존재이면서, 그런 진동의 어느 즈음에서 성적으로 대상화되는 존재이기도 하다. 대표적인 예가 '걸그룹'이다. 〈프로듀스 101〉이 선보였던 것은 이런 소녀들 무리였다. 꿈을 위해 달리는 성실하고 순수한, 그러면서도 재능과 욕망을 가진 소녀들. 그러나 이 프로그램의 프로듀서가 한 인터뷰에서 밝혔던 것처럼 이런 이미지와 서사는 "건전한 야동"으로 의도되었을 뿐이다.[1] 그야말로 착취적 판타지에 불과하다는 말이다.

설리는 이 소녀 이미지로부터 계속 미끄러졌다. 중국어 욕설을 내뱉은 것이 공중파를 타거나, 무대 위에서 안무를 대충한다는 논란이 일었고, 인터뷰에 성실하게 임하지 않았던 일 등이 인구에 회자되었다. 그러던 와중에 최자와의 열애설이 터졌다. f(x)의 팬덤은 설리의 태업에 화가 남과 동시에 계속해서 흘러나오는 최자와의 데이트 사진에 짜증을 냈다. 태업의 원인이 최자와의 연애로 지목되었던 탓이다. 그리고 드디어, 설리가 최자와 키스하는 사진을 인스타그램에 올리면서 이 '짜증' 혹은 '분노'는 팬덤을 넘어 대중으로 스며든다. 그가 걸그룹 f(x)를 탈퇴하여 연기자로서 독자노선을 선언한 것은 일견 당연하면서도 필연적인 선택처럼 보였다. 설리는 더 이상 이 시대 걸그룹 시장이 원하는 '건강한 우리의 소녀'가 아니었던 것이다.

물론 '최자'가 이러 저러한 뜻을 함의하고 있는 것이 명백한 것과 마찬가지로 설리의 휘핑크림 사진 역시 한 가지 이상의 의미를 담고 있다. 설리가 몰랐을 리 없음은 물론이다. 설리는 어느 순간부터 자신의 '불온한 섹슈얼리티'를 다양한 전략으로 삼기 시작했다. 그러므로 대중은 사실 설리가 원하는 반응 그대로를 보였던 셈인지도 모른다. 그래서 누군가는 이렇게 질문한다. "설리를 성적으로 대상화하고 있는 것은 대중인가, 설리 자신인가?"

---

1   변지은, 「엠넷 한동철 국장 "프로듀스 101은 건전한 야동" 발언 사과」, 『여성신문』, 2016. 07.22. http://www.womennews.co.kr (2016년 9월 18일 검색.)

이어서 올린 셀카 사진에서 젖꼭지가 보이네 마네, 노브라네 아니네로 설왕설래했던 대중은 또 한 장의 사진으로 움찔한다. 바로 '시골길 노브라 사진'이다. 이 사진에서 설리는 쾌활한 몸짓으로 환하게 웃고 있는데, 트레이닝복 밑으로 젖꼭지가 도드라진다. 관련 기사 댓글에는 "공인으로서 적절하지 않은 옷차림"이라는 평가까지 달라붙었다. 당연하게도 브래지어를 하지 않는 것이 뭐 그렇게 대단한 잘못인가라는 두둔에서부터 브래지어라는 가부장제의 장치가 여성의 몸에 끼치는 해악에 이르기까지 다양한 이야기들이 넷상에서 오고갔다. 상황이 이렇게 되고 보니 설리는 "젖꼭지에 자유를!Free the Nipple!"이라는 페미니스트 액티비즘의 구호[2]를 대변하는 아이콘이 되어 버렸다. 그리고 "설리가 페미니스트냐 아니냐라는 논란이 일고 있다"는 말까지 나왔다. 대체 왜 이렇게 난리였을까?

나는 이제 그 이야기를 하려고 한다. 그다지 위험하지 않은 어떤 여자들이 급진성의 아이콘이 되어버린 사건과 그런 사건을 만들어낸 주범이라고 할 수 있는 2010년대 대한민국이라는 배경에

---

2 '젖꼭지에 자유를(Free the Nipple)' 캠페인은 "여성과 남성이 가슴을 완전히 드러내는 상체 탈의에 있어 '법적으로 동등한 자유'를 누려야 한다고 주장한다. (…) 여성의 몸에 대한 자주권을 침해하며 이래라 저래라 하는 검열에 맞서고, 그 검열을 작동시키고 유지시키는 남성중심 사회의 금기에 도전한다. 이 캠페인이 온/오프라인 세계 곳곳에서 반향을 얻으면서 법적 검열뿐 아니라 여성들의 자기 긍정을 위한 임파워먼트(empowerment) 메시지를 전하고 있다. 또 몸매 비난(body shaming)이나 성적 대상화(sexual objectification)에 반대하는 의미로도 확장되고 있다." (하리타, 「젖꼭지에 자유를! 나는 페미니스트다」, 『일다』, 2016.08.04. http://www.ildaro.com 2016년 9월 15일 검색.) 이런 '젖꼭지에 자유를' 캠페인과 연결되어 있는 것이 '노브라 운동'이다. 이 글을 쓴 저자 하리타는 시리즈 연재에서 "노브라는 이미 액티비즘"이라고 설명한다. (하리타, 「"No Bra No Problem" 브라를 벗다」, 『일다』, 2016.08.22. http://www.ildaro.com 2016년 9월 15일 검색.)

대해서. 왜 복숭아라는 별명을 가진 여자가 복숭아 사진을 손에 올려놓고 찍은 사진이 '복숭아 사진'으로만 보이지 않는가[3]와 왜 앨범 표지의 소년이 신은 망사 스타킹이 그토록 문제가 되었는가에 대해서. 그 끝에 우리는 성性을 떠드는 것을 지나 이제는 성을 사유할 때가 되었다[4]는 주장에 다가가게 될 것이다.

CHAT-SHIRE:
교섭의 마을, 그리고 소녀들의 섹슈얼리티

'설리와 노브라'로 이야기를 시작해봤다. 비교적 다루기 쉬운 주제이기 때문이다. 우리는 설리를 이야기하면서 곧장 여성 몸의 해방과 자유주의적 자기 결정권에 대한 논의로 넘어갈 수 있다. 이에 덧붙여 여성 섹슈얼리티에만 유독 굴레를 덧씌우는 가부장제의 이중 잣대를 비판할 수도 있을 것이다. 그러나 이 이야기는 여기서 멈추지 않고 점점 더 복잡한 미로를 그려나간다. 그리고 그 미로는 아이유와 만난다.

2015년 10월, 아이유가 컴백했다. 어느 때보다 뜨거운 논란을 불러일으키면서 말이다. 그 논란의 중심에는 〈제제〉라는 곡이 놓

---

3 설리의 별명은 '복숭아'다. 그 별명은 절친 아이유가 지어줬다고 한다. 그래서 설리 인스타그램의 프로필은 한동안 복숭아 사진이었다. 이 이미지 역시 성적으로 해석되어 유통되었다.

4 게일 루빈의 고전 「성을 사유하기: 급진적 섹슈얼리티 정치 이론을 위한 노트」는 다음과 같은 명문장으로 시작한다. "성을 사유할 때가 왔다(The time has come to think about sex)." 본 글은 바로 이 문제의식에서 시작됐다. (게일 루빈, 「성을 사유하기: 급진적 섹슈얼리티 정치 이론을 위한 노트」, 『일탈』, 임옥희 외 역, 현실문화, 2015, 00쪽.)

여있었다. 전세계의 독자를 눈물바다에 빠트렸던 브라질 소설 『나의 라임오렌지 나무』의 다섯 살짜리 주인공 '제제'를 성적으로 대상화하고 "가장 어린 잎과 꽃을 따라"고 적극적으로 유혹하고 있다는 죄목이었다. 한국에 『나의 라임오렌지 나무』를 처음 번역, 소개한 출판사 '동녘'에서 아이유의 해석에 유감을 표현하면서 문학 작품에 대한 해석의 문제로부터 시작된 논란은 소아성애의 문화적 재현, 즉 로리타 콤플렉스(이하 로리콤)의 재현에 대한 윤리적이고 정치적인 판단으로까지 확대되었다. 뒤따라 음원 불매 운동이 시작되고 음원 폐기 아고라 청원 페이지가 개설된다. 이 청원에는 3일 만에 3만 명이 넘는 대중이 동참한다. 이에 대응해 음원 보존 아고라 페이지 역시 등장했다.[5]

논란은 2016년 9월, 설리와 구하라가 사진작가 로타와 작업한 사진이 공개되면서 계속되었다. 대중은 이를 비롯 설리의 인스타

---

5   사건을 상술하면 이렇다. 2015년 10월 23일, 아이유는 네 번째 미니앨범 〈CHAT-SHIRE〉를 발매한다. 여기에 수록된 〈제제〉라는 곡에서 『나의 라임 오렌지 나무』의 주인공인 '제제'를 '발칙한 아이'로 재해석하고, 이 곡에 대해 "어떤 부분에서는 착한데 어떤 부분에서는 잔인하다. 제제가 어린 아이니까 덮어지지만 제제라는 캐릭터만 봤을 때는 모순점이 많은 캐릭터. 그런 모순점이 많은 제제가 가지고 있는 성질에 대해서만 이야기하자면 참 섹시하다고 생각했다"라고 설명했다. 앨범 발매 기념행사인 〈CHAT-SHOW: 한 떨기 스물셋〉이라는 자리에서였다. (장윤정, 「아이유 '새 앨범 챗셔에서 '제제'가 하위권인 이유 모르겠다. 2위 할줄 알아」, 『아주경제』, 2015.10.23. http://www.ajunews.com/ 2016년 9월 16일 검색.) 이 내용이 기사화되자, 출판사 동녘이 이 해석을 문제 삼는 입장문 "아이유님, 제제는 그런 아이가 아닙니다"를 페이스북 페이지에 게재한다. 곧이어 출판사의 고압적인 태도를 문제 삼는 트윗들이 등장했다. 유명인들 역시 한마디씩 보냈는데, 예컨대 허지웅은 "출판사가 문학의 해석에 있어 엄정한 가이드를 제시하는 것은 옳지 않다"고 쓰면서 "제제는 출판사에 동의하지 않을 것이다"라고 덧붙인다. 대중은 특히 '문학'과 '대중음악'이라는 매체 간의 위계 설정을 문제 삼았다. 이어서 논의는 아티스트의 표현의 자유 문제로 옮겨갔으나, 곧이어 대중문화에서의 소아성애 재현을 문제 삼는 논의들이 치고 나온다. 여기에는 보수적인 성관념에 기대어 아이의 성이 이야기되는 것을 문제 삼는 이에서부터, 소아성애 재현 안에서 여성과 아동의 인권을 고민하는 논의, 그리고 고통스러운 개인적 경험에 대한 고백 역시 포함되어 있었다.

그램 계정 사진들이 로리콤이라고 비판/비난했고, 설리는 이런 반응을 비아냥거리면서 계속해서 그를 둘러싼 말들의 향연에 불을 붙였다. 그리고 2017년 1월에는 수지가 2년 전 오선혜 작가와 작업한 화보 『SUZY?SUZY』가 네티즌에 의해 '로리콤'으로 '발굴'되면서 '여자 아이돌 & 로리콤' 논란은 이어지고 있다.

사실, 아이유는 '제제'를 성적 대상으로 해석할 수 있고, 출판사는 유감을 표할 수 있으며, 소비자들은 음원 불매 운동을 펼칠 수 있고, 누군가들은 예술의 자유를 옹호하며 '대중 파시즘'을 비판할 수도 있다. 어느 이야기 하나 새로울 것은 없다. 그렇다고 해서 중요하지 않다는 것은 아니다. 각각의 영역은 그 나름의 심도 깊은 논의를 요하는 중요한 논점들을 가지고 있다. 다만 여성을 벗겨서 눕히기만 하면 곧바로 사회 비판적 작품(예건대 〈더러운 잠〉처럼)이 될 것이라고 생각하거나, 혹은 여성을 벗겨서 눕히기만 하면 곧바로 여성혐오적 작품으로 비판(예컨대 여성 나체를 그린 작품에 대한 무조건적 폐기)하는 상황의 반복 속에서 예술적 상상력의 고갈과 비평의 몰락을 절감하는 이 시대에, 우리는 비평의 결을 조금 더 풍부하게 만들 필요가 있다. 페미니스트 비평이란 우리에게 익숙한 것들과 사유 및 감정이 맺고 있는 관습의 고리를 깨고 다른 목소리를 문화의 장에 기입하는 것이어야 한다. 그랬을 때 전자와 후자는 모두 관습 속에서 유영하고 있다. 비평에도 그야말로 상상력과 관점의 전환이 필요한 것이다.

이런 문제의식에서 주목하고 싶은 것은 '아이유의 성장이 말해지고 전시되는 방식'이고, 바로 그 맥락 안에서 아이유가 '제제'를 성적 대상으로 상상했다는 점이다. 이때, 아이유의 성장이란 두 가지 측면에서 이야기될 수 있다. 하나는 '소녀'에서 '여자'로의 성장이고, 다른 하나는 '아이돌'에서 '작가/아티스트'로의 성장이다. 그런데 흥미롭게도 이 두 성장의 성격을 대중적으로 결정짓는 것은 다름 아닌 아이유의 '섹슈얼리티'였다.

〈제제〉가 수록된 앨범 〈CHAT-SHIRE〉는 아이유가 전곡을 작사하고 직접 프로듀싱한 작업이며, 3집 〈Modern Times〉에서부터 아티스트로서의 자의식을 드러내기 시작한 아이유의 '야심작'이기도 했다. 그런데 이 앨범의 타이틀곡인 〈스물셋〉에서 아이유는 말한다. "난 영원한 아이로 남고 싶어요. 아니 아니 물기 있는 여자가 될래요." 이어서 그는 묻는다. "맞춰봐, 어느 쪽이게?" 아이유가 벌이고 있는 저글링처럼 대중은 아이유가 어떻게 '국민 여동생'에서 '여자'로 성장할지 주목해 왔다. 아이유 역시 바로 그 지점이 스물 셋, 대중 '여'가수의 상품성임을 인식하고 있다. 최근 몇 년 간 아이유에게는 어떻게 '성적 존재로, 그리하여 성인 아티스트로 거듭날 것인지'가 중요한 화두였음이 분명하다. 성적인 주체가 되는 것이 (사적인 삶에서 뿐만 아니라) 성공한 아티스트가 되는 것에 있어 핵심적인 문제이기 때문이다. 〈CHAT-SHIRE〉의 히든 트랙인 〈23〉(이는 타이틀곡인 〈스물셋〉과는 다른 곡이다)의 가사는 이런 의도를 노골적이고 또 솔직하게 표현한다.

I'm twenty three 아, 아파질지도 몰라 / I'm twenty, twenty three But 나를 놓치지마 / I'm twenty three 하, 하룻밤만 기다려 / I'm twenty, twenty three 네 품에 내가 피어 피어나 / Baby 달이 뜨면 갈게요 붉은 초를 켜둬요 / Black and melty red red red 날 묶어 둘 생각은 마요 / 나 몹시 예민해요 해요 / 입은 적 없는 옷을 입을 게요 / 한 번도 지어본적 없는 표정을 할게요 / 날 봐요

Baby 어떤 맛이 좋아요 / 무슨 색을 원해요 / 다 알고 싶어 싶어 싶어 / 당신의 스위치는 어디죠 / 찾아가도 되나요 / 가본 적 없는 곳을 보여줘요 / 나를 숨이 차게 데려가도 / 좋아요 좋아요 / Black and melty red redred / Sweet, sweet, sweet, sweet / Black and melty red red red / Sweet, sweet, sweet, sweet / (I'm twenty three now)×2

〈제제〉뿐만 아니라 〈스물셋〉을 지나 〈23〉에 이르면 우리는 설리의 경우에 했던 질문을 다시 아이유에 대해서도 던지게 된다. "아이유를 성적으로 대상화하고 있는 것은 대중인가, 아이유 자신인가?" 아니, 질문을 수정하는 것이 더 정확하다. "이것은 성적 대상화인가, 아니면 성적 주체화인가?" 혹은 "성적 대상화와 주체화는 그렇게 선명하게 분리할 수 있는 것인가?" 그리하여 우리 역시 스물셋 아이유가 던진 질문에 대면하게 되는 것이다. "맞춰봐, 어느 쪽이게?"

이 질문에 대답하기 위해서 이해해야 할 것은, 이처럼 아이유의 섹슈얼리티가 그의 성장에 핵심적인 문제가 될 수밖에 없는 바로 그 지점에 한국 사회의 성규범이 놓여있다는 사실이다. 그리고 이때 그 규범이란 '여성의 성'에 작동하는 규범이 아니다. '아이의 성'에 작동하는 규범이다.

이 사회에서는 아이를 탈성애화시키는 것이 대단히 중요한 과제다. '어린 스타'가 '성인 스타'로 발돋움할 때 늘 섹슈얼리티가 최대 쟁점이 되는 건 이 탓이다. 게일 루빈이 지적하고 있는 것처럼 우리 사회의 인식과 제도, 그리고 법은 "유년의 '천진무구함'과 '성인'의 섹슈얼리티 사이에 놓인 경계를 유지하는 데 특히 흉포하다."[6] 그리고 이런 흉포함은 물론 여성의 경우에 더 과도하게 활개를 친다. 왜냐하면 이 사회에서 '소년'들에게 섹슈얼리티는 모험이 되고 성장이 되며 힘과 권력이 되는 반면, 소녀에게 섹슈얼리티는 전혀 다른 의미를 가지고 있기 때문이다.

소녀는 텅 빈 그릇이거나 아무것도 묻지 않은 '하얀 천'처럼 순수하기 때문에 아슬아슬한 매혹을 가진 성적 존재가 된다. 탈성애화되기 때문에 오히려 성애의 대상이 될 수 있는 것이다. 이것은 성적 주체성을 거세할 때에야 성적 대상이 된다는 아이러니의 발산이며, 일종의 도착적인 뒤틀림이다. 바로 이런 도착의 회로가 그동안 아이유가 '성적 주체'가 되어서는 안 되지만, 동시에 소아성애적 욕망의 대상이자 로리콤 서사의 주인공으로 과잉 성애화되

6　게일 루빈, 앞의 책, 320쪽.

어 온 이유이기도 하다. 금지된 욕망이기 때문에 더욱 잘 팔리는 상품이 되는 것이다. 그런 의미에서 '어린 여성 연예인'들은 '성인 인증'을 받기 위해 이중의 성별규범에 영합하고 또 그와 경합해야 한다. 때때로 포르노에 가까운 '성인 연기'가 여성 연예인들에게 일종의 통과의례가 되는 경우들을 떠올려 보라.[7]

〈제제〉를 둘러싼 논란의 한 축에도 바로 이 문제가 놓여있다. 아이유는 성적 주체일 수 없었지만 언제나 은근하게 혹은 과도하게 성애의 대상이 되어왔다. 그런 아이유가 드디어 장기하와의 연애를 공식화한 뒤, 스스로 '여자'가 되었다고, '성적 주체'가 되었다고 말하는 앨범을 발표했다. 그리고 그 작업에서 어린아이를 성적 존재로 해석하고 있는 것이다. 이는 진정으로 흥미로운 도발이다.

아이유는 〈CHAT-SHIRE〉가 '하고 싶은 말이 너무 많았던 작업'이라고 말한다.

작사를 다 했는데, 하다보니까 이번 앨범에 너무 하고 싶은 말이 너무 많았다. 또 주제가 가볍지 않고 심각했는데, 너무 심각하게 보이는 게 싫었다. (...) 그래서 제목으로 한 번 덮자는 생각에 평범하게 '피플'이라든지 그런 제목을 생각했는데, 그런 식이면 더 심각하게 보일까봐 그냥 'CHAT(이야기하다)-

---

7   십대 여성의 섹슈얼리티에 대한 한국 사회 및 대중문화의 이중적 태도에 대해서는 손희정, 「괄호를 풀어라: 한국 영화가 십대 여성의 성을 다루는 방식에 붙이는 글」, 『10대의 섹스, 유쾌한 섹슈얼리티』, 동녘, 2010 참고.

SHIRE(州)'라고 했다. 나의 가치관이 아니라 잡담이라고 한 거다.[8]

아이유 4집 〈CHAT-SHIRE〉의 구성은 눈여겨 볼만하다. 이 앨범 각 곡에는 모티프가 된 소설의 인물들이 있다. 아이유에 따르면 이 인물들은 그가 각 소설에서 제일 좋아하는 캐릭터를 데려다 쓴 것이다.[9] 이때 CHAT이라는 말, 즉 '잡담', '이야기'는 교섭의 용어다. 동화 속 인물을 가져와 하나의 세계shire를 구성했지만, 그 앞에 '잡담'을 붙임으로써 그것은 판타지 공간으로 전환된다. '잡담의 세계'는 사회가 원하는 여자 아이돌이라는 상품과 스스로 그 세계에 군림하고자 하는 뮤지션으로서의 욕망이 부딪치는 판타지의 세계인 셈이다.

아이유는 전지구적 가부장체제가 형성한 K-POP의 세계에서 교섭하고 협상하며 '반사하기'를 보여주고 있다. 그는 자신의 몸과 섹슈얼리티가 이 사회에서 보여질 뿐만 아니라 읽혀지고 해석되며 의미망을 형성하는 하나의 텍스트라는 것을 잘 알고 있다. 따라서 '제제'에 대한 적극적 해석의 중심에 놓여있는 것은 소아성애라기보다는 한 여성이 오랜 시간 겪어 온 '사회가 해석하는 나의 섹

---

8   최현정, 「아이유가 밝힌 'CHAT-SHIRE'의 의미 "그냥 잡담"」, 『스포츠 동아』, 2015.10.23. http://sports.donga.com/ (2016년 9월 15일 검색)

9   〈제제〉만이 원작 소설을 모티프로 삼은 것은 아니다. 〈새 신발〉은 『오즈의 마법사』의 도로시를, 〈스물셋〉은 『이상한 나라의 앨리스』의 체셔고양이를, 〈푸르던〉은 『소나기』의 소년과 소녀를, 〈Red Queen〉은 『거울 나라의 앨리스』의 레드퀸을, 〈무릎〉은 『데미안』의 데미안을, 〈안경〉은 『바보 이반』의 이반을 모티프로 했다.

슈얼리티'를 둘러싼 모순적 상황에 대한 인식으로 읽어야 한다. 제제에게서 '섹시함과 사악함'을 읽어내고자 했던 그 작가적 욕망 안에서 우리는 "나는 당신들이 생각하던 '그런 소녀'가 아니었다"는 일종의 항변을 읽어낼 수 있다.

아이돌 산업에서 '걸그룹'이 생산하는 이미지는 당대 사회가 상상하거나 추구하는 어떤 '소녀성'을, '보이그룹'이 생산하는 이미지는 '남성성'을 반영하면서 만들어낸다. 그렇다면 〈제제〉라는 텍스트와 교직되면서 그 텍스트 자체를 초과하여 존재하는 아이유의 이미지는 어떻게 작동할 것인가? 이것이 비판자들의 입장처럼 이 사회에 소아성애적 욕망을 부추기고 정당화하며 합리화할 것인가? 혹은 사회를 도발하는 '소녀성'의 또 다른 장을 상상하게 할 것인가?

아이유의 〈제제〉가 철퇴를 받은 것에는 일면 '괘씸죄'가 적용되었던 것이 사실이다. 그야말로 대상화의 '대상'이었던 존재가 거울을 들어 그것을 되비쳤을 때, 반발은 훨씬 더 커진다. 대상화란 근본적으로 그의 주체성을 부정하고, 활기와 에너지를 거부하며, 그가 어떤 목소리를 가질 수 있다는 사실을 보지 않으려는 태도다. 입 다물고 있어야 하는 자가 드디어 입을 열어 되받아쳤을 때, 대상화의 주체들은 쉽게 분노하며, 그 분노에 대한 도덕적 정당화를 시작한다.

〈제제〉라는 곡에서의 제제는 아이유가 주장하는대로 '다섯 살 제제' 그 자체가 아니라 제 3의 인물이다. 그리고 가장 나약하거나

2 | 이미지 상품과 아티스트 사이의 소녀들

무기력하다고 생각되는 '대상'의 자리에서 스스로가 교섭 중임을 드러내는 파열의 공간이 되는 것이다. 그런 분투의 공간으로서의 제제는 아이유 본인이 서 있는 공간이기도 하다. 그러므로 최대한 양보하여 〈제제〉를 로리콤의 재현이라고 인정한다고 할 때에도 모든 로리콤의 재현이 하나의 의미와 하나의 효과를 가진다고 주장하는 것은 지나치게 단순하거나 혹은 탈맥락화된 해석이다. 누구에 의해서 재현되고 발화되느냐에 따라서 로리콤을 상품화하는 K-POP의 세계에 도전하는 하나의 균열이 될 수도 있기 때문이다.

베이비로션을 입은 여자:
설리+로타의 작업이 주는 교훈

그럼에도 불구하고, 여전히 논쟁은 쉽게 정리되지 않는다. 아이유의 〈제제〉를 단순한 로리콤의 재현으로 말할 수 없다 손 치더라도, 그 재현이 만들어내는 효과들에 대해서 우리는 어떻게 평가할 수 있을까. 아이유의 적극적인 해석과 작가로서의 작품 활동을 옹호하는 한 유튜브 계정조차 〈스물셋〉 뮤직비디오의 도상을 상세히 분석하면서 "아이유를 옹호하냐고 많은 비난을 들을지도 모르겠네요. 하지만 저는 이제 더 잘못을 하지 않으려는 그녀를 응원합니다"[10]라고 평가한다. 여기서 '잘못'이란 로리콤 전략에 기대어 스스로를 성적으로 대상화해 온 지난 역사를 의미한다.[11] 로리콤의 재현은 윤리적으로 원천 봉쇄된 셈이다. 위에서 이야기한 것처럼 나는 〈제제〉를 로리콤의 재현으로 단순화시키는 것에 동의하지는 않지만, 그렇다고 해서 '로리콤의 재현'이라는 문제 자체가 해결된 것은 아니다. 그리하여 다시, 설리로 돌아가보자.

설리는 로리콤을 작품의 콘셉트 혹은 주제로 활동하는 사진작가 로타의 사진에 등장함으로써 2016년 9월, 또 한 번 논쟁의 중심에 등장했다. 사실 설리가 로타와 작업한 건 이번이 처음은 아니었다. 그러나 이번에 유독 문제가 되었던 것은, 이 사진이 아이유 〈제제〉 사건 이후에 나왔으며, 더불어서 이것이 '페미니즘 리부트'[12]의 시기를 거친 후였기 때문이다. 즉, 로타의 작업을 '문제적'으로 보는 대중들이 많아지기 시작한 것이다.

로타의 작업 자체는 그다지 대단하지 않다. 사진 비평가 김현호의 글은 이 문제를 잘 지적하고 있다. 좀 길지만 인용해 보자.

함영준이 지적했듯 그는 일본 그라비아 사진집과 애니메이션의 성적 코드를 사용하거나, '소녀'를 향한 관음증을 드러내는 민망한 일을 기꺼이 한다. (...) 사실 로타의 사진 자체를 이해하

10   아이디 Dreamteller(드림텔러) https://www.youtube.com/watch?v=K0UgXSLn5pU (2016년 9월 15일 검색.)

11   아이유의 화보와 블라디미리 나보코프의 『롤리타』 책표지 이미지나 이를 영화화한 작품의 장면과 비교하는 등, 아이유-로리콤 도상을 비교 분석하는 온갖 실천들은 인터넷에서 쉽게 찾아볼 수 있다.

12   파퓰러 페미니즘(popular feminism)의 한 흐름으로서 2015년 이후 다시 활발하게 논의되기 시작한 페미니즘의 흐름을 '페미니즘 리부트'로 규정한다. (손희정, 「페미니즘 리부트」, 『문화과학』 83호, 2015.)

는 것은 그리 어렵지 않다. 그것은 꽤 뻔한 악취미다. (...) 로타의 사진 속 여성 모델의 표정과 자세는 경이로울 정도로 단조롭다. 한결같이 멍한 눈빛을 하고 가슴과 엉덩이의 굴곡을 아크로바틱하게 강조한다. 그런 여성들의 육체는 마치 종이로 오려낸 인형처럼 평면적이다. (...) 문제는 작업에 어떤 에로틱한 시각적 욕망이 존재한다는 사실 자체가 아니다. (...) 단지 우리는 어떤 악취미에 대해서 생각해볼 수는 있다. 페미니즘 이론가 슐라미스 파이어스톤은 에로티시즘 자체는 문제가 아니라 즐거운 일이라고 썼다. 우리는 '보그' 표지 얼굴의 아름다움을 단호하게 부정할 정도로 경건해질 필요는 없다. 진짜 중요한 문제는 그 얼굴이 '인간적인 방식으로 아름다운가' 하는 것이다. (...) 그러므로 파이어스톤의 질문은 로타에게도 던져진다. 당신의 사진 속 여성들은 조금 더 인간적인 방식으로 아름다울 수는 없는가.[13]

김현호의 입장은 단호하다. 사진은 에로티시즘을 담으려는 욕망으로 추동되어 온 매체였고, 그렇게 윤리와 도덕을 초과하는 성적 욕망을 포착하고자 하는 노력을 단죄할 수는 없다. 그러나 로타가 에로티시즘을 상상하는 방식은 지나치게 저열할 뿐만 아니라 여성을 영혼 없는 인형처럼 싸잡아 평면화한다.

13   김현호, 「소녀의 살갗은 순수하다고?… 참을 수 없는 '로타의 텍스트」, 『한국일보』, 2016. 09. 11. http://www.hankookilbo.com (2016년 9월 16일 검색)

그가 인용하고 있는 파이어스톤의 말처럼 에로티시즘은 죄가 아니다. 문제는 이 사회가 에로티시즘을 상상하는 방식이 배타적으로 이성애중심적이며 동시에 여성을 자신의 소유물로 여기는 (어떤) 남성들의 폭력적인 욕망과 긴밀한 관계를 맺고 있다는 점일 터다. 그랬을 때 대중문화에서 특히나 이미지로 재현되는 로리콤은 '소아성애'의 혐의를 가지고 있다기보다는, 기본적으로 여자를 '동등한 성인'이 아닌 '모자라는 아이'의 상태로 박제하여 자신의 손바닥 위에 올려놓으려는 남성들의 욕망을 드러낸다. 한국 남자들이 유독 여자들에게 혀 짧은 소리와 '애교'를 요구하는 것 역시 이런 젠더위계를 반영하고 있는 것으로 해석된다. 로리콤의 어떤 재현들은 성인 여성을 성인으로 대하지 않는다는 점에서 '변태적'이다. 성인 여성을 모델로 하는 로타의 작업은 '소아성애적' 욕망을 드러낸다기보다는 미성숙한 여성, 혹은 손쉽게 대상화할 수 있는 여성을 원하는 미성숙한 남성의 한심한 수준을 폭로한다.

그런데 여기에 설리가 접속되었다. 그리고 설리와 구하라가 출연했던 로타의 '존슨즈 베이비 로션' 사진은 설리의 존재 때문에 로타의 역량을 초과하는 어떤 의미를 가지게 되었다고, 나는 생각한다. 설리는 성적 도발을 통해서 사회가 여자 아이돌이었던 그에게 요구했던 기대를 배반하고 그 이미지에 침을 뱉는다. 이것이 주체화의 전략이든, 아니면 걸그룹의 생존 경쟁에서 떨려나온 자의 생존 전략이든 간에 설리에게 '섹슈얼리티'는 이미 전략이면서 무기인 셈이다. 그런 설리가 로타와의 작업을 선택했다. 이는 한편으로 아이유의 '트위터 사진 유출 사건'과 흡사한 부분이 있다.

정규 3집 〈Modern Times〉에는 아이유가 작사, 작곡한 〈싫은 날〉이라는 곡이 수록되어 있다. 이 곡은 명백하게 그를 '국민 여동생'으로 만들어 주었던 〈좋은날〉의 패러디였다. 흥미로운 것은 〈좋은날〉과 〈싫은날〉 사이에 이 '사진 유출 사건'이 존재한다는 사실이다. 이 사건은 아이유가 '남자 동료 연예인'과 함께 찍은 사진을 자신의 트위터 계정에 공개하면서 벌어진 '난리법석'을 말한다. 실수였다, 애인인 그 연예인을 잡기 위해서였다, 혹은 자신의 성적 주체성을 드러내기 위해서였다 등 해석은 분분했지만, 분명한 건 스물한 살 아이유가 직접 벌인 일이었다는 점이고, 아이유는 그 이유에 대해 매우 모호한 반응을 보였을 뿐이다.

그런데 이 사진도 재미있다. 아이유는 잠옷을 입고 있고 남자는 상의를 탈의한 것처럼 보이는 이 사진은 성적인 분위기를 강하게 전달한다. 이 사진 한 장으로 아이유는 "나는 당신들이 생각하는 소녀가 아니다"라는 자의식을 강하게 드러낸 것이다. 대중들이 보기에는 악취미이거나 잘못된 선택이었을 이 사진 업로드는, 그러나 도발이었던 셈이다. 설리가 로타와 작업하는 것 역시 도발이자 유희인 것으로 보인다. 설리가 이 작업에 적극적이고 주도적으로 임한다는 이야기는 잘 알려져 있다.

물론 우리는 아이유와 설리의 '노림수'가 여성의 성적 대상화와 상품화에 어떻게 복무하는지, 그 교섭과 경합의 과정이 과연 어디로 귀결될지 좀 더 소심스럽게 살펴볼 필요가 있겠다. 그러나 어떤 욕망의 재현도 하나의 의미망만을 조직하지는 않는다. 우리는 이 초과의 순간을 포착할 필요가 있다. 특히 최근 설리의 인스타그램의 사진들은 섹시sexy하다기보다는 크리피creepy하다. 나는 여기에서 '크리피'를 오히려 긍정적인 표현으로 사용하고 있다. 이는 물론 사회적으로 쉽게 길들여지지 않는 설리의 불온한 섹슈얼리티 안에서 흘러나오는 이중적 효과이며, 일종의 '여성괴물성'을 구성해낸다. 사회적으로 순치되지 않은 여성이 괴물이 되어버리는 것은 그 자체로 가부장제의 효과다. 그러나 동시에 일종의 벌어진 틈으로서 그 가부장제의 매트릭스를 교란한다는 점에서 여성괴물은 언제나 가부장제에 대한 도전이기도 했다.

한편으로 우리는 로리콤의 또다른 사회문화적 의미에 질문하기 위해 소아성애에 대한 루빈의 논의에 귀를 기울여볼 필요가 있을 것 같다. 루빈은 소아성애가 이미 이 사회의 성적 위계가 반영되어 있는 용어라고 판단하면서 이를 '세대 간 성애'라고 재명명한다. 이는 모든 성관계를 (젠더를 포함한) 권력 관계의 소산으로만 보는 것을 거부하는 것이다. 섹슈얼리티는 기본적으로 사회적인 구성물이지만, 그것이 젠더와 섹슈얼리티 사이의 필연적 연관성을 상정하지는 않는다. 그리하여 루빈은 젠더와 욕정lust을 구분하고, 젠더의 매트릭스를 초과하는 욕정으로서의 섹슈얼리티가 존재한다고 주장한다. 이는 루빈에게 중요한 문제였다. 왜냐하면 "젠더의 파생물로서 섹슈얼리티를 다루는 페미니즘"은 "섹슈얼리티의 사회적 조직을 온전히 망라할만한 관점"을 결여한 채로 다양한

성을 억압하고 배제했기 때문이다.[14]

'세대 간 성애'가 무조건적으로 '소아성애'로 병리화되고, 즉각적으로 범죄로 다뤄지는 것은 위에서 언급했던 것처럼 아이를 성적 존재이자 주체로 인정하지 않고 무기력한 보호의 대상으로 보는 관점과 연결되어 있다. 소위 '사춘기'라는 2차 성징 발현기를 지난 사람들이 사춘기 이전의 사람을 성적으로 욕망하는 것을 병리학적으로 명명하는 언어(=소아성애)는 있지만, 사춘기 이전의 사람이 그 이후의 사람을 욕망하는 것에 대한 병리학적 언어는 존재하지 않는다는 점을 기억해보자. 세대를 넘어선 사랑이 문제라면, 어린 사람의 '세대를 넘어선 사랑'은 왜 '병'으로서 다뤄지지 않는가? 이처럼 소아성애라는 말에 섹슈얼리티의 위계라는 이데올로기가 작동한다는 것은 한편으로 아이들에 대한 끊임없는 탈주체화의 전략이 작동한다는 의미다.

여기서 루빈의 '세대 간 성애'란 일종의 비평적 개념으로서, 아이들을 성적 존재로 인식하는 인식의 전환을 가져올 수 있는 하나의 문지방이 될 수 있다. 그리고 우리는 이 문지방을 경유해, 아이가 원하지 않는 성행위를 강요하고 폭력을 휘두르는 성적 학대와,

---

14　게일 루빈, 앞의 책 338-352쪽. 루빈은 「여성거래」에서 여성학의 '가부장제'와 마르크스주의의 '재생산양식'이 포착하지 못하는 부분들을 아울러 설명하기 위해 '섹스/젠더체계(sex/gender system)'라는 개념을 고안하고 "섹스/젠더체계는 한 사회가 생물학적 섹슈얼리티를 인간 행위의 산물로 변형시키고, 그와 같이 변형된 성적 욕구를 충족시키는 일련의 제도"라고 정의한다. (게일 루빈, 「여성거래」, 『일탈』, 임옥희 외 역, 현실문화, 2015, 93쪽.) 이후 「성을 사유하기」에 오면 이런 입장을 철회하고 젠더이론이 섹슈얼리티 이론을 대체할 수 없다는 문제의식 아래 섹스와 젠더 두 가지 사회적 관습계를 설정한다. 그리고 이를 통해 젠더 관계를 다루는 페미니즘이 섹슈얼리티를 충분히 설명할 수 없다는 주장으로 나아간다.

서로가 사회가 구획한 세대의 경계를 넘어 성적 주체로서 대면하는 욕망의 순간을 구별할 수 있다는 가능성을 상상할 수 있게 된다. 아동에 대한 학대child molester와 소아성애pedophilia는 같은 개념이 아니다. 이 사회가 소아성애를 다루는 방식에 대한 입장이 어떠한가와 무관하게, 연구자들은 이 둘을 분리하여 사고해야 한다고 설명한다. 소아성애자가 아동을 학대할 수도 있고, 아동을 학대하는 자가 소아성애자일 수도 있지만, 두 범주는 일치하지 않는다.[15] 다시 한 번 강조하자면, '아동에 대한 성적학대=소아성애'는 아니라는 말이다.

아이의 성적 주체성을 말살하여 '성인'에게 또다시 권력을 부여하는 것은 오히려 '도착적 소아성애'를 가능하게 하는 성체계를 지속시키는 것이다. 우리가 해야 할 것은 아이를 성적인 존재로 인정하면서 그가 자신의 성을 누릴 수 있도록 충분한 정보와 기회를 제공하되, 그가 무기력하게 성적인 폭력에 노출되지 않도록 제도적 안전망을 마련하는 일이다. 그야말로 진정으로 아이의 성적 주체성과 성적 권리를 진지하게 다루려는 시도가 필요한 것이다. 로리콤의 재현 역시 마찬가지일 터다. 문화적 재현물에서 소아성애의 함의를 발견하는 비판적 담론은 때때로 아이의 성적 주체성을 허구적인 방식으로만 다룬다는 점에서 아이의 성적 소외 및 그에 따른 연약한 위치를 재생산한다.

15 Steven Feelgood·Jürgen Hoyer, "Child molester or Paedophile? Sociolegal versus psychopathological classification of sexual offenders against children", *Journal of Sexual Aggression*, 14:1, p.34.

물론 성적 존재로서의 주체성과 권리는 "아동 역시 성적 존재다"라고 선언하는 것으로 간단하게 구성되고 승인받을 수 있는 것은 아니다. "미성년자들이 박탈당한 것은 섹스 할 권리가 아니라 섹스라는 행위를 결정하고 책임질 수 있는 권리, 즉 성적 주체가 될 권리를 박탈당한 것"이라는 권김현영의 지적은 주목할 만하다. 미성년자 의제강간의 문제를 다루면서 그는 다음과 같이 주장한다.

> 만 13세에서 16세 사이의 미성년자들은 육체적인 성숙 정도, 2차 성징과 호르몬, 성 욕구 등 우리가 알고 있는 관습적인 의미의 '성적인 것'을 정의하는 관점에서 명백히 성적인 존재들이다. 그러나 생식기의 발달과 2차 성징의 발현 등은 성적 주체가 될 수 있는 극히 부분적인 조건일 뿐이다. 문제의 핵심은 성적 권리는 다른 경제적, 사회적, 정치적 권리와 동떨어져 존재하지 않는다는 데 있다. 성관계에 동의할 수 있는 능력은 단순히 의사 표현의 능력이 아니라 성행위의 과정과 결과에 대해 책임을 질 수 있느냐의 문제이기 때문이다. 성과 관련된 권리는 혼인 가능 연령, 직업 결정권, 투표권 등의 권리와 밀접하게 연결된다.[16]

이는 우리가 이 문제를 다루기 위해서 훨씬 더 광범위하고 복

---

16 권김현영, 「미성년자 의제강간, 무엇을 보호하는가」, 정희진 엮음, 『양성평등에 반대한다』, 교양인, 2017, 121쪽.

잡한 문제들을 고려하고 또 사유해야 함을 보여준다.

더불어 모든 것이 이미지 상품 혹은 상품 이미지가 되는 시대에 아이의 성이 다루어지는 방식에 대한 고민은 물론 필요하다. 그리고 이런 고민은 아이가 성적 존재여서는 안 된다는 가정 위에서가 아니라, 이미 존재하는 세계의 폭력으로부터 어떻게 소수자를 보호할 수 있을 것인가라는 관점의 전환을 바탕으로 해야 한다. 이는 지금 이 사회에서 아이들이 점하고 있는 취약한 위치를 부정하는 것은 아니다. 다만 비판의 회로를 뒤집어 더 현실적인 논의를 시작하자는 것이다. 루빈은 "도덕적 공황은 근거 없는 망상과 기표를 표적으로 삼기에, 그 어떤 실질적인 문제도 거의 해결하지 못한다. 그것은 부도덕을 범죄로 처리하는 것을 정당화하려고, 희생자를 날조하는 기존 담론 구조에 의지한다"고 강조한다.[17] 예컨대 〈제제〉처럼 은유적인 작품에 '소아성애'의 혐의를 씌워 날을 세우는 것은 기실 아무 문제도 해결하지 못한다.

로타의 작업을 둘러싼 논란이 주는 교훈은 이러하다. 로리콤의 재현이 소아성애와 동의어는 아니다. 그러나 명백히 여성과 아이의 성에 작동하는 사회적 규범을 반영한다. 김현호는 이를 '악취미'라고 말했고, 나는 '이데올로기'라고 말하고 싶다. 이런 문제의식 안에서 로타의 작업은 문제적이며 징후적인 것으로 논의의 장에 올려놓되, 설리라는 주체가 개입해 들어오는 틈새가 만들어내는 흥미로운 뒤틀림을 주시하는 것이 중요하지 않을까? 이 세계는

17 게일 루빈, 앞의 책, 333쪽.

성인 여성을 거세하여 '소녀 이미지'로 박제함과 동시에 소녀의 섹슈얼리티를 이중 잣대의 곡예 위에 올려놓는다. 우리는 이 도착의 회로를 풀어야 한다.

이것만이 유일하게 '옳은 해석'이라고 주장하려는 것은 아니다. 여전히 소아성애의 재현에 대해 목소리를 내고 있는 이들의 긴급함과 일련의 활동은 사회적으로 유의미하기 때문이다. 많은 경우 그들은 아동 성폭력의 생존자로서 목소리를 내고 있거나, 비밀 단톡방이나 디프웹deep web[18] 등을 통해 유포/유통되는 '로리 이미지'의 심각성을 파악하고 공론화하고자 하는 이들이다. 이들은 '페미니즘 리부트'의 시기를 추동하고 있는 공포를 깊게 내면화하고 있으며, 동시에 그럴 수밖에 없는 공통의 경험을 공유하고 있다. 이 공포의 절박함을 이해하고 이런 삶의 조건을 변화시켜나갈 방안을 마련하기 위해 머리와 마음을 모으는 것은 진정으로 중요하다.

그러나 또 한편으로 페미니즘 비평의 언어가 신속한 단죄의 도구가 되고, 복잡한 해석의 결을 단순화시키는 방식으로 흐르는 것 역시 경계해야 한다. 페미니즘 비평은 사안을 복잡하게 보고 사유의 간극을 끊임없이 확장해가는 묘기를 부려야 한다. 이런 곡예를 제안하는 것은 페미니즘이 사회의 전반적인 우경화와 성보수화에 기여하는 교조주의적 금욕주의에 빠지지 않아야 한다는 문제의식

---

18 일반적인 검색으로 접근하기 힘든 웹페이지. 검색 엔진이나 사이트로 찾아낼 수 있는 웹사이트를 표면웹(surface web)이라고 하는데, 디프웹(deep web)은 이와 반대되는 개념으로 존재는 하지만 보이지는 않는다고 하여 심층웹(深層web), 보이지 않는 웹(invisible web)이라고도 한다. (네이버 시사상식사전, http://terms.naver.com/entry.nhn?docId=3348412&cid=43667&categoryId=43667)

때문이다. 그리고 이는 게일 루빈의 『일탈』을 지배하는 문제의식과 맞닿아 있다.

일탈: 페미니즘과 루빈의 염려

우리는 페미니즘 리부트의 시기를 지나고 있다. 포스트-메갈 지형에서 주체가 된 여성들의 목소리가 들리기 시작했다. 여기서 '여성으로서 주체화되었다'는 것은 자신의 젠더를 정확하게 인식하고 이 젠더 위치가 초래하는 세계의 모순과 대면하면서 그에 대해 목소리를 내기 시작했다는 것을 의미한다. 이는 명백하게 여성들의 생존의 문제와 연결되어 있다. 정말로 먹고 자고 숨 쉬는 것이 힘들기 때문에 그 삶을 언어화해 줄 페미니즘이 다시 주목받기 시작한 것이다.

그런데 척박한 삶의 조건은 한편으로 한 사회의 보수화로 연결되기도 한다. 예컨대, 우리는 '먹고사니즘'이라는 경제적 생존주의가 정의正義를 둘러싼 모든 의제를 삼켜버렸던 지난 10년간을 기억해 볼 수 있겠다. 그리고 그 시간을 지나오면서 우리는 역사의 시계가 거꾸로 도는 것을 목격했다.

이때 급박한 삶의 필요로부터 다시 등장한 페미니즘에 대한 관심은 놓칠 수 없는 기회이지만, 이 페미니즘이 다른 소수자를 배척하면서 사회의 관습적이고 보수적인 사고방식과 조응하게 된다면 오히려 사회의 우경화에 일조할 수도 있다. 그러므로 지금 이 시기를 어떻게 길 잡아 갈 것인가, 그리하여 사회의 위기를 어떻게 돌파할 것인가는 페미니즘 앞에 놓인 어려운 과제다.

이런 고민 안에서 루빈의 급진적인 섹슈얼리티 논의가 등장했던 배경은 참고할 만하다. 때는 1980년대 미국. 레이건을 대통령으로 선출하면서 미국 사회는 '새로운 보수화'의 길로 들어섰다. 이와 함께 제도적, 문화적으로 다양한 성에 대한 공격이 시작되고, 이는 성적 소수에 대한 대대적인 청소작업으로 이어졌다. 동성애자 인권조례 폐지 캠페인, 게이 유흥가 정화사업, 아동의 성에 대한 히스테리 반응, 반포르노그래피/반성노동 운동 등은 퇴행의 시대와 성보수화의 관계를 보여준다. 루빈은 페미니스트이자 퀴어 이론가로서 이론과 실천의 최전선에서 이런 성/보수화와 치열하게 싸웠다.

루빈의 '혈전血戰'의 기록이라고 할 수 있는 『일탈』이 2015년 대한민국에서 출간되자마자 '완판'되었고 약 1년 만에 3쇄를 찍었다는 사실은 1980년대 미국과 2010년대 한국이 공명하고 있음을 징후적으로 보여준다. 전교조 법외노조 통보, 합법적 정당의 강제 해산, 평화집회 운운에 국정교과서 추진을 비롯한 다양한 '역사 재인식' 작업, 그리고 2015년 12월 28일의 '불가역적 합의'에 이르기까지. 지금 한국 역시 1980년대 미국처럼 보수화의 물결을 타고 있다. 그러나 이게 다가 아니다. '김치녀'나 '맘충'과 같은 각종 여성혐오 표현의 난무, 기독교 우파를 중심으로 한 성소수자에 대한 공격, 사문회되었던 닉태죄의 부상, '성평능'을 '양성평등'이라는 용어로 교체해 정책에서 성소수자는 배제하겠다는 여성가족부[19] 등의 성보수화를 시사하는 사건 역시 동시다발적으로 펼쳐지고 있다.

한 사회의 보수화는 규범을 벗어나는 성에 대한 공격과 맞물려서 진행된다. 공적영역에 대한 통제는 사적영역에 대한 통제에 기대고 있고, 사적 영역은 남녀 성역할의 분리, 이성애 중심 가족, 정상/비정상을 가르는 성규범과 같은 일련의 성체계를 그 바탕으로 하기 때문이다. 기실 공과 사의 구분은 임의적이고, '사적'이라고 상상되는 것들, 특히 성을 둘러싼 문제야말로 정치적이다. 그리하여 성보수화의 시대를 지나면서 1980년대 미국에 '람보'의 시대가 열렸던 것처럼, 2010년대 대한민국에서는 (〈명량〉이나 〈국제시장〉 등에서 볼 수 있는 것처럼) '늙은 아버지의 시대'가 열리고 있다. 그야말로 "성은 탄압의 벡터다."[20]

루빈은 다양한 성적 실천에 대한 공격은 성규범 외부와 성위계 말단에 존재하는 사람들에 대한 제도적 배제와 실존적 위협을 야기한다는 문제의식 위에서 작업했다. 그런 의미에서 그가 '성을 새롭게 사유할 것'을 요청하는 것은 그야말로 죽음을 양산하는 사회를 넘어 새로운 사회로 나아가자는 요청과 다르지 않다. 성에 대한 사유를 급진화하는 것은 이 사회가 갇혀있는 보수화의 회로로부터 벗어날 수 있는 하나의 가능성이기도 하다.

---

19 나영, 「여성을 사랑하는 나는 여성이 아닙니까?」, 윤보라 외, 『그럼에도 페미니즘』, 은행나무, 2017.

20 게일 루빈, 앞의 책, 326쪽.

주목해야 할 것은 그가 치열하게 싸웠던 상대 중 하나가 반포르노 진영의 페미니스트들이었다는 점이다. 루빈은 그들의 작업이 섹슈얼리티를 '악마화'함으로써 어떻게 미국 사회의 성보수화에 의도치 않게 공모하고 있었는가를 예민하게 인식하고 있었다. 반포르노그라피 담론은 한편으로는 남성의 공격성과 여성의 수동성이라는 관습적 신념을 강화하고, 다른 한편으로는 '이상적인 섹슈얼리티'에 대한 위계를 재설정하면서 강압적인 성체계와 공모관계를 맺게 되었다. 그렇게 해서 "페미니즘 담론이라는 것이 극보수주의 성도덕을 다시 창조한다."[21] 이것이야말로 1980년대에 되돌아온 "후안무치의 도덕정치가 빚어낸 가장 강력한 효과"였던 셈이다.[22] 그리고 이는 2010년대 한국의 일부 여초 커뮤니티 및 일부 페미니스트들 사이에서 드러나는 성본질주의, 정상가족이데올로기, 성소수자 및 다양한 성적 실천에 대한 혐오, 그리고 탄핵 정국에서 펼쳐졌던 박근혜 전 대통령에 대한 맹목적인 지지 등과 공명한다.

현재 넷상에서 펼쳐지는 로리콤 재현을 둘러싼 논쟁의 귀결이 어디일지 진지하게 고민하면서 질문을 던져야 한다. 우리는 성이라는 관념에 너무 많은 의미를 부여하고 "너무 많은 가설을 부하"[23]하고 있지는 않은가? 그렇게 함으로써 성을 멸시하지만 동시

21 게일 루빈, 앞의 책, 340쪽.
22 제프리 윅스, 『섹슈얼리티: 성의 정치』, 서동진 역, 현실문화, 1992년, 157쪽.
23 제프리 윅스, 위의 책, 163쪽.

에 대단한 것으로 추상화하여 추앙하는 기만적인 회로에 갇혀 있는 것은 아닌가? 그리고 그 회로야말로 가부장제의 성 위계가 작동하는, 바로 그 공간은 아닌가?

우리는 성에게 떠넘긴 그 수많은 짐을 좀 덜어낼 필요가 있다. 이때 아이의 성을 부정하는 것이 오히려 성을 '위대한 여정'으로 만든다는 것을 기억하자. 그렇다면 우리는 아이의 성을 더욱 적극적으로 사유하고 아이가 성적 존재라는 것을 인정함으로써 이 회로를 뒤집어낼 수 있을지 모른다. 이런 사유의 전환은 시급하다. 지금까지 우리가 경험해 온 것처럼, 아이의 성을 둘러싼 과도한 염려와 이중 잣대들은 오히려 안전하지 않기 때문이다.

걸그룹 전성시대와 'K-엔터테인먼트'

류진희

동아시아적 사건으로서 쯔위의 사과

2016년 벽두, 한반도 남쪽에서 대만해협 양안兩岸까지, 쯔위라는 17세 여성의 이름이 떠들썩하게 오르내렸다. 주쯔위周子瑜, 그녀는 다국적 걸그룹 트와이스TWICE의 대만 출신 막내 멤버이다. 한 오락프로의 인터넷 생중계에서 자기나라를 소개하는 차원에서 청천백일기青天白日滿地紅旗를 잠시 손에 쥐었다고 했다. 그리고 실제 텔레비전 방송에서는 편집됐던 장면을 뒤늦게 본 중국 누리꾼들이 한류韓流, Hallyu 보이콧을 선언했다. 분명 프로그램 제작진이 준비한 깃발이었겠으나, 차이나머니의 동요를 우려한 소속사가 신속하게 입장을 밝히고 나섰다. 먼저 "쯔위를 포함한 본사"는 "중국을 적대시하는 어떤 발언과 행동도 하지 않았다"고 해명했다. 곧 소속사 사장도 직접 "이 사건이 어느 정도로 심각한지" "자신도 이해하지 못하고 있었다"고 거듭 사과했다. 어찌됐든 "자사 아티스트 쯔위 본인은 '하나의 중국'이란 원칙을 이해하고 존중"한다는 말과 함께 개인적 처신의 차원에서 마무리되는 듯했다.[1]

그렇다면 '하나의 중국'이란 무엇인가. 이는 '중화인민공화국'과 '중화민국'이 합의했던 '1992년 공통인식共識'의 핵심인 '일중각표一中各表'에서 나왔다. 바로 중국이라는 정체성은 하나지만 그 표상은 각자 생각하자는 합의로, 데탕트를 맞은 냉전적 체제경쟁의

---

1   쯔위 소속사는 3차에 걸쳐서 이 사건에 대응했다. 1차는 중국 SNS 서비스 웨이보(微博)에 올린 중문 해명문이고, 2차는 자사 홈페이지에 공표한 사장 명의의 사과문과 중국법인 사이트에 재차 내건 중문 사과문이었다. 3차가 바로 문제의 동영상 업로드 사이트 유튜브(youtube)의 회사 공식계정을 통한 본인의 사과 영상이었다.

끝에서 고안된 외교적 묘수였다. 그러나 이제 미·중 G2시대를 맞아 이전의 '중공中共'과 '(자유)중국'은 '중국'과 '차이니즈 타이베이Chinese taipei'로 역전됐다. 이러한 동아시아의 복잡다단한 정치적 맥락에도 불구, 소속사는 아티스트 관리를 잘 하지 못했다 정도로 면피하려고 했던 것이다. 바야흐로 한류 엔터테인먼트 사업이 초국적 위기에 맞닥트리는 순간이었다. 이 첨예한 동아시아적 이슈에 손쉽게 대응하기 위해, 쯔위는 "나이와 교육수준을 고려했을 때 정치적 관점을 논하기" 어렵다는 소녀로 필사적으로 호명됐다. 그러나 사태는 악화되어만 갔고, 점차 방송국도, 제작진도, 소속사도 모두 뒤로 숨고, 오로지 이 소녀 쯔위만이 내세워졌던 것이다.

결국 극약처방으로 쯔위 단독의 사과 동영상이 유튜브를 통해 전 세계로 송출됐다. 생기발랄해야할 여자 아이돌이 초췌한 얼굴로 "중국은 하나, 양안은 일체"이며, "중국인으로 자부심을 느낀다"는 말을 기어코 뱉어야만 했다. 그러나 90도로 허리를 굽히며 시작되는 이 조악한 화면에서 단번에 읽혔던 것은 인질을 연상시키는 공포였다. 오히려 프레임 밖 패권으로 중국이 지목됐고, 한국에서는 스스로의 상징을 못 가졌던 일제치하 일장기日章旗 말소사건까지 복기되기도 했다. 그리고 가장 인상적인 반향은 이 모든 위기관리에서 단 한 번도 고려되지 않았던 쯔위의 고향에서 나왔다. 하필 영상이 공개된 다음 날 대만에서 4년만의 대선과 총선이 있었던 것이다. 그리고 연임을 봉해 8년의 임기를 수행한 총통 마잉

주馬英九에 반대하는 청년들이 '집으로 돌아가 투표하자回家投票'는 바람을 세차게 일으켰다. 사전투표 제도가 미비한 대만에서 각 대학별로 귀성버스를 마련하는 등 총력을 다해 청년들이 자체적으로 투표를 독려했다.

창백한 쯔위의 모습은 당시 대만의 집권 여당, 즉 중국과 경제적 결합도를 높이는 방향으로 경기활성화를 도모했던 국민당에 반대하는 표를 결집시켰다. 2014년 3월, '양안경제협력구조협의'에 이어 중국과 재차 의료·관광·금융 등 11개 분야를 개방하는 '양안서비스무역협정'이 30초 만에 통과됐었다. 이로 인해 입법원과 행정원을 동시에 점거했던 해바라기 학생운동(2014.3.18.~4.10)이 일어났다. 오직 태양을 바라보고 자라나는 해바라기는 그 어떤 가치보다 우선하는 민주주의를 의미했고, 그에 반대해 대국민적 합의를 구하지 않은 밀실협상은 '블랙박스'로 상징됐다. 공교롭게도 화년 속 쯔위는, '민주기 밥 먹여주나, GDP를 늘리나'라는 기성세대의 냉소에, 오히려 '민주는 거래될 수 없다'고 외쳤던 그 청년들이 입었던 검은 셔츠 차림이었다. 결과적으로 쯔위의 사과는 차이잉원蔡英文이 중화권 최초의 여성총통으로 당선되는 데 한몫했다. 그리고 내처 당시 야당이었던 민진당이 최초로 과반의석까지 확보하게 하는 "베스트 어시스트"가 됐다.[2]

물론 여기에는 2000년대 이후 심화되는 금융위기 아래, 경제

2 태양화운동을 기점으로 가시화됐던 대만 청년들의 정치적 움직임과 그 탈식민 민주주의를 향한 모순적 여정에 대해서는 류지희, 「탈식민 민주주의의 미로, 대만 태양화운동을 경유하여」, 『교양학 연구』 3, 중앙대 다빈치미래교양연구소, 2016.6.

위주의 차이완chiwan 정책이 대두됐던 상황이 있다. 그리고 대만에서 한국의 88만원 세대에 비견할 만한 저임금 비정규직 22K 세대가 양산됐던 배경도 있다.[3] 그런데 어떻게 이 모든 것은 주의되지 못하고, 그저 소녀 쯔위의 나비효과라고만 다투어 이야기됐을까.

한류 3.0 소녀들과 '아재' 시대

나비효과란 아주 작은 우연한 움직임이 전혀 다른 중대한 결과를 초래한다는 의미이다. 아니나 다를까 한국의 관련 보도들은 이 사건이 동아시아 외교에 미치는 긴장과 더불어 한류에 끼치는 해악을 말했다. 그러면서도 소녀 쯔위는 당연히 이러한 복합적 의미를 모른다고 단언했다. 그러나 이런 관점은 쯔위가 "강압적 사과被道歉"를 했다고 시끄러웠던 대만의 바로 그 선거에서 청년후보 5명이 동시에 국회에 입성한 사실을 무시한다. 다시 말해 그들은 해바라기 학생운동의 직접적 후신으로 청년을 직접 대변하겠다며 창당된 '시대역량'의 첫 후보들이었다.[4] 그렇기에 쯔위의 나비효과 운운은, 최악의 청년실업률도 무색하게 비슷한 시기에 평균 연령

---

3   2008년 미국 발 금융위기로 대만 청년들의 실업문제가 심각해지자, 정부가 2009년 3월부터 기업인턴제도를 내놓았다. 즉 기업이 최저임금인 대만달러 2만2천원에 대졸자를 고용하면 정부가 1만원을 지원하겠다는 방안이었다. 그러나 결과적으로 원래 2만8천이었던 대졸자 초임이 오히려 2만2천으로 하향됐다.

4   2015년 창당한'시대역량(時代力量, New Power Party)'은 황궈창(黃國昌), 린창쥐(林昶佐), 훙츠용(洪慈庸)을 50%에 육박하는 득표율로 순서대로 타이베이(제5선거구), 타이중(제3선거구), 신베이(제12선거구) 입법위원으로 당선시켰다. 그리고 카울로 이윤(高路 以用), 쉬융밍(徐永明) 역시 6.1% 징당시시율로 비례대표로 선출됐다.

55.5세로 역대 최고령 제 20대 국회가 출범한 한국의 상황과 착잡하게 조우한다.

2015년 일본은 고령화 사회에서 젊은 층의 정치 참여를 위해 선거연령을 단번에 20세에서 18세로 2년이나 낮췄다. 반면 한국은 OECD 국가 중 유일하게 선거가능 연령 19세로, 청소년의 정치참여에 여전히 고개를 젓는 나라이다. 이렇듯 미래세대를 간과하고 그들의 역량을 홀대하는 태도가 바로 소녀 쯔위를 필사적으로 정치와 분리하는 화법에도 스며있는 것이다. 물론 이는 곤란을 겪게 된 쯔위를 옹호하기 위한 것이기도 했다. 그러나 무구한 소녀를 내세우는 화법은 "쯔위의 부모님을 대신하여 잘 가르치지 못한" 책임만을 인정하겠다는 기존 소속사의 입장만큼이나 성찰적이지 못하다.[5] 이 '쯔위 사건'이 대만에서는 '국기사건'이라 불리는 것을 상기하면, 이는 정치성을 탈각한 비주체로 소녀를 소구하는 인식을 짐작하게 한다. 스스로의 의견을 가지지 않는 천진하고 무지하다고 여겨지는 소녀는 바로 그렇기 때문에 한국에서 구조적 책임을 무화시키는 존재로 역사의 결절마다 등장했던 것이다.

현재 한류에서 한발 나아가 'K-엔터테인먼트'의 시대가 전개되고 있다. 이는 개인화된 소비 자본주의와 전체주의가 기묘하게 결합된, 초국적 제국주의의 반면으로 주장되는 대중적 'K-내셔널

5   이에 대해 외국인 미성년자에 대한 인종차별과 인권침해라는 비판 역시 있었다. 그러나 마지막으로 쯔위의 사과가 부모님과 상의 후 결정됐다는 소속사의 국내용 보도자료가 더해졌을 뿐이었다. 결국 한국다문화센터라는 곳에서 국가인권위원회에 진정을 넣기도 했지만, 3개월 후 쯔위 사례가 "국적 등 속성을 이유로 한 차별이 아니기에 조사대상이 아니다"라는 각하 결정을 받았다고 했다.

리즘'의 연예산업 버전인 것이다.[6] 그리고 현재 걸그룹은 'K-엔터테인먼트'의 중추로 강력한 영향력을 떨치고 있다. 이러한 상황에서 그 당사자 소녀들을 비정치적으로 소비하기만 하는 인식을 성찰할 필요가 있다. 민족국가를 둘러싼 대중적 상상력으로 'K-엔터테인먼트'는 신자유주의 시장에서 반드시 초국적 위기를 불러올 수밖에 없다. 이때 아무 것도 모르는 소녀가 아니라, 에두름 없는 영혼의 도약과 주저하지 않는 투신을 표상하는 또 다른 소녀를 되살려 볼 필요도 있지 않을까.

그러니까 한국 사회는 이미 2000년대에 당당히 등장했던 '촛불소녀'들을 경험했다. 이들은 1990년대 이후 대중문화와 더불어 성장한 세대로 팬 문화를 중심으로 자신들의 역량을 한껏 발휘했던 존재들이기도 했다. 그러나 이들은 민주화 이후 탈정치 시대에 새로이 도래한 민주주의로 잠시 찬탄됐을 뿐, 이후 어떠한 정치적 주체가 됐는지, 그 변화의 순간은 꼽아지지 않았다. 이제 '촛불소녀'들은 '배운녀자'가 됐고, 현재 여성혐오에 맞서 '메갈리안'이 되기도 했다.[7] 확실히 '반동backlash'의 시대다. "지금의 시대는 남자가 차별을 받는 시대"라며 IS로 떠난 '김군'뿐 아니라, "학교에서는 알

---

6   천만관객 역사물들은 포스트 노무현 시대의 표상으로 정치적 공백을 메우는 상상력으로 제출됐다. 여기에서 '지친 아버지'가 오로지 이 모든 환란을 구제하리라는 반동적 복고주의가 비춰진다. 이는 여성혐오를 기반으로 파국적 상상력을 폭발시키며 계속되고 있다. 손희정, 「〈광해〉와 〈명량〉의 흥행은 무엇의 표상인가?—폐소공포증 시대의 천만 사극과 K-내셔널리즘」, 『영화연구』 65, 한국영화학회, 2015.9.

7   2000년대 이후 20·30대 정치적 여성주체들의 명멸과 그 언어전략으로 메갈리안을 이해하는 논의는 류진희, 「그들이 유일하게 이해하는 말, 메갈리아 미러링」, 『양성평등에 반대한다』, 교양인, 2017.

파걸, 직장에서는 골드미스"에 '역차별' 당한다는 남성이 부지기수다.

이러한 상황은 여성들을 둘러싼 모순적이고 복잡한 재현들이 납작하고 단순해지는 경향에서도 짐작됐다. 대중문화에서 '평균 이하 남성들의 무모한 도전'이라는 예능 프로그램이 근 10년간 무한히 계속되는 동안, 어느새 여성들은 예능 프로그램에서 자취를 잃어버렸다. 이제 '루저'라던 남성들이 메인 진행자 자리를 꿰찬 채 '아재'천하를 호령한다. 그리고 대개 유일한 여성출연자로 걸그룹의 소녀들이 그들의 게스트로 초대되는 것이다. 이들 중년남성은 연소한 여성 연예인에게 맥락 없는 애교를 강요하고, 친밀한 유머랍시고 실없는 성적 농담도 시도한다. 그리고 부적절한 언행이 문제될 때마다, 아빠니 삼촌이니 하는 근친 포지션으로 퉁 치고 넘어가려고 한다. 이들은 아무 주제에 어떤 코멘트도 할 수 있는 '맨스플레인mansplain' 권력을 지녔음에도, 이전에 비해 연화된 남성성을 애도하느라 자기연민조차 포기하지 않는다.[8]

그래서 실로 발언권을 독점하는 '아재'와 에너지를 발산하는 소녀는 꼭 맞는 한 짝처럼 보인다. 이 사이에서 문제를 제기하고 불편함을 주장하는 '설치고, 떠들고, 말하고, 생각하고, 모든 걸 갖춘' 성인여성들의 자리는 충분히 마련되지 못한다.[9] 이제 '한류

---

8 제20대 국회의원선거(2016.4.13)에서 노동당 20대 여성후보 하윤정과 용혜인이 '아재정치 OUT'을 모토로 선거운동을 진행했다. 반대로 몇 달 뒤 총선에 패배한 새누리당에서는 '꼰대 OUT, 아재 OK' 라는 주제의 성평등 교육(2016.6.10.)을 받았다는 보도가 있었다. 이는 정치를 비롯하여 온갖 영역에서 중년남성이 과도한 영향력을 장악한다고 비판하던 데에서 곧 정겨운 이미지를 가진 친근한 중년남성을 떠올리도록 의미의 전환이 일어났음을 보인다.

1.0' 드라마와 '한류 2.0' K-pop을 지나, 이 둘의 융합과 확장으로 문화전반에 '한류 3.0'이 주장되기에 이르렀다. 여기에서는 아이돌의 존재 자체가 콘텐츠가 되는데, 이들은 1세대 아이돌처럼 앨범 발매를 중심으로 활동기와 준비기를 나눠 갖지 않는다. 그리고 2세대 아이돌처럼 잠시 리얼리티에 출연해 호감을 높이지도 않는다. 처음부터 서바이벌 프로그램을 통해 데뷔하고, 유닛 결성이니 개인 활동이니 하며 일 년 내내 가요방송뿐 아니라 드라마와 예능에도 출연한다. 아예 24시간 온종일을 카메라와 함께 지내며 자신의 일상을 전면적으로 방송하기도 한다.

그야말로 최근 아이돌의 탄생과 성장은 라이브로 전시된다. 흥미로운 점은 이 과정에 그들의 관리자들 역시 무던히 노출된다는 것이다. 허물없는 듯 반말로 조언을 아끼지 않고, 소속 연습생이나 연예인을 친구라 칭하기도 하는 이들 사장님은, 유효기간이 지난 지식을 강요하는 '꼰대'와는 다른 존재들이다. 이들과 걸그룹 멤버들은 각각의 근대적 계약주체가 아니라, 마치 어떤 목가적 공동체의 멘토와 멘티 관계인양 평화롭게 등장한다. 하지만 한편으로 이들 '아티스트'들은 신자유주의 시대의 개인사업자와 같기에, 기존의 노사 관계에서와 같은 보장받을 신분과 자리가 없다. 그러나 아

---

9   이는 한 남성 개그맨이 자기커리어를 가지고 강한 주장을 할 만한 여성 출연자를 향해 무작정 내뱉은 말이었다. 이러한 전형적인 여성혐오 발화는 이후 그에 대항하는 여성들의 저항구호('go wild, speak loud, think hard')로 전유되기도 했다. 물론 한국 대중문화에서도 분노하는 소녀의 등장이 없었던 것은 아니다. 대표적으로 '나쁜 여자'를 연기하는 이효리는 가부장적 마초성에 도전하는 롤 모델로 의의를 가진다. 한국 소녀상의 전반적 변천은 한지희, 『우리시대 대중문화와 소녀의 계보학』, 경상대학교 출판부, 2015.

이돌의 인지도와 인기로 이윤을 최대한 뽑아내야하는 소속사는 때때로 노골적으로 아이돌 엔터테인먼트에 적극적으로 개입한다. 계약주체로서 갑甲인 "사장님이 보고 있다"는 감각은 피고용인 '소녀'을乙들의 일상에도 개입한다. CCTV가 설치된 단체숙소에서 가녀린 몸매를 위해 섭식을 통제받고, 때로는 핸드폰 금지나 연애 금지 등 인신 구속적 규정들도 공공연히 강요받는다.

'K저씨' 엔터테인먼트

사시나무 떨듯 했던 쯔위의 사과는 누가 봐도 자발적이 아니라고 느껴졌다. 이는 한편으로는 그가 십대 소녀이면서, 또 한편으로는 체계적으로 기획되고, 그룹으로 통제되며, 거대한 팬덤 아래 활동하는, 무엇보다 아이돌 걸그룹이기 때문이다. 그리고 여기에 더 중요하게는 그가 다국적 멤버이며 초국적으로 활약해야하는 존재라는 것이다. 글로벌한 자본 역시 때때로 지역적 세력판도와 민족국가적 조건 속에 주춤거릴 수밖에 없다. 왜냐하면 초국적화transnationalization는 지구화globalization와 달리 민족국가의 경계와 정체성이 약화되게 하는 게 아니라 오히려 종종 그 반대로 작용하기 때문이다. 즉 이는 자본과 문화, 그리고 인간이 국경을 넘는 조건 자체가 민족국가의 영향력에 강하게 구속되어 있다는 의미이다. 한국 엔터테인먼트 장에서 국경을 넘는 한류가 때때로 민족주의의 문턱에 걸려 넘어지는 사례는 이미 여러 차례 있었다. 예컨

2 | 이미지 상품과 아티스트 사이의 소녀들

대 외국 국적의 연예인 중 몇몇이 병역기피 의혹으로 유례없는 영구입국 금지를 받거나 학력위조 유언비어로 지금까지도 지속되는 고초를 당하고 있는 것이다.[10]

각기 사례는 다르지만 사실 이 '교포' 연예인을 둘러싼 반감은 공통적으로 해외 국적자가 국내에서 자본을 쉬이 획득해서는 안 된다는 끈질긴 부정에 있다. 마찬가지로 쯔위의 경우에도 인권과 표현의 자유를 무시한 과도한 대응이었지만, 거대한 중국시장을 위해서는 불가피한 대응이었다는 태도도 상당했다.[11] 이는 그가 사죄한 "언행 상 잘못言行上的過失"이 정확히 뭔지는 모르겠지만, 초국적 엔터테인먼트 사업의 이익을 고려해서 선제적 조치가 필요했다고 암묵적으로 동의하는 것이다. 팬들 역시도 "소녀를 정치에 이용하지 마라"는 논법을 내세웠고, 소속사 역시 정치와 가장 상관없다는 뜻으로 소녀를 내세워 그 모든 것이 잠잠해지길 바란 듯했다. 여기에는 글로벌한 지평에서 진행되는 자본유치와 국가적 기획으로 이뤄지는 문화융성, 그리고 이를 통해 정복 가능한 해외 시장이라는 상상이 있다. 그러니까 IMF 이후 별 다른 비전이 보이지 않는 소위 'K-내셔널리즘'의 실제적 성장 동력으로 'K-엔터

10 유일하게 한국비하를 이유로 여론의 포화를 맞고 추방되듯이 출국했던 박재범만이 온라인에서 팬들과 직접 소통한 덕분으로, 몇 년 만에 성공적으로 복귀했다. 신자유주의의 초국적 국경 앞에서 한국 대중문화의 돌출되는 민족국가적 사건들을 갈무리한 논의는 정민우, 「박재범과 타블로, 그리고 유승준의 평행 이론―한국 대중음악의 초국적화와 민족주의적 트러블」, 『아이돌』, 이매진, 2011.4.

11 리얼미터에 의뢰했다는, 전국 19세 이상 남녀 506명을 대상으로 진행한 여론조사 결과, 쯔위 사과 조치가 불가피했다는 응답은 35.6%, 잘 모른다는 답변은 22.0%, 그리고 과도했다는 의견은 42.4%였다. 최경민, 「JYP 쯔위사태 대응 "과도했다" 42%…머투·리얼미터 조사」, 『머니투데이 the300』, 2016.1.21

테인먼트'가 지목됐던 것이다.

우회하자면, 'K저씨'라는 말이 있다. 이는 중년남성인 아저씨에 한국적 특질을 국제적 기준에서 표기하는 'KOREA'의 K를 더한 SNS 신조어이다. 그렇다면 한국 아저씨다운 것은 무엇인가. 유래를 따지자면 자신의 의사를 관철하기 위해 권위를 강요하고 무례를 무릅쓰는 중년남성의 특정한 태도를 지칭하는 '개저씨'라는 단어가 될 것이다. 2016년 초 「개저씨는 죽어야 한다Gaejeossi Must Die」는 영문 칼럼이 화제였다. 『코리아엑스포제』라는 온라인 저널에 영문으로 실린 이 글은 한국어로 번역되어 열렬히 공유됐다.[12] 도열한 경찰들을 뒤로하고 광화문 광장에서 바지를 내린 채 팬티 바람으로 당당히 서 있는 아저씨 사진이 이 글의 배경이었다. 여기에서는 창피함에도 불구하고 이성을 잃어버리기 일쑤이며, 그럼에도 쉽게 용서받을 수 있음을 알고, 그래서 '개짓'을 멈추지 않는 한국의 아서씨들이 지적됐다. 실로 전술한 자칭 '아재'는 타칭 '개저씨'이고, 유머로 포장한 남성성의 은근한 발휘도 경직된 관계에서는 '꼰대'질과 한 끗 차이일 뿐이다.

물론 중년남성의 이러한 성향은 총체적으로 남아선호와 군대 징집을 경험하고, 이에 가부장성과 권의의식을 체현한 결과로 스스로에게는 잘 인지되지 못했다. 그러나 이러한 행태는 종종 다른 누구보다 젊은 여성들을 표적삼아 발휘되기에, 그들로부터는 벌

---

12 Se-Woong Koo, *Gaejeossi Must Die*, Korea Exposé, 2015.12.23. http://www.koreaexpose.com/in-depth/gaejeossi-must-die/

써부터 지속적으로 성토되어왔다. 그런데 논쟁의 공식적 발화는 외부 남성학자의 번역된 목소리를 통해서야 이뤄질 수 있었던 것이다. 그 자체로 부정적인 뉘앙스를 전달하는 아줌마와 달리, 아저씨는 '개'라는 접두어를 더해야지만 비로소 비칭이 될 수 있었다. 더 나아가 'Gaejeossi'라는 영문표기로 확실히 한국적 특질을 낯설게 더해야지만 사회적 이슈로 취급됐다.

이 과정에서 왜인지, 나이와 젠더가 교차하는 존재양식 중에서 유독 이삼십대 젊은 여성들이 '개저씨'와 동일지평에서 비판됐다. 그러니까 '개저씨'가 권위를 내세운 막무가내를 그 특징으로 하듯, 아가씨 역시 '싸가지'가 없다는 것이었다. 종종 뿌리깊은 불평등의 뿌리는 묵과되고, 서로를 이해하고 새로운 매너를 갖추자는 개인적 조정이 강조됐다. 그런데 이러한 양비론에 복무하는 부적절한 짝짓기와 나이브한 해결방식은 아무것도 모른다고 여겨지는 순진한 소녀에 대한 열망과 연결된다. 그리고 이는 현재 고등교육 수혜자군에서 남성보다 높은 비율을 차지하나, 여전히 임금에선 남성에 미치지 못한 채로 그들 곁에서 악전고투 일하는 젊은 여성들에 대한 적대이다.

그래서 흥미로운 것은 '개저씨'에서 더 나아간 'K저씨'이다. 소위 K-컬처라는 것이 K-드라마, K-팝, K-필름, K-문학에 이어, K-푸드, K-뷰티, 그리고 K-스포츠까지 확장일로에 있다. 이러한 자기만족을 위한 문화적 '국뽕'리스트에 '한국 아저씨'까지 더하면 어떻겠냐는 조롱이 SNS에 넘실댔던 것이다. 다시 말해 젊은이들 사이에서 공유되는 이 'K저씨'는 인종화된 발화라는 측면에서는 "그래봤자, 한국여성"이라는 '된장녀'나 '김치녀' 등에 비견할 만하다. 그러나 이는 분명 한류에서 'K-엔터테인먼트'로 나아가려는, 즉 제국적 상상력을 펼치면서도 한국적 특수성을 주장하는 언밸런스와 연동된다. 다시 말해, 개저씨의 맞짝으로 꼽힌 이 아가씨들은 공적 영역에서 배제되어 지성의 결핍으로 한국사회의 문법에서 이탈한, 주책없고 예의 없다는 아줌마에 대한 멸시와는 다른 맥락에서 비판됐다. 오히려 이들은 한국이라는 경계를 넘어 외제명품에 열광하고 외국여행을 계획하고 더 나아가 외국남성과 사귈지도 모른다고 질타됐던 것이다. 이는 분명 국경이라는 경계와 국민이라는 정체성을 교란하는 침범과 오염의 공포를 상기시킨다. 'K저씨'는 이들에 대한 적대를 아예 반대로 '미러링mirroring'한 데 가깝다.

더하자면 최근 여성작가 한강이 소설 「채식주의자」로 세계 3대 문학상 중 하나라는 맨부커상 수상자로 선정되어, 신경숙 이후 'K-문학'의 선두주자로 꼽혔다.[13] 그러나 최종적으로는 노벨 문학상 수상으로 실현될 듯한, 세계에서 환호 받는 한국적인 문학이라는 소망은 거꾸로 "남성 멘탈리티의 재생산 장치"로 추동되어 왔다.[14] 그렇기에 '유슬림'과 '헬조선', 혹은 '미개'와 '죽창' 등 청년들

---

13 공동수상자인 번역자 데보라 스미스는 '한국스러움'만을 앞세우는 정부 주도의 번역사업을 지적하며 제발 'K-문학'이라는 표현은 쓰지 말자고 제안했다. 국가의 가치를 높이기 위해 세계 정전 반열에 끼려는 욕망은 세계와의 연대를 상상하는 문학의 가치에 위배된다는 것이다. 「K-문학? 'K-' 접두사의 함정」, 『SBS 뉴스』, 2016.6.19; 「데보라 스미스 "'K-문학' 표현은 쓰지말자"」, 『머니투데이』, 2016.6.19.

이 내놓는 자기비하의 말들은, 이러한 낙관적 서사에 대항하는 언설에 가깝다. 나아가 그 기저에 놓인 가부장적 공동체를 상정하는 자연화된 여성혐오, 후식민 개발주의를 앞세우는 불평등한 사회 구조 등을 비판하는, '지금-여기' 한국에 대한 디스토피아적 진단이다. 이러한 맥락에서 사회적 성찰과 제도적 지원 없이 총체적 위기를 단지 사사화할 뿐인 멘토와 멘티 관계 역시 재차 비판의 대상이 됐다. 여기에서 무엇보다 신자유주의 격화 이후 '노오력'을 앞세우며 보호 없는 무한 경쟁이라는 국제적 규준을 강조하나, 인습적 도덕과 계층적 위계를 의리나 예의 등 도덕적 해법으로 은폐하는 모순이 폭로됐던 것이다.

이는 동아시아를 넘는 세계적 한류의 시발로 간주되는 〈강남스타일〉(2012) 노래를 둘러싼 현상에서도 감지됐다. 그러니까 한국 구석구석을 유머러스하게 보여주는 뮤직비디오 다음으로는 한국의 남성문화 자체를 키치화하며 한층 '코리안 스타일'을 내세우는 전략이 내세워졌다.[15] 설상가상 2016년 강남구는 4억 넘는 예

---

14 한국문단을 뒤흔들었던 신경숙의 표절을 둘러싼 대응이 여전히 한국문학의 순수성을 전제하는 비평 회복론이나 세계문학에 구애하는 인정욕망에 붙들려 있다는 지적이 있다. 이는 여전히 1990년대 이후 문학의 여성화와 상업화 비판을 기저에 놓고 있는데, 여기에서는 대부분의 유료독자인 20·30대 여성, SF를 비롯한 정전화되지 않은 장르문학, 국경을 넘나드는 아나키적 독서취향 등이 모조리 타자화되고 있다. 이는 분명 차세대 에이스를 발굴하여 세계시장을 제패하고 세계문학에 합류하겠다는 가부장적이고 패권적인 욕망에 다름없다. 관련 논의는 오혜진, 「퇴행의 시대와 'K문학/비평'의 종말」, 『문화/과학』 85, 2016. 봄.

15 이후 야심차게 제작한 싸이의 후속 뮤직비디오들이 거의 그러했는데, 예를 들면 〈젠틀맨〉(2013)은 여성을 약 올리고 골탕 먹이는 장면을 성적인 코드를 더해 연결하고 있다. 그리고 〈행오버〉(2014)는 세계적 힙합 스타 스눕 독과의 콜라보로 주목을 모았지만, '폭탄주' 등 한국식 음주문화를 즐기면서 노래방에서 여성과 어울리는 장면을 연출했다. 또한 〈Daddy〉(2015)에서는 아예 '난봉꾼' 부전자전 남성 3대를 '효(孝)'니 '불로장생(不老長生)'이라는 글자를 배경으로 그리고 있다.

산을 들여 이 노래의 포인트 안무였던 '말춤'을 형상화한, 두 손목이 교차하는 거대한 동상을 코엑스 광장의 랜드 마크로 제막했다. 고도성장 하의 사치와 향락문화를 패러디한 가사를 앞세운 노래가 어째서 강남의 상징이 돼야하냐는 시민들의 의아함은 무시한, 이는 분명 해외 관광객들을 염두에 둔 무리수 행정이라고 조소할 만했다. 이처럼 실로 2000년대 이후 한국을 세계적인 브랜드로 만들겠다는 야심은 세계시장을 끊임없이 의식하며, 거기에 발맞추는 특수성을 갱신된 남성성으로 작동시키는 손쉬운 방식을 채택하고 있다. 과연 'K-엔터테인먼트' 사이에 한 단어를 더해서 'K저씨 엔터테인먼트'라고 할만하다. 왜냐하면 이러한 대중문화에 내재한 한국적 특징을 밀어붙인 것이 걸그룹의 인성과 태도 등에 목을 매는 'K-엔터테인먼트'이기 때문이다. 마치 'K저씨'가 아가씨의 예의 없음을 물고 늘어지듯 말이다.

지금은 무한경쟁 걸그룹 소녀들의 전성시대다. 이들을 피라미드 방식으로 모집선발하고, 독점적으로 엘리트 연예인으로 양성·훈련하는 소속사의 기획 시스템은 실로 '한국적'이다.[16] 이들은 데뷔 전부터 위계화된 소속사 위주 연예산업 구조에 붙들려 있고, 현재 이러한 시스템은 동아시아 각국에 전파되고 있다. 대만 타이난에서 춤을 추던 중학생 쯔위는 해외시장을 염두에 둔 한국식 공격

---

16 IMF 금융위기와 K-pop 위주 한류의 성장은 아이돌 그룹을 위시한 연예인을 자본배경 없는 청소년들이 꿈꾸는 최고의 직업으로 떠오르게 했다. 물론 여기에서 젠더에 따라 다르게 요구되는 이미지의 시장성과 기획사 내 미래 상품가치에 따른 위계적인 섹슈얼리티의 배치가 그대로 권력화하기도 한다. 김현경, 「기획사 중심 연예산업의 젠더/섹슈얼리티 정치학」, 『한국여성학』 제30권 2호, 한국여성학회, 2014.

적 캐스팅 방식에 의해 홀로 타국으로 건너와 연습생 생활 1년 반만에 막 데뷔했던 참이었다. 겁먹은 쯔위의 얼굴은 동아시아 패권에 영합하는 자본과 그를 뒷받침하는 국가를 동시에 지시하는 한국 엔터테인먼트 산업의 민낯과 연결되기도 했다. 유수 기획사가 스스로를 '가족family'과 '마을town'로 칭하고, 더 나아가 스스로를 '국가nation'나 '제국empire'으로 칭하기도 한다. 이러한 자신만만한 자기형상은 분명 한류에서 'K-엔터테인먼트'로 뻗어나가는 욕망을 보이고 있다.

'국민' 프로듀서의 'K-걸그룹'

전술했듯 현재 'K-엔터테인먼트' 전성시대의 첨병은 다름 아닌 걸그룹이다.[17] 원래 세상의 부조리를 과장되게 폭로하며 여성 팬덤을 노리던 보이 그룹이 흥성했다. 이제는 '삼촌팬'까지 거느리며, 좌절 하지 말고 다시 세상과 마주하라는 희망을 권유하는 걸그룹이 대세다.[18] 이 전환은 한국에서 대략 2009년에서 2010년 즈

---

17 걸그룹은 1997~1998년 1세대 SES와 핑클, 2007년 2세대 원더걸스, 소녀시대, 카라 등으로 나뉜다. 이때까지는 대체로 청순한 요정과 걸파워 여전사 이미지를 양분하고 있었다. 그리고 2009~2010년 2NE1, 포미닛, 티아라, 씨스타, 브라운아이드걸즈 등과 2012년 AOA와 EXID 등까지가 3세대 걸그룹으로 보인다. 이들은 때때로 야하거나 순진하거나 혹은 전위적이거나 복고적이거나 여러 가지 콘셉트로 기획됐다. 2016년 이후는 거의 걸그룹 4세대인데, 여기에는 트와이스를 비롯하여, 러블리즈, 여자친구 등이 속한다. 흥미롭게도 모든 시도의 종착인양 이들은 대부분 '소녀' 콘셉트로 일변했다. 전체적인 아이돌 그룹의 흐름과 걸그룹 전성시대의 의미에 대해서는 차우진·최지선, 「한국 아이돌 그룹의 역사와 계보 1996~2000」, 『아이돌』, 이매진, 2011.4; 김수아, 「걸그룹 전성시대에 당신이 상상하는 것들—걸그룹의 성적 이미지 전략과 포섭된 남성 팬덤」, 『아이돌』, 이매진, 2011.4.

음으로 짚어지는데, 이것이 세계적 금융위기의 확장과 어떻게 함께 진전되어 왔는지에 대해서는 논의가 전무하다. 이들 소녀들은 섹시든 청순이든 압도적 콘셉트로 단기간에 주목을 끌고, 노래뿐 아니라 드라마와 예능, 그리고 광고 등 다방면에서 남김 없고 휴지 없이 활동해야 한다. 그러한 교체 가능한 인력으로서 걸그룹이 가장 유연한 엔터테인먼트 산업의 형식이 될 수 있었던 것은 아닐까. 그리고 이제 이전까지 종종 선정성 논란에 휩싸이던 걸그룹이 산업, 정치, 문화적 측면 모두에서 '신한류'의 주역이자 민간 외교관으로 추앙받고 있다. 지금 걸그룹의 콘셉트는 아예 테니스 스커트의 체크무늬 교복을 입고 각 잡힌 군무를 추는 소녀들로 일거에 바뀌었다.

2016년 상반기 화제를 모았던 〈프로듀스 101〉(~2016.4, Mnet) 이라는 예능 프로그램은 '당신의 소녀에게 투표하세요'라는 슬로건을 내걸었다. 참가자들은 이전의 리얼리티 서바이벌처럼 각각의 사연을 가진 개인 단위가 아니라 처음부터 소속사 이름을 내걸고 등장했다. 여기서는 아예 출발부터 대형기획사와 군소기획사 출신이 서로의 ABCDF '등급'을 확인하면서 경쟁을 시작했다. 물론 이 프로그램에서 내세워진 '국민투표'라는 것은 중복투표를 비롯해 조직적 조작이 가능할지도 모른다고 했고, 그렇지 않다고 해

18 30대 이상 남성들이 대중문화 시장의 걸그룹 팬으로 등장한 이유는 여러 가지로 진단됐다. 신자유주의 시대 좌초한 남성이 위안이 필요하기 때문이라거나, 기존의 성 상품화를 무비판적으로 받아들인 데 불과하다는 등이었다. 그러나 이 양자선택의 회로에서 빠져나와, 변화하는 사회적 관계에 탄력적으로 대항하는 차원에서 이들을 읽어야한다는 주장은 김성윤, 「'삼촌'이라는 특이한 발명품: 피터팬 또는 롤리타?」, 『덕후감』, 북인더갭, 2016.

도 화면에 얼마나 노출되고 어떻게 편집되느냐에 따라 '국가대표' 걸그룹의 면면이 달라질 수도 있다는 지적을 받기도 했다. 무엇보다 한 신문매체에 폭로된 이 방송 프로그램의 출연계약서에 따르면, 이들 소녀들은 '갑(제작사)', '을(소속사)'에 이은 '병(출연자)'으로 일체의 출연료가 없었다. 여기에 더해 콘텐츠 제작·편집·변경·배포 등 과정에서 발생하는 명예훼손 등 어떠한 사유로도 민·형사상 법적 청구를 제기할 수도 없다고 했다.[19]

이러한 무권리에 합당치 않게 이들 예비 걸그룹 멤버들에게는 예쁜 얼굴에 적당한 재능정도가 아니라, 밤낮을 가리지 않는 육체적 훈련과 웃음과 울음을 오가는 감정노동이 무한정 요구됐다. 최소 1년에서 최대 10년까지 인턴 연습생 신분이었던 이들 소녀 노동자들은, 눈앞에 있는 데뷔와 이후 얻어질 인지도를 볼모로 한, 참가자의 말마따나 '꽃길만 걸을' 미래를 위해 이 모든 부당조건을 수용했다. 이들은 중독성 있으나 단조로운, 소위 90년대에 '아재'들이 열광했던 EDMelectronic dance music 형식에 맞춰 일등부터 꼴찌까지의 계층을 그대로 표현한 거대한 피라미드 회전판 위에서 '픽미업Pick Me Up'을 외쳤다. 그리고 순위에 올라가지 못한 이들은 조명조차 없는 무대 밖에서 군무를 추었다. 결국 '국민 프로듀서'들은 유료 100원 문자 투표를 통해서 101명의 소녀들 중 11명을 선택했고, 이들은 만 1년이 채 못 되는 파견계약직 걸그룹 I.O.I 멤

---

19 「단독입수 '프로듀스101' 계약서, 악마의 편집 법 책임 無, 출연료 無」, 『일간스포츠』, 2016.2.16. 이후 제작사의 범용 출연계약을 준수했다는 답변에도 불구하고, 공정거래위원회는 계약서의 시정을 요구했다.

버가 됐다. 그리고 이들은 방송국 제작사를 떠나 한 번도 걸그룹을 데뷔시켜보지 못한 신생 엔터테인먼트 회사에 '위탁운영'되는 방식으로 활동을 했던 최초의 걸그룹이었다.

생각건대 과거 한국의 대기업 재벌은 정부지원 아래 저렴한 노동력에 의지해 수출 위주의 상품을 통해 이윤창출을 도모했다. 이와 비슷하게 현재 'K-엔터테인먼트'를 지탱하는 소속사 역시 연소근로자의 보호규정이 제대로 준수되지 않는 통제된 환경 아래 몇 년씩 장기간 훈련을 진행시킨다. 그리고 대부분의 개발 비용을 이후 발생하는 수익에서 우선 공제하는 방식으로 운영된다고 한다. 특히 여성의 경우, 섹슈얼리티 자체가 유일한 자원이 되거나 젠더화된 역할을 강압적으로 수행해야하는 상황에서 때때로 '죽음노동'에 이르기도 하는 것이다. 물론 과거 정권의 철철이 계속됐던 대통령의 해외순방 때 늘 한류 관련 단체가 방문리스트에 있었던 것은, 마치 한류 스타의 이름에 '산업역군'이나 '참전용사'처럼 '국위선양'이라는 철지난 수식어가 따라붙듯 전혀 낯설지 않았다.[20] 그러나 이전의 산업화 과정과 현재의 연예산업이 다른 것은, 쯔위의 경우처럼 초국적 맥락에서 사건화하는 장면을 통제하기가 어렵다는 것이다. 국가는 예전처럼 책임주체가 아니라 공모주체

20 한국에서 탈식민의 소망으로 세계화론이나 동북아허브론 등을 주장한 데서 나아가, 최근 박근혜 정권에서는 1970년대 '중동 붐'을 연상시키는 '중동-아프리카' 경제외교 개발협력 등도 주장됐다. 예를 들어 2016년 6월 에티오피아, 우간다, 케냐를 순방하며 추진됐던 것이 바로 "코리아 에이드(korea aid)를 따라 아프리카에 한류가 퍼집니다"였다. 이는 유효기간 지난 '선진국-후진국' 구도에서 한류 자체를 국가주의적으로 전유한 것이다. 의미심장하게도 이어졌던 프랑스 국빈방문 일정 중 현지에서 개최됐던 '케이콘(KCON) 2016 프랑스' 행사장에는 I.O.I 걸그룹 소녀들도 등장하여 대통령과의 대화를 연출했다고 한다.

에 가깝고, 소속사 역시도 이러한 위기국면을 관리할 충분한 의지를 보이지 않는다. 그러니 이 모든 억압적 상황에 자발적으로 동의하고, 그럼에도 스타가 되길 열망하는 바로 그 소녀들이 문제발생 시 모든 수습을 떠맡도록 내밀리는 것이다.

덧붙이면 인성이나 태도 등 개인적 문제뿐 아니라, 유독 걸그룹들에게 더욱 가혹한 규준으로 역사인식이 꼽히는 것도 의미심장하다. 어떤 걸그룹 멤버들이 예능오락 프로의 스피드 퀴즈에서 안중근의 사진을 놓고 '긴또깡'이라는 농담을 했다고 대대적인 여론의 뭇매를 맞았음을 상기하자. 제작사가 회당 방송분을 모두 삭제한데서 그치지 않고, 이들 소녀들 역시 고개를 조아리고 사과를 했어야만 했다. 클로즈업 된 눈물 흘리는 여성 아이돌의 모습은 그 자체로 대속적이었다. 이는 구조적인 문제를 뒤로 하고 이들의 사죄만이 분노한 대중을 잠재울 수 있다는 생각이다. 이전 보이그룹들 혹은 아이돌 출신 남성 연예인의 무교양이나 무식함은, 심지어 이제는 중년의 나이에 이르렀다 할지라도 풋풋한 미성숙이나 소년의 용감함으로 너그럽게 용서되고, 종종 호감의 포인트로까지 인식됐다. 다시 말해 일부러라도 오답을 말해서 웃음을 유발하던 남성 연예인들과 달리, 이제 이들 걸그룹에 대해서는 누구라도 그들의 무지를 발 벗고 검증하고 처벌한다는 것이다. 왜냐하면 이들 소녀들은 국경을 넘는 'K-엔터테인먼트'의 상징이고, 그렇기에 이들의 국사에 대한 지식은 더욱 엄밀하게 당연히 요구되는 것이다.

아이러니하게도 현재 걸그룹에 환호하는 한국은 동시에 여성 혐오의 시대를 앓고 있다. 동북아시아 최초라는 여성대통령 시대에 오히려 남북한을 둘러싼 동아시아의 적대적 군사화는 더욱 날카롭게 진행됐었다. 이제 돌발적으로 일어날 수 있는 초국적 사건에 적절히 대응하기 위해 이제 'K-엔터테인먼트' 자체에 대해 성찰할 때가 임박했다고 볼 수 있다. 2000년대 이후의 한국 엔터테인먼트 시스템은 87년 체제라는 민주화의 과실과 90년대 성장한 대중문화의 세례 속에서 구축됐다. 그런데 이제는 개발주의의 퇴행적 적용과 신자유주의의 압도적 영향 아래, 'K-걸그룹'을 앞세우는 'K-엔터테인먼트'로 팽창하고 있는 것이다. 물론 여기에는 이제 자신도 '딴따라'라고 열등감 없이 말하며 미국과 중국, 그리고 세계 곳곳을 자신의 시장으로 상상하는 엘리트 관리자가 있다. 또한 그와 더불어 데뷔와 성공을 위해 자기구속적인 환경을 적극적으로 김내하는 신자유주의 자기계발적 연습생이 있다. 요컨대 현재 걸그룹 전성기란 이러한 한국적 시스템을 젠더화된 방식으로 국경을 넘어 구현하려는 시도에 다름없다. 그래서 처음으로 돌아가면 쯔위는 대만 청년들을 깨우는 나비였다기보다, 차라리 이러한 'K-엔터먼인먼트'의 각성을 촉구하는 계기였는지도 모른다.

2 | 이미지 상품과 아티스트 사이의 소녀들

다시, 소녀들

다시 한류를 보자. 분명 이는 동아시아 여성수용자를 중심으로 우연히 형성된 하나의 흐름이었다. 기실 한류라는 단어는 대만에서, 1997년 금융위기 때 환차로 인한 가격우위에서 한국제품이 많이 유입되자 이를 부르는 말로 시작됐다고 한다. 그리고 이후 이웃 일본과 중국, 그리고 아시아의 여성들이, 각종 드라마를 비롯한 한국 콘텐츠 전반에 시선을 돌리고, 비교적 유사한 감정구조에 동화되기 시작했다. 여기에는 분명 〈사랑이 뭐 길래〉(1992)처럼 가부장적 가족구조의 균열이나 〈겨울연가〉(2002)처럼 여성취향의 순애보적 로망스, 그리고 〈대장금〉(2004)처럼 여성전문인의 인생여정 등이 있었다. 이는 곧 한국 전반에 대한 관심을 불러일으켰는데, 처음에는 이들 역시 각 나라에서 한국의 '빠순이'처럼 이해 못할 존재들이었는지도 모른다.

그러나 이러한 여성 수용자들은 곧 경직된 동아시아 각국의 국경을 열고 보답 없는 열광을 보내고 적극적으로 네트워킹하며 직접 만나기 시작했다. 이때쯤 바로 한류도 동아시아의 상호이해와 새로운 연대를 촉진하는 기회로 조심스레 운위되기도 했었다. 어쩌면 'K-엔터테인먼트'를 공격적으로 말하는 지금, 아시아 연대를 촉발했던 여성 팬 중심의 한류로부터 떨어져 나온 지점이 어디였는지 되짚어 봐야할지도 모르겠다. 실로 동아시아의 복잡한 지정학적 관계는 세계로 뻗어가는 대중문화에서 언제든지 사건화될 수 있는 뇌관이다. 홍콩과 대만을 중국과 관련하여 어떤 입장에서 이해할지, 혹은 '위안부'를 비롯해서 일본 '제국/식민지' 역사에서 유래하는 사건들을 어떻게 바라볼지 등 문제는 그저 추상적 토론의 대상이 아니라 긴급한 현안에 속한다.[21] 그렇게 찬탄되던 한류 열풍은 사드 배치 등 신냉전적 외교충돌 국면에서 '한한령限韓令'에 의해 당장에 저지될 수 있듯 위태로운 것이다.

그래서 결론을 대신하여 마지막으로 짚자면, 여성은 지식이 없기에 '꼰대'로 덜 지목됐다. 그리고 아줌마는 '맘충'은 될 수 있을지언정 '개저씨'처럼 권위를 휘두르지는 못한다. 비슷하게 어머니와 할머니들은 시대의 증거로 제시되지만, 시대의 증언은 남성 '어르신'의 목소리에서 비롯될 뿐이었다. 'K-엔터테인먼트' 장에서도 마찬가지로 남성들은 '청년'에서 '아재'로, 그리고 관리자 사장으로 차근차근 나이 들어갈 수 있지만, 여성들은 섹시/청춘 등 이분화된 컨셉에서 진동하다가 어느 순간 사라지거나 결혼과 출산 이후 완전히 다른 정체성으로 활동한다. 이처럼 연속적으로 여성 존재가 드러나지 않을 때, 한국 대중문화 장에서 무한 반복되는 것은 소녀라는 순간과 때때로 변용되는 이미지뿐일 것이다. 전술했듯 '촛불소녀'의 후예인 이삼십대 여성을 향한 혐오misogyny와 마찬가지로 특정 여성들에게 구체성을 상실한 상징들만이 줄기차게 요

21　특전사 군인과 엘리트 여의사가 이국 파병지에서 사랑을 키워가는 내용의 KBS 드라마 〈태양의 후예〉(~2016.4)는 진부한 재벌서사와는 다른 밀리터리 로맨스를 내세우고 초국적 인기를 끌었다. 하지만 북한군 묘사 관련이 중국 방영분에서는 삭제됐다고 하고, 더 심각하게는 베트남에서는 '적국' 한국과의 전쟁기억을 불러일으킨다고 강력하게 저항 받는 등 곳곳에서 좌충우돌하고 있는 것이다. 한류 대중문화 콘텐츠와 동아시아의 정치적 우경화와 관련시켜 이를 분석한 논의는 조서연, 「〈태양의 후예〉, 한류 밀리터리 로맨스라는 사태를 바라보며」, 〈전쟁 없는 세상 뉴스레터〉, 2016.5.

구되는 것은 재현적 폭력에 다름없다.

강조컨대 소녀는 아직 '아버지의 법'이 올곧게 각인되지 않은, 온순하고 미숙하지만 또 한편 항의와 거부도 드러내는 에너지 충만의 존재들이다.[22] 이러한 과정 중 주체인 걸그룹 소녀들 역시 순진무구한 활달함과 건강한 섹시미뿐 아니라, 날카로운 자기전략과 굽힘 없는 자기주장을 펼 수 있는 여성들이기도 하다. 그 많은 각각의 소녀들은 누구일까. 그들은 어떠한 생애를 가진 여성이 될까. 무대 아래와 밖에서, 그리고 무대가 끝나고 소녀들은 어떤 존재가 될까. 그러므로 진정 착목해야 할 것은 초국적 대형기획으로서의 'K-엔터테인먼트'라는 환상이 아니라, 동아시아 대중문화 전반에 민감하고 그의 변형적 효과를 추동하는 존재로서 소녀들일 것이다. 사실 이제 'K-엔터테인먼트' 장에서 다국적 정체성의 소녀들이 초국적으로 일으키는 파문을 멈출 수 없다. 이들은 복잡한 동아시아 상호인식을 보여주기도, 민족국가의 불일치성과 그 다양성을 상상하게 하기도, 전위적으로 성별 정체성이나 성적 취향을 포함한 모든 경계를 문제 삼기도 한다.

결국 우리는 이 소녀들과 함께 'K-엔터테인먼트' 너머의 다른 세계를 어떻게 상상할 수 있을까. 이미 한국의 여성 수용자들도 한류를 넘어 일본과 중국, 그리고 다른 여타 아시아의 문화 콘텐츠에 매개 없이 접속하고 국적을 넘어선 취향 공동체에서 지속적인 팬덤을 가꿔나가고 있다. 그렇다면 이때 출몰하는 초국경 지평에서

---

22 김은하, 「소녀」, 『여/성이론』 34, 여이연, 2016.

전개되는 민족국가적 곤경에 어떻게 대응할지, 피할 수 없는 고민 속에 다른 감각 역시 생성될 수 있지 않을까. 그래서 지금, 사유의 출발로서 경계를 넘나드는 그 많은 소녀들을 다시 꼽아볼 때이다.

3부

걸스 온 스크린

퀴어 소녀:
소녀에겐 미래가 필요하다

듀나

숙희와 히데코

박찬욱의 〈아가씨〉(2016)는 결코 수줍은 영화가 아니다. 어떤 면에서는 수줍을 수도 있겠지만, 섹스는 전혀 그렇지 않다. 우리의 두 주인공 숙희와 히데코는 카메라 앞에서 못하는 게 없다. 69 체위도 해보고 가위치기도 하고 에필로그 섹스신에서는 어린 시절 학대와 강독시간에서 영감 받은 특별한 도구도 사용한다. 보다보면 숙희가 섹스 교사인 친구 끝단이에게서 얼마나 많이 배웠는지, 히데코는 도대체 몇 권의 책을 낭독했던 것인지 궁금해진다.

이게 얼마나 말이 되는 걸까. 설정을 고려해보면 이들이 첫날 밤부터 온몸을 던져가며 온갖 체위를 시도하는 건 이상하지 않을까? 양쪽 모두 상대방에게 자신의 의도와 욕망을 어느 정도 감추어야 하는 입장이었는데? 그 외에도 이 장면들을 비판할 수 있는 논리는 많다. 비현실적이다. 포르노다. 이성애자 남성의 시선이다. 기타 등등.

하지만 영화를 반복해 보다보니 완벽하게 동의할 수는 없어도 은근슬쩍 관대해진다. 여기는 박찬욱 세계. 이곳 여자들은 그게 그렇게 어색하지 않은가보지. 게다가 둘 다 행복해보이잖아. 아무런 조건 없이 파트너를 존중하며 양쪽 모두가 즐겁게 섹스를 하는 광경이 한국영화에 흔하던가. 솔직히 좀 무리한 것 같고 힘겨워 보이지만 그건 이안의 〈색 계〉(2007)도 마찬가지였다. 영화가 과장 좀 한다고 그걸 굳이 트집잡아 물고 늘어져야 할까.

진짜로 집갑하게 걸리는 건 영화에 대한 한국 매스컴의 반응이다. 그들은 이 영화를 일부러 꼬아놓는다. 동성애는 '동성애 코드'가 된다. 두 주인공의 관계는 '묘해진다'. 로맨스는 언젠가부터 '동지애'가 된다. 박찬욱이 최대한 분명하게 정리한 걸 보면서도 그게 눈에 안 보인다. 몇 겹의 레이어를 겹쳐 놔야 그나마 그 틈 사이로 영화를 볼 수 있게 되는 것이다. 이게 무슨 변태짓인가. 그러니까 나쁜 의미로 말이다. 이 변태성의 가장 고약한 부분은 그 음란함이 멀쩡하게 카메라 앞에 전시된 섹스를 일부러 제거하거나 덮으면서 이루어진다는 것이다. '코드', '묘함'은 포르노의 언어이다. 심지어 여기서는 '동지애'도 그렇다.

영화 속 숙희는 열일곱 살이다. 김민희가 캐스팅되기 전엔 히데코도 같은 나이이길 바랐었다. 나에게 세라 워터스의 소설 『핑거스미스』는 십대 여성들의 이야기였고, 미니 시리즈 버전이 놓쳤던 그 부분을 영화가 살려주길 바랐다. 지금 캐스팅에 만족하고 영화의 설성도 이지에 맞는다고 생각하지만 그래도 가끔 아쉽다고 생각한다. 만약 두 주인공이 모두 십대였다면 영화는 더 음란해졌을 것인가?

과연 우린 현대 십대 여성의 섹스에 대한 이야기를 얼마나 진지하게 할 수 있을까? 여기서부터 나는 될 수 있는 한 '소녀'라는 단어를 제한해서 쓰려고 한다. '소녀'는 노골적으로 페티시화된 단어이며 이를 일상어에서 중립적으로 쓰기란 쉽지 않다. 〈프로듀스 101〉(Mnet, 2016)에서 사회를 맡았던 장근석이 끝없이 외쳤던 "당신의 소녀에게 투표하세요!"란 외침을 떠올려보라. 이 단어가 '여자 아이'라는 사전적인 의미로 사용되었다고 믿는 사람은 없을 것이다. 그 호명의 대상인 (십대 중반에서 20대 후반까지를 커버하는) 젊은 여성들이 모두 교복을 연상시키는 유니폼을 입고 '픽 미'를 부르고 있을 때는 더욱 그렇다. 심지어 당사자인 십대 여성들도 소녀라는 단어를 들을 때 자신이 아닌 다른 무언가의 이미지를 떠올릴 것이다. 비슷하게 쓰이는 단어로는 '여고생'이 있다.

이런 생각을 해본 적 없나? 열일곱 살 여자아이 남숙희의 모험을 우리가 비교적 편견 없이 수월하게 받아들일 수 있었던 건 이 캐릭터가 교복을 입고 있지 않았고, 고등학교, 교복, 십대로 정의되어 묶인 이미지 밖에 존재하기 때문이라고. 그리고 이 틀 안에 갇힌 주인공이 할 수 있는 행동, 부여받는 이미지는 어쩔 수 없이 제한될 수밖에 없다고. 이 여자아이들이 직접 스토리텔링의 키를 쥐지 않는 한, 이 제한은 아무리 선의를 담고 있어도 결국 페티시로 연결될 수밖에 없다고.

수미와 수연

십대 여성이 소녀가 되기 위해 꼭 교복이 필요하지는 않다. 김지운의 〈장화, 홍련〉(2003)은 '한국 소녀 영화'로는 선두에 설 법 하지만 교복은 나오지 않는다. 이 영화에는 교복의 빈 자리를 채워줄 수많은 소녀스러움이 부글거린다. 대부분 기성품이고 양식화되어 있으며 이는 자연스럽게 페티시화로 이어진다.

십대 소녀 관객이 임수정이 연기한 수미 캐릭터에 몰입한다 해도 수미가 자신과 같은 나이 또래의 젊은 여성이란 것과는 아무런 상관이 없다. 수미는 전혀 다른 세계에 살고 있는 전혀 다른 종류의 사람으로, 그 몰입은 이국적일 수밖에 없는 엠마 보바리나 안나 카레니나에 보편적으로 공감하는 것과 크게 다를 게 없다. 수미의 캐릭터는 입체적이고 내면은 탐사할 가치가 있는 미로지만 그건 현실성과는 거리가 있다.

수많은 관객이 이 영화의 주인공인 수미와 수연 자매의 관계에서 동성애 코드를 읽었다. 다시 말해 이들을 근친상간 관계로 본 것이다. 이들의 관계가 비정상적일 정도로 가깝고 심지어 어느 정도 로맨틱하다고 볼 수 있는 것은 사실이다. 여기엔 두 배우 임수정과 문근영의 자연스러운 화학반응도 한 몫 했다.

하지만 이 과격한 해석이 문제없이 받아들여졌던 진짜 이유는 이들이 양식화된 '소녀들'이었기 때문이다. 원래 각본대로 두 자매가 20대였다면, 그래서 이나영이나 전지현처럼 상대적으로 성숙한 이미지의 배우들이 그 역을 맡았다면 과연 그런 해석이 나왔을까? 만약 임수정과 문근영이 양식화된 '소녀'가 아니라 현실세계의 실제 보통 십대 자매들을 연기했어도 그런 해석이 가능했을까? 전자는 몰라도 후자는 어림없다. 이런 해석이 가능했던 건 이들이 현실에서 격리된 허구의 존재라는 전제가 깔려있었기 때문이다. '소녀'는 '우리'가 아니다. 그리고 소녀 영화로서 〈장화, 홍련〉의 매력은 그 간극에 있다.

효신과 시은

당연히 나는 여기서부터 〈여고괴담〉 시리즈 이야기를 할 거다. 한국 교복 페티시물의 에피토메epitome. 그런데 〈여고괴담〉은 도대체 어떤 시리즈인가? 의외로 설명하기가 쉽지 않다. 영화를 보지 않았거나 큰 관심이 없는 관객들은 기준점을 1편인 〈여고괴담〉(박기형, 1998)에 둔다. 시리즈의 열성팬이라면 기준점은 당연히 〈여고괴담 두 번째 이야기〉(김태용, 민규동, 1999, 이하 〈두 번째 이야기〉)가 된다. 하지만 이들 두 편이 시리즈 전체를 설명할 수 있느냐고 묻는다면 답은 아니라는 것이다. 오히려 〈여고괴담〉의 전형성은 비교적 덜 알려진 3, 4편에서 찾을 수 있다.

지금 와서 〈여고괴담〉 1편을 보면 그 이질감에 여러 모로 놀라게 된다. 일단 시리즈에 대한 일반적인 이미지보다 영화가 구식이다. 아랑 전설 스타일의 전통적인 한국식 원혼 이야기를 20세기 후반의 폭력적이고 부조리한 대한민국 고등학교에 이식한 작품이다. 무척 교훈적이고 80년대에 많이 나왔던 청소년 영화들에도 어느 정도 뿌리가 닿아있다. 교사로 나온 이미연이 〈행복은 성적순이 아니잖아요〉(강우석, 1989)의 주인공이었다는 사실을 기억하라. 일반적인 관객들이 가장 쉽게 납득할 수 있는 영화인 것이다. 그리고 쉽게 납득이 간다는 건 이 영화에 퀴어 요소가 비교적 희박하다는 말이기도 하다. 재료는 있다. 지오, 재이, 소영, 정숙은 모두 다루기 쉬운 정형화된 '여고생'들이다. 정형화되었다는 건 이차창작지들이 다루기 쉽다는 뜻이다. 다시 말해 짝을 지워주겠다면 얼마든지 그럴 수 있다. 누가 뭐라 하겠는가. 아직 순진했던 20세기라 그냥 놔뒀지, 평계만 있으면 일단 곱하고 보는 요즘 이 영화가 나왔다면 사정이 전혀 달랐을 거다.

하지만 이 시리즈에 속한 이후 영화들은 그 정도로 그치지 않았다. 비판할 거리가 있어도 언제나 관계묘사가 먼저였다. 〈여고괴담〉 1편에서는 그 정도의 적극성이 없으며 모든 멜로드라마는 시스템의 사악함을 극복하는 우정이라는 이름 밑에서 안전하게 봉합된다. 시리즈 전체를 놓고 보면 이 작품은 아주 다른 영화처럼 보인다.

〈여고괴담〉 시리즈의 틀을 만든 건 〈두 번째 이야기〉다. 이 작품은 어느 기준으로 보더라도 완벽하지는 않지만, 의심할 여지없이 시리즈 중 최고이다. 대한민국 여자고등학교라는 공간에 대한 인류학적 연구, 퀴어 멜로드라마로서의 매력, 시스템에 대한 비판이 이 정도 수준으로 올라온 〈여고괴담〉 영화는 그 뒤로 나오지 않았다. 할 이야기는 많지만 여기서는 '퀴어'와 '소녀'에 집중해보자.

〈두 번째 이야기〉의 장점은 사실적인 여자 고등학생의 비중이 시리즈 중 가장 높다는 것이다. 영화를 위해 어느 정도 다듬어졌고 멜로드라마가 과장되었으며 로맨틱하게 미화되었지만 이들 대부분은 상당한 수준의 인류학적 사실성을 유지하고 있다. 사실에 바탕을 둔 공감대는 수많은 관객들에게 이 영화 최고의 매력이었다.

이 영화의 두 주인공인 효신과 시은은 '소녀'들이지만 소녀의 관습에는 별로 의존하지 않는다. 특히 효신이 그렇다. 물론 어쩔 수 없이 '소녀'스러운 경향은 있다. 교환일기, 피아노의 장식, 온갖 감상적인 경구들. 이들은 모두 '소녀 문화'의 반영이다. 하지만 이 영화에서 효신의 정체성은 '소녀'라는 것이 아니라 동성애자인 십 대 여성이라는 것이다. 효신은 어떤 알리바이도 만들지 않는다. 교실에서의 키스 같은 건 정치적 선언이다. 효신의 행동은 거칠고 도발적이고 심지어 종종 촌스러우며 늘 안전함의 영역에서 벗어나 있다. 다시 한 번 영화를 챙겨보시라. 의외로 '예쁘지 않은' 캐릭터다. 심지어 보이시한 시은과 비교해도 그렇다. 현실세계에서 혁명하며 살려면 그럴 수밖에 없다.

유감스럽게도 이 혁명성은 다음 〈여고괴담〉 영화들에서 이어지지 않는다. 그렇다고 이 소재가 억압받고 검열 당했는가. 그건 아니다. 2편의 혁명성은 다음 영화들에서 장르화된다. 〈여고괴담 세 번째 이야기: 여우계단〉(윤재연, 2003, 이하 〈여우계단〉)을 보자. 예술고등학교를 배경으로 한 이 영화는 부인할 수 없는 동성애 로맨스다. 소희는 진성을 사랑하지만 진성은 소희에게 열등감을 느낀다. 여기에 여우계단과 연결된 초자연현상이 결합되면서 영화는 비극적인 결말로 치닫는다. 하지만 2편과는 달리 〈여우계단〉은 소희를 향한 진성의 사랑을 정의하지 않는다. 진성은 동성애자일 수도 있고 그냥 진짜로, 진짜로, 진짜로 소희를 좋아하기만 한 것일 수도 있다. 진성은 여기에 대해 어떤 고민도 없고 영화도 마찬가지다. 과연 진성이 성적인 존재이긴 한 건지도 모르겠다. 발전한 것 같지만 사실은 정체되거나 퇴보한 것이다. 이미 진편의 효신이 막연한 레즈비언 연속체를 이루는 이 '여학교' 공간이 보기만큼 당연하지도, 안전하지도, 결백하지도 않다는 사실을 폭로하지 않았는가. 영화는 이 사실을 그냥 모른 척 한다.

〈여고괴담 4: 목소리〉(최익환, 2005)의 세계는 〈두 번째 이야기〉와 〈여우계단〉 사이에 있다. 이 영화에는 레즈비언으로 자기 정체화를 끝낸 캐릭터가 있다. 시리즈의 공식에 따라 영화가 시작도 하기 전에 죽어 유령이 되었고, 현실적인 사랑 이야기보다는 〈제복의 처녀Mädchen in Uniform〉(레온틴 사강, 1931, 독일)와 같은 여자학교 배경의 멜로드라마의 전통을 따르고 있긴 하지만, 적어도 존재는 한다. 하지만 이 영화의 세 주인공인 영언, 선민, 초아는 너무나 노골적으로 동성애 삼각관계를 이루면서도 선을 넘어서지 않는다. 결국 로맨틱하지만 끝까지 정의되지 않은 '소녀들의 사랑'인 것이다. 〈목소리〉의 로맨스는 매력적인만큼 안전하고 추상적이다.

4편 이후 〈여고괴담〉 시리즈는 몰락의 길을 걷는데. 〈여고괴담 5: 동반자살〉(이종용, 2009)이 민망할 정도로 망작이기도 했지만, 이 몰락은 시작부터 예정되어 있었다. 〈여고괴담〉 시리즈는 사회 고발과 인류학적 연구에서 출발했지만 결국 그러는 동안 스스로의 세계를 만들었고 로맨티시즘과 탐미주의 그리고 교복 페티시로 이루어진 그 영화 속 세계는 변화하는 현실세계로부터 조금씩 격리되어 갔다. 이 세계에서 완벽하게 적응해 안주했던 4편과는 달리 5편은 그 간격 사이에서 덜컹거리며 힘들어하는 티가 역력하다. 그게 2009년. 시리즈는 어느 새 스마트폰도 존재하지 않던 고대에 만들어진 유물이 되었다.

지금 6편이 기획되고 있다는 이야기를 들었는데, 소문을 들어보면 1편에 나왔던 교사의 과거 이야기가 될 것 같다고 한다. 어떤 영화가 나올지는 몰라도 2, 3, 4편으로 이어지면서 형성되었던 〈여고괴담〉의 멜로드라마의 전통이 온전히 유지될 수 있을 것 같지는 않다. 하긴 꼭 그래야 할 이유도 없을 것이다.

주란과 연덕

이해영의 〈경성학교: 사라진 소녀들〉(2015) 이야기를 해볼까? '소녀'라는 제목으로 제작되고 있을 무렵, 일제강점기 버전 〈여고괴담〉이라는 소문이 돌았다. 어떤 사람들은 무슨 짓을 할 건지 감히 상상할 수 없는 박찬욱의 〈아가씨〉보다 '소녀' 쪽이 더 기대가 된다고도 했다. 결국 나오고 보니 사람들이 생각했던 것과 전혀 다른 영화였다. 〈여고괴담〉과 〈서스피리아〉를 기대했는데 나온 건 엉뚱하게도 뻔뻔스러운 B급 SF. 난 이 장르 전이가 꽤 재미있었고 다른 사람들이 생각하는 것만큼 이상하다고 생각하지도 않았으며 배우들에게 억지로 일본어 연기를 시키지 않았다면 이보다 훨씬 더 좋은 영화가 되었을 거라고 생각하지만, 마지막 것만 제외하면 여기에 동의하는 사람은 그리 많지 않다.

이건 중요한 게 아니고, 이 영화에서도 퀴어 요소가 있다. 주인공 수란과 친구 연덕의 관계가 그렇다. 그런데, 결국 이 영화 역시

〈여고괴담〉의 무한궤도에 갇히고 만다. 기자간담회 때 지루해 죽는 줄 알았다. 기자들은 '동성애 코드'에 대해 물어보고 배우들은 '여학생들이 사춘기 때 느낄 수 있는 미묘한 감정이 다뤄지긴 했지만 동성애 코드까진 아니'라고 답하고... 기성품 질문에 기성품 대답이다. '미묘한 감정'을 다루는 거야 자유지만, 2016년엔 양쪽 모두 이보다 더 세련되어 질 줄 알았지.

수지, 춘화, 상미

잠시 '소녀'에서 벗어나보자. 그게 가능한가? 못할 건 없다. 가장 쉬운 방법은 교복을 치우는 것이다. 강형철의 〈써니〉(2011)는 교복 자율화 시대인 80년대 중반으로 시대배경을 옮기면서 이 문제를 절반 정도 해결한다. 나머지 절반은 이야기를 '써니'라는 칠공주파 아이들을 주인공으로 삼는 것으로 해결된다. 이로서 〈여고괴담〉 류의 교복 페티시 탐미주의는 완전히 증발된다.

〈써니〉에서도 동성애라는 단어는 언급되지 않는다. 결국 이 이야기는 중년에 접어든 이성애자 여성의 달콤쌉싸래한 회고 이상도 이하도 아니다. 하지만 그럼에도 동성애는 영화의 중요한 일부를 차지하며 이야기에 결정적인 영향을 끼친다. 나는 지금 수지, 춘화, 상미의 삼각관계 이야기를 하고 있는 것이다. 아무리 나미가 이들의 관계를 안전한 모습으로 기억하려 한다고 해도, 이들의 관계를 동성애가 아닌 다른 무언가로 해석하는 것은 그냥 기만이다. 그리고 〈여고괴담〉 3, 4편의 '정의되지 않은 소녀들의 사랑'과는 달리, 〈써니〉의 멜로드라마는 당황스러울 정도로 날것이고 난폭하다.

여전히 전형적이지 않냐고? 맞다. 더 사실적이냐고? 더 좋은 이야기냐고? 글쎄. 중요한 건 이 이야기가 '소녀'의 굴레 안에서는 탐구될 수 없었던 종류의 이야기였다는 것이다. 존재하지만 이제까지 사용되지 않았던 전형성.

〈써니〉에서 상미(a.k.a. 본드걸) 역으로 나와 끝내주는 연기를 보여주었던 천우희는 〈한공주〉(이수진, 2013)에서 교복을 입고 나와 〈여고괴담〉 로맨스에 빠진다. 주인공 공주와 새로 전학 온 학교에서 만난 친구 은희와의 관계는 더 이상 〈여고괴담〉스러울 수 없을 정도로 〈여고괴담〉스럽다. 가벼운 볼키스로 상징되는, 로맨틱하고 따뜻하고 철저하게 안전하고 가볍고 무성적이고 무엇보다 어떤 단어로도 정의되어 있지 않은. 그러니까 은희는 이성애자 남자 강간범들의 대척점으로만 존재하는 셈이다.

정의되지 않은 욕망

2015년, 드디어 교복 입은 소녀들의 로맨스가 세상과 정면충돌한다. 충돌은 스크린이 아닌 텔레비전에서 벌어진다. JTBC의 미니시리즈 〈선암여고 탐정단〉(2015). 동명의 단편집을 각색한 이 시리즈는 빈 공간을 채우기 위해 원작엔 없는 오리지널 에피소드를 몇 개 삽입했는데, 그 중 하나가 농성애 이야기를 담고 있었다. 교복 입은 여자아이들이 동성애에 빠지고 시스템의 억압을 받는다니, 이 정도면 효신과 시은의 직계 후배인 셈이고 안전망 따위는 무시한 돌직구인 셈이다.

결과는 실망스럽다. 물론 이야기도 별로였다. '좋아한 아이가 하필이면 여자였을 뿐이야'라는 지겨운 변명에서부터 알 건 다 알 법한 21세기 고등학생 탐정들의 나이브한 반응에 이르기까지, 결코 좋은 각본은 아니었다. 〈두 번째 이야기〉도 지겹다고 안 다루었던 클리셰들이 뒤늦게 눈치 없이 엉금엉금 기어 나온 거다. 더 나쁜 건 그 뒤에 기독교 기반 동성애 혐오 무리의 공격이 이어졌고 그게 심지어 먹혔으며 그 결과 방통위의 제재까지 따랐다는 것이다. 그건 〈두 번째 이야기〉 이후 15년의 시간이 게으르게 낭비되었으며 그 동안 나온 작품들은 사회적 내성을 만드는 데에 대단한 역할을 하지 못했다는 뜻이다.

지금 한국어 권 문화에서 여성 동성애 서사는 주로 간접화법, 암호, 떡밥, 미끼 그리고 무엇보다 팬들의 망상 속에서 존재한다. 이 망상의 재료 중 절대 다수를 제공해주는 것은 아이돌들이다. 그리고 대한민국 여자 아이돌만큼 위에서 내가 임의적으로 제한한 소녀라는 단어에 정확하게 일치하는 사람들이 얼마나 될까. 그리고 그들을 가지고 이야기를 만드는 건 얼마나 쉬운가. 그들은 팔할이 외부에서 주어진 이미지로 존재하는 아름다운 레고 블록과 같으며 이론적으로 어떤 관계 설정도 가능하다. 팬들은 그들의 실제 욕망에 별 관심이 없으며 자신의 욕망을 투영할 수 있는 무성의 존재로 여긴다. 그들은 연예인이고 그렇기 때문에 모두에게 타자이다. '소녀 서사'의 이상적인 재료인 셈이다.

정의되지 않는 것. 경계선 사이에서 이름 없이 방황하는 것. 정체성의 인식 없이 오로지 미적 대상으로, 파편화된 이야기의 일부로만 존재하는 것. 〈여고괴담〉의 익숙한 패턴이 여기서도 반복된다.

소녀에겐 미래가 있다

2016년은 〈아가씨〉의 해이기도 하지만 이현주의 〈연애담〉(2016)의 해이기도 하다. 〈연애담〉의 주인공들은 '소녀'도 '여고생'도 아니고 팬픽의 주인공도 아니다. 그들은 어떤 종류의 알리바이 없이 그 자체로 존재한다. 〈아가씨〉의 뒤를 따라다녔던 '남성시선'의 논란에서도 자유롭다.

〈연애담〉의 주인공들은 20대 중후반에서 30대 초반이다. 그건 영화 속 퀴어 소녀들에게 드디어 미래가 열렸다는 것을 의미한다. 지금까지 그들은 교복을 벗는 순간 그림자처럼, 유령처럼 이성애자 사회의 틈 사이로 사라져버렸다. 이제 그들에겐 알리바이를 던지고 존재할 수 있는 기회가 생겼다. 퀴어 소녀들이 살아 숨 쉬는 성인 여성으로 자라나는 과정을 스크린을 통해 볼 가능성이 만들어진 것이다.

새로운 챕터의 시작이다.

김새론:
뉴-걸 혹은 새론-소녀[1]

심혜경

"뭐시 중헌디"

종구: 중요한 문젠께!

효진: 뭐시 중헌디.

종구: 증말 이럴껴?

효진: 뭐시 중허냐고. 도대체가 뭐시 중허냐고, 뭐시. 뭐시! 그
케, 중허냐고! 뭐시 중헌지도 모르면서 왜 자꾸 캐묻고 지랄이
여, 지랄이.

영화 〈곡성〉(나홍진, 2016)에서 효진(김환희)의 대사 '뭐시 중헌
디'는 남녀노소 할 것 없이 수없이 언급되며 많은 패러디를 낳았
다. 아버지 종구(곽도원)는 딸 효진에게 잃어버린 신발에 대해 묻
는다. 이에 효진은 근본적으로 더 중요한 사항에 대해서 탐구할 것
이지 잃어버린 신발 한 짝이나 자신의 감염여부는 중요한 문제가
아니라고 고함을 지르고는 유유히, 옆방으로 건너간다. 하지만 관
객과 비평가에게 효진이 지시하는 '중헌 것'이 과연 무엇인가는 모
호하게 열려있다. 대중들의 뇌리에 이 장면이 각인된 데에는 아버
지와 딸 간의 대화라고는 생각하기 힘들만큼, 효진이 종구에게 무
례하고 격렬하게 적대적 감정으로 응대하기 때문이다. 효진은 경
찰 종구의 일거수일투족을 꿰고 있으며, 사건 현장에서 봉변을 당

---

1   이글은 「뉴-걸 또는 새론-소녀, 김새론의 스크린 문화 정치」, 『대중서사연구』제21권 2호(대중
서사학회, 2017)에 수록된 것을 수정, 보완한 것이다.

해 경찰서로 돌아와 넋이 나간 종구에게 씻고 옷 좀 갈아입으라고 충고할 만큼 부녀간의 격이 없다. 효진은 잃어버린 신발에 대해 묻는 종구의 의심어린 내면뿐 아니라 어쩐지 현재 마을에서 벌어지고 있는 기괴한 살인사건들에 대해 꿰뚫고 있는 것 같다. 효진이 진실을 아는지 모르는지 가늠할 수는 없지만 그저 어린 소녀라기에는 충격적일 정도로 당돌한 주체의 면모를 드러낸다. 그러는 동안 사건의 현장과 중심에서 수사를 이어 나가야 할 어른이자 경찰인 종구는 '뭣이 중헌지' 전혀 알지 못한다. 종구는 '어쩌다 어른'이 되어 지금 여기 잘못 돌아가고 있는 오염된 세계, 즉 썩어빠진 사회 체제를 근근이 유지해 붙어 살면서 자신의 보위와 확장된 자아로서의 자기 자식의 보위에만 관심이 있지, 다양한 구성원이 함께 살아가는 사회나 다음 세대가 살아갈 더 나은 미래를 위해 근본적으로 고민하고 행동해야 할 것에 대해서는 무관심하다. 즉, 종구를 향한 효진의 '뭣이 중한디'라는 일침은 정작 무엇이 더 중요한가를 알려는 의지가 전혀 없는 무책임한 기성세대에 대한 새로운 세대의 저항적 일침의 상징이다. 그런 이유로 이 장면은, 딸이 아버지를 나무라며 당장 구체적인 답을 내놓으라는 것이라기보다, 한 인격이 다른 인격에게, 새로운 체제를 추동하고픈 주체가 기존 체제를 답습하고 있는 수동적인 주체에게, 지금 여기에서 궁극적으로 중요한 문제가 무엇인가에 대해서 더 넓고 깊게 성찰하라고 질문을 되돌리는 것이다. 주목해야할 순간이다. 이 체제에 잘 적응해 살아가고 있는 성인 남성에게, 그것도 한국 사회에서는 절대 거스르면 안 되는 가부장의 권위를 향해, '소녀'가 저항적 분노의 윽박지름을 통해 화두를 던지고 있기 때문이다.

물론 서사의 흐름상 이 소녀는 특수한 상황 속에서 부모의 의사에 따라 미래가 결정되며 보호 통제받고 훈육해야할 아동으로서 가족과 사회 내 약자로 존재한다. 그럼에도 최근 한국영화의 소녀들은 무너져가는 국가와 사회, 체제의 윤리와 도덕에 대해 매우 냉철하고도 예민하게 감응하고 있다. 〈곡성〉은 물론, 〈괴물〉(봉준호, 2006)과 〈설국열차〉(봉준호, 2013)의 현서와 요나로 분했던 고아성, 〈7번방의 선물〉(이환경, 2013)의 예승이인 갈소원, 〈개를 훔치는 완벽한 방법〉(김성호, 2014)의 지소 역의 이레, 〈비밀은 없다〉(이경미, 2015)의 민진이와 미옥이 역의 신지훈과 김소희, 〈탐정 홍길동〉의 말순이 김하나, 〈부산행〉(연상호, 2016)의 수안을 연기한 김수안에 이르기까지 스크린의 소녀들은 극의 중심에서 적극적으로 자신의 세계를 구축해가고 의견을 개진할 뿐 아니라 빈번하게 미래를 이끌 구원자로 기능한다.

이렇듯 최근 한국영화 속의 어떤 소녀들은 가부장적 체계와 그에 기반한 자본주의적 문화시장 즉, 남성중심적 시각장에 빈번하게 저항하며 균열을 내고 있는 능동적이고 적극적인 주체 '뉴-걸New-girl'[2]로 기능한다. 나는 뉴-걸의 시작점에 2009년 〈여행자〉로 스크린에 등장한 김새론[3]을 둔다. 그리고 스크린 위의 새로운 소녀 주체의 보편성과 특수성을 정의하고 묘사하기 위해 나는 김새론과 그녀 이후의 소녀들을 '뉴-걸', 종종 '새론-소녀'로 명명할

것이다. 새론-소녀는 성인 배우의 작고 귀여운 어린 시절에 한정
되어 잠시 소비되는 아역 배우[4]이거나 아동대상 영화나 프로그램
에 등장하는 철없이 밝고 명랑하며 깜찍한 주인공과는 거리가 있
다. 김새론은 으레 큰 눈과 특유의 귀여운 외모로 사랑을 독차지하
는 청소년 배우와는 다르다. 허우적대는 긴 팔다리와 우수에 찬 눈

2 스크린 속에서 새로운 모습을 보여주는 '뉴-걸', '새론-소녀'의 명명은 김새론의 이름에서 따온
것이기도 하고, 동료연구자 조혜영의 제안을 따른 것이기도 하다. 그녀에게 감사한다. 이 호명은 대
중매체 특히 스크린에 2000년대 후반부터 등장하기 시작한, 김새론을 기수로 한 주체적인 청소년 배
우들을 지칭하는 것이다. 이들의 등장은 1990년대 페미니즘의 수혜를 받은 세대가 성장해 그들이 제
작자와 소비자로 참여하는 미디어 시장이 확대된 것, 또 성평등 의식을 지닌 부모에게 양육된 2000
년대 이후 자녀 세대가 대중문화 시장에 대해 가지는 주체적인 시각이 젠더 의식을 동반해 발현된
문화적 지반에서 기인한 것이다. 이글은 김새론을 기점으로 한 뉴-걸 또는 새론-소녀에 대해 문화
연구의 방법인 '스타론'을 집중적으로 사용하지 않/못했는데, 이들 몇몇 스크린의 소녀들의 발돋움
이 '스타'에 도착했다기보다는 커리어가 익어가는 중이기도 하고, '스타덤'이나 '스타현상'을 불러오
는 대중사회적 측면과 '스타산업'의 소비주의적인 측면에 주목했다기보다 새론-소녀의 기원으로 김
새론을 설명하기 위해 스크린 내의 재현에 더 집중했기 때문이다. 물론 새론-소녀들이 재현의 차원
에서 사회적 고정 관념화를 야기하며 이데올로기적 기능을 한다는 데에 있어, 리차드 다이어가 주장
하는 스타 기호의 의미작용은 수행하고 있다. 이후 새론-소녀에 주목하면서 지속할 연구의 방법론
으로 '스타론'을 유념할 것이다. 이를 지적해주신 익명의 심사자에게 감사드린다. 라차드 다이어,『스
타-이미지와 기호』, 주은우 옮김, 한나래, 1995. 17-23쪽 참조.

3 김새론(2000-)이 대중의 시선을 한 몸에 받은 것은 원빈과 출연한 〈아저씨〉(이정범, 2010)의 소
미 역에서 부터다. 데뷔작은 2009년 〈여행자〉로, 프랑스로 입양을 기다리는 진희 역을 맡았다. 이
후 진중한 작품에서 독특한 소녀를 연기하기 시작한다. 〈나는 아빠다〉(2011)의 한민지, 〈이웃사람〉
(2012)의 수연/여선의 1인2역, 〈바비〉(2011)에서는 순영 역을 했다. 그 외에도 단편영화 〈참관수업〉
(박자연, 2013)에 출연했고, 김금화의 일생을 담은 다큐멘터리 〈만신〉(박찬경, 2014)에서는 14세의 넘
세를 연기했다. 〈도희야〉(정주리, 2014)에서는 주인공 도희 역을 맡았다. 〈맨홀〉(신재영, 2014)에서는
말 못하는 소녀 수정 역을 맡아 열연했고, KBS의 광복 70주년 2부작 특집극이자 영화로도 개봉한
〈눈길〉(2015)에서는 영애 역할을 했다. 텔레비전 드라마에서는 〈내 마음이 들리니〉(MBC, 2011)의
어린 봉우리, 〈패션왕〉(SBS, 2012)의 어린 이가영, 〈화려한 유혹〉(MBC, 2012)의 어린 신은수를 연기
했다. 그 외 드라마의 주요 인물로 출연한 작품에는 〈천상의 화원 곰배령〉(채널A, 2011)의 강은수 역,
2012년 MBC 시트콤 〈엄마가 뭐길래〉에서 박새론 역으로 출연했고, 2013년 MBC 〈여왕의 교실〉의
김서현 역, 〈하이스쿨: 러브 온〉(KBS2, 2014) 이슬비 역, 2016년에는 네이버 tvcast의 웹 드라마 〈투
비 컨티뉴드〉의 정아린 역을 했다. 그리고 2016년 〈마녀보감〉(JTBC)의 연희 공주/서리의, 십대에서
성인에 이르는 1인2역의 주인공을 해냈다. 연기 외에, 2015년부터 MBC의 〈쇼! 음악중심〉에서 공동
MC를 하고 있고, 2016년 〈아시아 청소년 음악제〉, 〈코리아 드라마 어워즈〉 같은 행사의 공동 사회
를 본 바 있다. 광고는 십대 이전에는 학습지, 그리고 하이틴이 되면서는 화장품과 의류 브랜드의 전
속 모델로 활동하고 있다. 네이버인물사전, 위키백과, YG엔터테인먼트 홈페이지 참조.

을 가진 그녀는 스크린에서는 주로 '어린 괴물'[5]로서 가부장제 밖에 내던져진 소녀를 주로 연기했다. 스크린에 등장한 지 얼마 안되어 그녀는 곧, 현실의 아픔과 절망을 그려내지만 희망적이며 강인한 소녀의 주체적인 면모로 화면을 압도하는 '배우'로 각인되었다. 이후 텔레비전이나 웹 드라마를 통해서는 그녀 역시 또래의 아역배우들, 특히 김새론을 포함해 '3김 트로이카'라 불리는 김유정, 김소현처럼 누군가의 딸로 분하거나 학원물의 발랄과 상큼함을 보여주는 학생 연기를 선뵈기도 했고, 그 외 또래 십대들에게 소구할만한 음악프로그램 MC나 패션 상품광고에도 나서면서 폭넓은 연기 스펙트럼과 스타 엔터테이너로서의 기량도 보여주었다. 그럼에도 불구하고 김새론은 자신의 성장 단계에 따라 진중한 작품에서 특별한 인식의 계기를 마련하는 새론-소녀를 소화하며 '대체불가'한 아우라를 뿜어내는 배우로 위치해왔다.[6]

자신이 출연한 작품이 '청소년관람불가'이기에 대부분의 작품을 아직 관람하지 못하는 김새론은 대중매체 시장에 등장한 수많은 소녀들과는 달리, 국민적 영웅소녀(김연아)와 국민여동생(문근

---

4   이 글에서는 '아역 배우'라는 용어 대신 '청소년/녀 배우' 혹은 '배우'라는 용어를 사용할 것이다. '아역 배우'는 나이가 어린 배우를 지칭한다기보다는, '어린 아이의 역할을 하는 배우'(어린 아이의 역할은 성인도 할 수 있다)이거나 극중 초반의 설정이나 회상 장면에서 성인 등장인물의 '어린 시절 역할을 하는 배우'라는 폄훼의 혐의가 짙기 때문이다.

5   박유희, 「폭력과 정체성에 대한 성찰: 〈도희야〉(정주리, 2014) 읽기」, 『현대영화연구』 Vol.20, 2015. 이 글에서 박유희는 버려지고 왕따당하는 소녀 도희(김새론)를 '어린 괴물'로 호명한다.

6   김새론은 '대체불가'한 아역배우이다. 마르고 긴 팔다리를 지닌 그녀는 사랑받는 아역배우의 보편적 조건과는 먼데, 그녀의 이러한 분위기가 오히려 다른 영화들을 만나게 했다." 최지은, 「아이즈 special, 아역이 사는 세상 아이즈 ③스무 살 이하, 스무 명의 어린 배우」, 웹매거진 『ize』 2015. 1. 13., http://www.ize.co.kr/articleView.html?no=2015011123427220198 (검색일 2016년 9월 3일)

영)이 갖는 모범성 혹은 가부장적 보수성에 포획되거나 예인소녀(걸그룹)를 내세운 소녀 상품의 경제가 추구하는 남성중심의 포르노그래피적 에로티시즘의 함정에 빠지지 않으면서 자신의 고유한 영역을 확보했다.[7] '새론-소녀'의 기원으로 김새론을 주목하는 데에는 그녀가 이처럼 기존의 소녀성의 신화를 해체하고 시민사회의 새로운 주체로서 소녀의 개념을 환기시키고 있기 때문이다. 스크린에서 새론-소녀는 남성중심적 가부장체제를 기반으로 하는 현실에 비판적인 균열을 만드는 존재이자 더 나은 평등사회를 만들어나갈 수 있는 연대의 주체로서 소녀의 역능을 유감없이 드러내는 문화 정치를 감행 중이다. 이 새론-소녀를 페미니스트 저항 주체로 독해하려는 데에는, 그녀가 페미니스트 전사로 무장하고 전면전에 나섰다기보다는 기존과는 다른 소녀성을 기반으로 하면서도 인권, 사랑, 자유, (성)평등, 여성(타자) 연대 같은 여성주의적인 동시에 민주주의적인 가치에 대해 적극적으로 언급하는 소녀상을 재현하기 때문이다. 그래서 지금 여기 스크린에서의 페미니스트 문화 정치의 실천적 주체이자 동반자로 새론-소녀 김새론을 불러 세우려는 것이다.

---

7   한지희, 『우리시대 대중문화와 소녀의 계보학』, 경상대학교출판부, 2015. 한지희는 2000년대 이후 대중문화에 등장하는 소녀의 의미와 존재양식을 국민소녀(영웅소녀), 예인소녀, 순진열렬한 소녀, 직업소녀, 얄개소녀, 명랑소녀, 중성소녀, 백치미소녀, 일탈소녀, 평균소녀, 가상소녀, 알파-걸 소녀 등으로 정의하며 맥락마다 다양한 사용을 제안한다. 이글에서도 스크린에 등장하는 김새론을 설명하기 위해 역시 종종 '••• 소녀'의 명명을 활용할 것이다.

우리가 알았던 소녀들

새론-소녀를 살피기 전에 우리가 알았던 소녀小女, girl를 개괄해보자. 소녀는 '키나 몸집이 작은 나이어린 여자아이, 결혼하지 않은 여자가 자신을 낮추어 부르는 일인칭 대명사'이다. 근대 시민사회에서 소녀는 아직 주체로 인정되지 않는 과정 중의 존재, 비시민이다. 특히 가부장제를 근간으로 하고 있는 서구 자유주의의 시공간 속에서 소녀는 (남성 주체에게) 이중적으로 성적대상화의 존재로 인식되어 왔다.[8] 소녀 역시 창녀와 성녀의 신화를 공유하고 있다. '청순베이글녀'와 '여신강림'이라는 용어로 설명되듯, 전자는 순수/섹시라는 배반적인 성적 이미지를 동시에 표상하는 존재, 후자는 절대미를 지닌 여신이 소녀의 육체를 매개한 존재로 종교적 수준으로 추앙되는 대상인 예술적 뮤즈로 기능한다. 소녀는 과도할 정도로 포르노그래피적 에로티시즘에 경도된 존재이거나 개인(남성)의 판타지를 완성시켜 주는 사회적·심리적 위상의 존재이다.[9] 이렇듯 소녀는 '소녀성의 신화'에 포섭되어 있다.

서구의 소녀(소년) 개념은 근대로 이행하는 과정에서 나이와 성차가 개인을 구분하는 잣대로 기능했다. 부르주아가 확대되고, 과학의 발달로 유아사망률이 감소하면서 아동, 청소년에 대한 관

---

8   '소녀'에 대한 개념적이고 개괄적인 설명, 대중 매체에서의 소녀 재현과 '소녀상품'에 대한 연구는 다음을 참고하라. 이 책의 1부 김은하의 「소녀란 무엇인가」; 김예란, 「아이돌 공화국: 소녀 산업의 지구화와 소녀 육체의 상업화」, (사)한국여성연구소 엮음, 『젠더와 사회: 15개의 시선으로 읽는 남성과 여성』, 동녘, 2014.

9   한지희, 앞의 책, 20~21쪽.

심이 증가했고, 국민국가는 이들을 시민/국민으로 양성하고자 했다. 아동과 청소년기는 성인과는 다른 세계와 행동양식 문화를 형성하는 시간이었다. 소년은 이 시기의 남성을, 소녀는 여성을 말하는 것이었다. 하지만 시민/국민으로 성장하는 교육을 거치는 소년과 달리, 소녀에게는 미래 세대의 양육을 책임지는 현모양처 교육이 우선시되었다. 한국의 근대 소녀 역시 자아실현을 성장목표로 삼기보다는, 가부장제의 과업을 정숙히 준비하는 진정한 여성이 되기 위한 통과의례적 불완전한 시간을 의미하게 되었다.[10]

한지희에 따르면 한국에서 소녀 개념의 쓰임은 모호하다. 우선 그 도입에서부터 새로운 근대 주체로 소환된 소년의 젠더적 상대어로 기능하지 못했고, 다음으로는 '초등생 이상 20세 미만의 순수하고 귀엽고 발랄한 이미지의 신문학을 배운 여학생'인 '모단 갸루modern girl'의 역어였지만 지칭 대상과 맺고 있는 관계는 포괄적이며 임의적이었다. 이후로도 소녀는 미혼 여성을 통칭하거나 특정 세대를 지칭했으며, 고등교육을 받은 계급의 여성을 지시하는 등 가변적 정의를 사용해 왔다는 것이다. 오늘날 대한민국의 소녀는 소년과 다른 주변인의 존재양식을 가지고 있으며, 인간으로서 자신의 신체 성장과 관련된 지식을 습득하고, 성을 배려하는 법을 개발하고, 미래의 삶을 설계하는 데 필요한 시민 의식과 정치적 역량을 함양할 기회를 갖기 힘들다. 그녀는 자크 랑시에르를 인용하면서, 한국 소녀가 '일종의 비시민이자 비인간으로서 정치의 외부

10   김은하, 「소녀」, 『여/성이론』 34호, 여이연, 2016.

에 존재'하며, '가부장의 권위와 질서에 순종하는 의존적인 존재양식을 기대하는 존재'였다고 정의한다.[11]

그런데 아이러니하게도 최근 한국 대중문화는 가히 소녀시대라 하겠다. 걸그룹 소녀들은 국내외에서 막강한 정치/경제/문화적 영향력을 발휘하고 있고, 김연아와 손연재도 국위를 선양하는 국민적 영웅소녀로 걸그룹 소녀들과 다름없는 지위를 누린다. 이들 소녀는 최고의 가치를 지닌 상품인 동시에 문화자본이며, 다양한 팬을 대중문화시장의 소비자로 불러내는 상징 권력으로 오늘날 한국사회에서 거대한 영향력을 행사하고 있다. 대중매체에 등장하는 소녀의 정체성에서 공유되는 바는 성인 여성이 표현하는 육체적 섹시미와 십대 소녀가 표상하는 청순미의 융합체이다. 현실의 소녀가 미숙한 특정 시기의 비/존재로서 경계에 있는 존재를 가리키는 모호한 개념으로 사용되는 만큼, 문화적 기호로서의 소녀 또한 "남성성과 여성성 사이, 어른과 아이, 힘과 나약함, 앎과 무지의 빈틈에 존재"[12]한다. 대중문화가 재현하는 이 모호한 소녀는 남성중심적 사회에서 성애적 신화로 활용된다. 종종 롤리타 콤플렉스Lolita complex로 대상화되어 왔고, 또 늠름하고 자신감이 넘치는 알파-걸Alpha girl도 자신의 성적 주체성을 주장하는 것만큼 역설

---

11 한지희, 앞의 책, 18-22쪽.

12 Tamae K. Prindle, "A Cocooned Identity: Japanese Girl Films: Nobuhiko Obayashi's Chizuko's Younger Sister and Jun Ishikawa's Tsugumi", *Post Script* 15, no.1, 1998, p.35. (김유나·정은혜, 「여성주의 문화이론에 따른 애니메이션의 여성 영웅 캐릭터 비교 분석: 한미일 애니메이션을 중심으로」, 『만화애니메이션 연구』, 2014년 9월, 102쪽에서 재인용.)

적이게도 성적 대상화가 병행된다. 신화 속의 소녀들과 알파-걸이 뒤섞인 미디어 표상으로서의 소녀는 독특한 사회문화적 위상을 갖게 되었다. 소비주체들(소녀, 청년, 중년 삼촌들)은 이들 소녀들이 예인소녀와 국민/영웅소녀로 그리고 소녀상품으로 지녀야할 자산이 외모라는 사실을 알고 있다고 전제한다. 이들은 소녀들과 상업주의 대중문화의 차원에서 소비자와 상품의 관계를 맺는 데에서 나아가 사회심리학적 차원에서도 일종의 가부장적 팬과 지켜주어야 할 누이의 관계까지 맺고자 한다.[13]

걸그룹만큼이나 청소녀 배우의 활동 역시 눈부시다. 걸그룹 출신의 연기자와는 달리 아역 혹은 청소녀 배우들은 소녀상품에 상대적으로 덜 포획된다. 대중문화의 시각장에서 걸그룹의 시장과 청소녀 배우들의 활동장이 분할되어 있고, 소비자/팬 층도 달리 형성되었기 때문일 것이다. 소녀를 노골적으로 성애화하는 경우인 〈은교〉(정지우, 2012)에서 성인 배우 김고은이 소녀 은교를 연기한 것처럼, 영화에서는 성인인 배우에게 소녀의 역할을 배당하면서 '재현에만 한정되었다'는 듯 안전하게 소녀성의 신화를 사용한다. 청소녀 배우들이 걸그룹 소녀들보다 소녀상품으로서의 성적 대상화에서 살짝 빗겨나 연기의 정도로 주목을 받는다고 해도, 가부장적 팬심(fan-心)의 상품성까지 탈각되는 것은 아니다. 그들 역시 부분적으로는 아이돌처럼 소비된다.[14] 2000년대 주도적인 활동을 한 문근영과 고아성을 보자. 드라마 〈가을동화〉에서 은서라

13 한지희, 앞의 책, 15-19쪽.

는 국민여동생의 감옥에 갇힌 문근영은 스크린에서도 '청순하고 유순하고 사랑스럽고 순진하지만 사랑의 열정을 품은 소녀의 모습'을 강요당한다. 가부장제 내에 있으므로 지켜주어야 할 진정한 소녀의 존재로 기능하는 것이다. 그녀에 대한 소비대중의 가부장적 감시와 통제의 욕망은 소녀의 육체와 성적 욕망을 통제하려는 가부장사회의 남성중심적 무의식과 같다.[15] 〈괴물〉과 〈설국열차〉 같은 봉준호 영화 속 고아성은, 국가적/세기말적 문제 상황에 직면해 예민하게 상처 입은 민족/인류의 본래적 순수성에 대한 알레고리로서의 소녀로 활용되어 그 한계를 노정한다.[16] 이들은 남성 주체가 보호하고 구해내야 할 막연한 순수 목적으로만 존재해 소녀의 정치적 주체성을 훼손당했다.

문근영과 고아성이 가부장적 소녀성 신화에 포획되어 탈출하지 못할 즈음 김새론이 부상했다. 세상에 내던져진 이 소녀는 미래를 준비하는 예비적 단계의 여성이라는 미/존재가 아닌 소녀 그 자체로서 스크린을 장악하고, 가부장적 사회와 상업 자본주의가 제시하는 소녀성 신화의 역학을 따르지 않는다. 당당하고 강인하지만 계급적 비난을 받는 알파-걸의 함정에서도 벗어나 있는 새

---

14   한여울, 「아이즈 special, 아역이 사는 세상 ① 아역말고 스타 되기」, 웹매거진 『ize』 2015. 1. 13., http://ize.co.kr/articleView.html?no=2015011123517249796&type=&(검색일, 2016년 9월 3일)

15   한지희, 앞의 책, 223-228쪽.

16   정우숙, 「봉준호 영화의 소녀상 연구」, 『여성문학연구』 23호, 2010, 288-301쪽. 고아성의 경우 가부장적 희생양으로서의 소녀성은 봉준호 영화에 한정한다. 봉준호 영화에 출연하기 전 〈여행자〉에서의 예인 역, 이후 드라마 〈풍문으로 들었소〉의 서봄 역을 연기한 고아성은 스스로 자신이 미래를 적극적으로 실체화하고 체제에 저항하는 새론-소녀의 계보에 포함할 수 있을 것이다.

론-소녀는 부르주아 이데올로기와 가부장적 남성 질서에서 배제된 타자들에 대한 주의를 환기시킨다. 여느 아동-청소년기의 소년 소녀와 마찬가지로 이 새론-소녀 역시 성장이라는 성별사회화의 과정에서 어머니의 몸에서 벗어나 아버지의 법의 세계로 진입하면서 복종적 주체를 형성하도록 강요당한다. 하지만 다른 한편으로는 가부장적 체제의 법질서에 수렴되기를 거부하는 반론과 저항의 에너지로 가득한 이질적인 주체를 재현하기도 한다. 스크린의 새론-소녀는 시몬느 드 보봐르가 말한 것처럼, "주체이며 능동체인 채로 자유롭기를 갈망하는 그녀의 선천적인 욕구와 또 한쪽에서는 그녀에게 피동적 존재이기를 원하는 색정적 경향과 사회적 압력 사이에 격심한"[17] 투쟁에 나선다. 일방통행식 체제 운영에 대한 저항 전략을 만들어가는 것은 인간으로서의 권리, 시민으로서의 권리 주장이자 표현이다. 그러므로 이제 살펴볼 새론-소녀는 스스로를 가부장제를 초월한 자립적 소녀로 인식하고 행동하는 주체이다. 이 새론-소녀의 '몸과 정신은 남성중심적 에로티시즘의 판타지와 결별하고 새로운 소녀의 존재양식을 상상할 수 있는, 민주시민의 역량을 길러줄 수'[18] 있는 방법적인 뉴-걸의 주체성을 체현한다.

17　시몬느 드 보봐르, 『제 2의 성』, 선영사번역실 옮김, 선영사, 1986, 123-124쪽. 보봐르의 저작에서는 '소녀시기'에 대한 언급이지만, 이 글에서는 '소녀-주체'로 바꾸어 인용하였다. 여기에서는 소녀를 한 시기가 아닌 지속되는 주체의 한 지점으로 늘 '과정 중의 주체'로 강조하는 의미가 있다.

18　한지희, 앞의 책, 21쪽.

새론-소녀의 스크린 문화 정치

| 치유의 소녀 주체, 대안적 가족의 구심점: 〈여행자〉와 〈아저씨〉

김새론의 데뷔작 〈여행자〉에서의 진희는 아버지 손에 버려져 고아원에서 해외입양을 기다린다. 진희가 처한 상황이나 재현 방식이 기존 소설이나 영화에서의 고아소녀의 그것과 크게 다를 것은 없다. 진희는 아버지와 어른에 대한 신뢰를 잃고, 곧 자신의 삶에 중요한 계기를 만들어 스스로 결정을 내려야하는 주체로 떠밀린다. 하지만 진희가 자신의 미래를 결정하는 과정이 고아원 여자 아이들과의 자매애적 관계 속에서 사회를 배워가며 성숙해 간다는 데에 주목해야 한다. 진희는 이들과 경쟁이 아닌 상호이해 속에서 자신의 운명을 결정한다. 김새론을 전 국민에게 알린 영화 〈아저씨〉는 역시 성인 남성 킬러와 소녀 마틸다 사이의 우정을 그린 영화 〈레옹〉(뤽 베송, 1994)의 설정과 유사하다. 전직 특수 요원이었던 아저씨 태식은 엄마를 잃고 조직에 납치당한 소미를 구하기 위해 총을 든다. 이 두 영화는 가족을 잃은 소녀를 각각 킬러와 전직 특수 요원이 보호하며 복수를 감행하는 서사를 공유하면서 유사 부녀 관계를 함의한다. 즉, 국가나 법질서 같은 주류사회의 체제에서 배제된 남성과 버려진 소녀 간의 타자 연대를 그리고 있다. 하지만 영화 〈레옹〉에서 마틸다는 레옹 앞에서 마돈나를 흉내 내며 성애적 여성성을 드러내 로리타 콤플렉스를 확인시키지만, 〈아저씨〉의 소미는 아저씨가 자신을 돌봐주는 만큼의 감정적인 치유를 되돌려준다. 소미는 동정의 대상으로 기능하는 데에서 더 나아가

감정의 주체로 활약한다. 우선 잠든 아저씨의 손에 매니큐어를 발라놓은 장면이 그러하다. 아저씨 집에 피신했던 다음날 소미는 식사를 만들어두고 냉장고에 '재료가 없어서 대충했어욤. 귀엽게 봐주삼!!ㅋㅋ'라는 메모를 붙여놓는다. 그리고 그 메모를 집어든 손톱에는 노란색 바탕의 귀여운 이모티콘이 그려져 있다. 여성들의 매니큐어링manicuring은 고해성사, 의사의 진료실, 정신분석가의 소파에 들어 앉아있는 것과 유사한, 매우 내밀하고 친밀한 치료와 치유의 행위이다. 자신의 몸을 내어주고 마음을 열어 신뢰를 구축한 후 문제 해결 방안을 논의하거나 위로받는 사사롭지만 경건한 의식이다. 소미가 아저씨와의 관계 속에서 이를 주도적으로 감행하고 있다는 것은 그의 외로움을 적극적으로 감싸 안고 있다는 것, 마음의 상처를 아름다운 색깔로 덮어주는 미학적 소통의 행위이다. 냉장고에 메모를 붙여놓은, 상처를 감싸주는 뽀로로-밴드 역시 동일한 의미를 배가시킨더. 결국 마지막 장면에서 소미는 이제 '혼자 서는 거야, 할 수 있지?'라는 아저씨의 말처럼 불안한 미래를 앞에 두고도 아저씨에게 안기기보다는 천천히 팔을 벌려 그를 안아주면서 치유의 주체로 선다.

　이후 〈도희야〉에 이르기까지 새론-소녀는 어그러진 가족 구성과 그로인한 극단적인 상황에 닥쳐 현실을 방기하기보다는 미래를 위해 삶을 독자적으로 꾸려내려는, 종종 주변의 타자들까지 아우르는 소녀의 주체적 면모를 제시한다. 〈여행자〉와 〈아저씨〉에서 (생물학적) 아버지와 어머니는 부재하거나 책임을 다할 수 없는 상태가 된다. 두 영화에서 새론-소녀라 할 수 있는 진희와 소미의 가족의 대리체(고아원의 친구와 언니, 아저씨)는 서로를 돌보는 애정 구성체인 대안가족으로 제시되고, 새론-소녀는 이들을 스스로 가족으로 선택하는 감정적 주체로서 타자간 연대에서 중심적 기능을 한다.

| 초현실적 소녀들의 현실 이야기,
| 다중소녀체로서의 새론-소녀: 〈만신〉, 〈마녀보감〉

새론-소녀가 무당으로 나오는 드라마-다큐 〈만신〉(박찬경, 2014)과 저주로 얼어붙은 심장을 가진 백발마녀 역할을 한 20부작 드라마 〈마녀보감〉(JTBC, 2016)에 이르면 감정적 주체로서 타자간 연대를 이끄는 데에서 한 걸음 나아가 신과 인간을 매개하는, 인간의 마음을 보살피는 존재로 등장한다. 물론 대중문화 텍스트에서 초경하는 소녀의 몸이 특별한 능력을 가지는 마녀나 무속인 같은 초현실적 존재로 그려지는 것은 전형적이다. 이 두 텍스트 역시 그 관습에서 벗어나지는 않지만, 새론-소녀의 초현실적인 소녀는 공포와 경외의 존재로 등장하면서도 초월적 권위를 지니는 존재라기보다 인간을 넘어서는 능력을 활용해 더 낮은 곳으로 향하며 그들의 살을 보듬고 마음을 치유하는 주체로 전면에 등장한다는 데에 방점을 찍을 수 있다.

다큐-드라마 〈만신〉에서 김새론은 일제강점기 위안부 소집을 피해 시집간 신들린 넘세의 14세를 재연하고, 〈마녀보감〉에서는 저주를 받고 태어난 공주이자 마녀 서리(연희)를 연기한다. 넘세는 남들이 보지 못하는 것과 듣지 못하는 것을 보고 들으면서, 신병의 고통으로 유년시절을 보내지만, 결국 만신이 되어 자신의 운명을 적극적으로 받아들이며 산자와 죽은 자들의 삶을 위로한다. 한편 〈마녀보감〉의 연희는 몸과 마음에 아픔이 있지만 이를 드러내지 못하는 서민, 기녀, 과부의 병을 고쳐주는 마녀이다. 사연 많은 그들의 지친 몸과 마음을 치료하고 진심을 담은 108개의 초를 켜면서 그녀 스스로의 저주도 풀 수 있게 된다. 타인은 물론 자신도 치유하는 소녀 마녀와 만신은 이성과 감성, 조직과 제도의 경계에 서서 배제된 주변인들, 시대의 호모 사케르Homo Sacer를 끌어안는다. 〈마녀보감〉은 허준의 『동의보감東醫寶鑑』을 염두에 둔 작명으로, 마녀/공주인 서리(연희)의 의학적이고도 심정적인 치료와 치유의 방법론이 허준이 제시하는 조선 의학의 전통에 영향을 미쳤을 것이라는 상상적 의미를 갖는다. 또 왕조를 둘러싼 가부장적 세력 다툼의 플롯에서 중전이 연희(서리)에게 "연희야, 꼭 저주를 풀어야한다. 그리고 네가 바라는 대로 살아야한다. 내가 원하는 것은 그것뿐이다."라는 당부는 의미심장하다. 왕자를 생산하지 못하는 중전, 생산을 위해 도구화되고 희생되는 무녀의 몸, 공식 차원에서는 정치에 참여할 수 없는 무녀들, 공주를 마녀시하는 가부장적 왕조의 비합리적인 통치방식에 대해, 서리(연희)는 자신에게 주어진 저주를 풀어내어 이성과 논리, 즉 정의를 다시 세우고 감성의 영역을 추가하는 통치방식을 적극적으로 제안한다. 물론 극의 설정과 구조가 조선 통치체제가 배경이므로 남성중심의 가부장적이고 유교적인 (비)논리 통치체제를 향한 문제 제기와 대안적 제안에는 이르지 못한다. 그런 이유로 결말은 서리(연희)는 마지막 초를 켜기 위해 스스로를 희생하고, 허준은 『동의보감』을 완성해 왕에게 바치러 한양으로 가는, 여성의 희생으로 남성이 성공하는 것으로 처리된다.

소녀를 둘러싼 전형적 서사의 맹점 가운데서도, 이 두 작품은 흥미롭게도 김새론이 다인일역을 하거나 일인다역을 하는 형식을 취하고 있다. 〈만신〉은 김금화 역할을 김금화 본인, 김새론, 류현경, 문소리 4인이 담당하고 있고 〈마녀보감〉에서 저주를 품은 공주 서리(소녀)와 저주를 푸는 마녀 연희(성인)의 역을 김새론이 1인 2역하였다. 김금화의 일생을 다룬 〈만신〉의 마지막 장면에서 어린 넘세(김새론)가 "쇠걸립 왔시다(헌쇠를 새로 만드는 사람 왔다는 뜻)라고 외치는 마을 곳곳에는 17세의 금화(류현경), 30세의 금화(문소리) 그리고 지금의 김금화가 함께 등장한다. 시공간의 경계를 허무는 장면화를 통해, 여성 개인의 역사적 단계를 4인1역하거나 다른 인물을 1인2역하는 것은 모든 세대의 여성을 아우르는 방식인 동시에 여성 개인의 시기를 각각 주체화고 또래를 아울러 주체화하는 서사적 기법이라 할 수 있다. 이 두 작품 이전에도 김새론은 〈이웃사람〉(김휘, 2012)에서 1인2역을 했는데, 이웃사람 때문에 죽음을 맞이한 수연과 이웃사람들 때문에 삶을 되찾는 소녀 여선을 맡았다. 수연은 그간 스크린에서 김새론이 연기한 특별한 소녀의 전형이고, 여선은 드라마에서 김새론이 맡아온 보통 소녀의 전형이다. 그러므로 그녀는 둘이면서 하나이다. 여선이자 수연인 김새론은 모두의 딸로 죽은 소녀와 산 소녀를 연기하면서 소녀 일반을 대표한다. 이처럼 새론-소녀는 다중소녀 그 자체의 모습으로 모든 세대의 여성을 주체화하는 재현에 나서고, 물론 종종은 평범한 소녀의 대표로 기능한다.

아버지의 권위에 저항하는 소녀: 〈바비〉, 〈맨홀〉, 〈도희야〉

어쩌면 새론-소녀가 노골적으로 제시하는 바는 하위 계급의 문제, 가부장제에서 내던져진 주체가 되지 못하는 타자들에 대한 환기일 것이다. 〈여행자〉, 〈아저씨〉 뿐 아니라 〈바비〉(이상우, 2012), 〈맨홀〉(신재영, 2014), 〈도희야〉(정주리, 2014)에서 새론-소녀는 일찍 철 든/들 수밖에 없는 현실적이고도 윤리적인 주체이다. 기존의 미디어 재현에서 일찍 철든 아이는 주로 철부지 어른이거나 부조리한 어른과 대당을 이룬다. 영화 〈파송송계란탁〉(오상훈, 2005), 〈7번방의 선물〉(이환경, 2013), 드라마 〈오 마이 금비〉(2016, KBS)에서처럼 일찍 철든 아이는 그답지 않은 어른스러움으로 관객의 눈물샘을 자극하고 동시에 이런 철듦으로 아이들의 순수나 천진난만을 떠올리게 하여 보는 이로 하여금 순수의 상실을 아쉬워하게 하고 이들이 처한 안타까운 상황들을 더 비참하게 느끼게 한다. 하지만 일찍 철든 아이들은 극이 진행될수록 극 내외의 어른들에게 사회순응적인 가부장체제에 적합한 윤리적 충고를 하면서 결국은 본인 역시 이 시스템에 잘 적응해 자라나는 모범적/보수적인 모습을 보여준다. 새론-소녀도 종종 이들과 동일한 서사적 효과를 공유하지만, 생물학적 가족 구성에 대한 급진적인 문제 제기, 보호해주어야 할 국가 체제와 기관의 빈틈에 대한 적극적인 환기를 꾀하면서도, 버려진 소녀를 둘러싼 관습적이고 제도적인 문제에 대해 소녀 주체가 그 자신의 존재에 대한 의미를 찾고 스스로 구원을 해내는 과정을 묘사한다. 그런 의미에서 새론-소녀는 가부장제에서 내던져진 하위계급의 소녀 스스로 다른 사회적 연대체를 구성해내는 정치적인 주체로 작동하고 있다.

　영화 〈바비〉와 〈맨홀〉 그리고 〈도희야〉에는 각각 작은 아버지와 입양을 원하는 미국 아버지, 맨홀 속의 살인마, 함께 사는 의붓아버지 같은 가까이에 있는 성인 남성 혹은 가부장역할을 하는 이들에게 보호받지 못하고, 학대당하고, 급기야는 살해의 위협까지 받는 소녀, 김새론을 볼 수 있다. 〈바비〉의 순영은 작은 아빠 망택의 결정에 따라 미국으로 강제 입양 보내질 상황이고, 말하지 못하는 〈맨홀〉의 수정은 경찰 복장을 한 맨홀 아래의 낯선 남자에게 납치 감금당하고, 〈도희야〉의 도희는 특별한 이유도 없이 의붓아버지의 손아귀에서 벗어나지 못한다. 이들 영화는 성인 남성 혹은 남성 가부장이라는 권위를 가진 이들이 소녀를 매매하고, 생명을 위협하며, 소유하려드는 제도와 관습의 불합리에 대해 이의를 제기한다. 〈바비〉의 삼촌 망택, 〈맨홀〉의 연쇄살인범, 〈도희야〉의 의붓

아버지 용하의 가부장적인 보호에는 소녀에 대한 소유권적 통제만이 존재한다. 이들 텍스트에서 새론-소녀는 스스로를 보호하고 소유하며, 가부장제의 법질서와 국가 체제에 기대기보다는 스스로를 구원하고, 타자와 연대하며 살아갈 방도를 스스로 마련한다. 엄청난 육체적 권력, 법적 권위, 관습적 위력 하에서 새론-소녀와 여성 주체들(혹은 타자들) 사이에는 협력과 연대의 순간이 생겨나는데, 이때 소녀들은 자매애/동성애를 발휘하고 사태를 해결하기 위한 적극적 움직임의 주체로서 활약한다. 〈바비〉에서 바비와 순영은 운명을 거슬러보려는 연대까지는 이루지만 이것이 성사되지는 못한다. 그리고 〈맨홀〉에서 수정은 목숨을 위협받는 순간에도 맨홀 아래 함께 갇혀있던 소년에게 손을 내민다. 두 영화에서 새론-소녀의 구원 기획이 완성되지는 못했지만, 주목할 점은 새론-소녀가 영어로 말하는 바비나 언어를 익히지 못한 것 같은 소년과 완벽한 의사소통을 하며 타자들과 초능력에 가까운 감정적 연대를 이루는 힘을 갖고 있다는 것이다.

그리고 두말 할 것도 없이, 아버지(법)의 권위에서 벗어나는 저항의 주체로서 여성 연대의 최고의 순간이자 소녀-주체의 힘을 목도할 수 있는 영화는 〈도희야〉이다. 김새론이 공히 버려진 소녀로 등장하기 때문에, 이 영화는 흡사 배두나 판본의 〈아저씨〉랄 수 있을 만큼 매우 유사한 구도를 가지고 있다. 하지만 〈도희야〉가 보다 긴밀한 타자(여성) 간의 연대를 드러내고, 법 수행의 문제를 역전시키는 상황을 구현했다는 데에서 사회비판의 농도가 진하다.

또 새로운 관계와 연대의 가능성에 대해 열린 결말을 제안하여, 다양성의 성취라는 영화가 지켜야할 정치성을 잘 드러낸다.[19] 애초부터 경찰소장 영남과 마을의 왕따 도희는 직관적으로 서로의 아픔을 보듬고 있으며, 영남의 제안 "나하고 갈래?"로 성사되는 그들의 동행은 대안적 가족(부녀, 자매 혹은 연인)으로서의 여성 연대이다. 특히 도희가 가부장제가 권장하는 섹슈얼리티를 이해하고 이를 역이용, 전유의 전략을 사용하는 기획은 소녀 섹슈얼리티의 주체적 활용에 있어서 그간 목도하지 못했던 매우 획기적인 장면화라 할 수 있다. 의붓아버지의 지속적인 학대와 폭력을 아동성폭행의 함정으로 빠뜨리는 도희의 기지는 남성중심의 보수 체제인 경찰 조직과 시골 마을에서 연남과 도희가 함께 살아남는 계기를 마련한다. 이 영화에서 새론-소녀는 자신의 육체와 성을 일거수일투족 속속들이 감시하고 통제하며 한국의 소녀와 여성들에게 육체없는 몸으로 존재하라고 계몽했던 저간의 남성중심 가부장제의 성의식을 비웃으면서, 자신의 육체와 성에 대한 지식과 소유권을 주장하는 정치의식을 계발하는 위험을 도발적으로 감행한다.

역사적 주체로서의 새론-소녀
그리고 여성 연대: 〈눈길〉

1944년 식민지 말과 오늘을 넘나드는 영화 〈눈길〉에서는 매우 선명하게 새론-소녀들의 진한 우정의 연대를 볼 수 있다. 1940년대

19　박유희, 앞의 글, 56쪽.

국가적 위기의 상황에서 계급을 넘어 소녀 종분과 영애는 서로를 의지하고, 오늘날 달동네에서 이제는 나이가 든 종분(영애로 삶을 살아온)과 막 혼자가 된 소녀 은수는 세대를 넘어 서로를 어루만진다. 그로 인해 즉각적으로 그간 스크린에서 있었던 새론-소녀의 다양한 차이(계급, 언어, 나이, 성별)를 넘어선 타자들 간의, 여성 연대를 다시금 발생시킨다. 김새론은 〈눈길〉의 서사 안/밖에서, 위안부가 될 뻔한 〈만신〉의 넘세를, 현재의 종분(김영옥 분) 곁에 소녀 영애로 등장해 디제시스 상으로 아직 현재의 종분이 영애인지 종분인지 모를 순간에는 현실 너머의 존재로 등장했던 〈이웃사람〉의 수연(여선)과 〈마녀보감〉의 서리(연희)를 쉽게 연상시킨다.

이미 서술한 것처럼 새론-소녀의 재현에서는 유난히 생물학적 가족의 고리가 느슨하고 그로인한 혈연의 연대 의식이 미미하다. 그녀는 주로 독자로 등장하고, 〈마녀보감〉이나 〈눈길〉에서 형제와의 우애가 단선적으로 설정된 반면, 〈바비〉나 〈맨홀〉에서 자매와의 우애는 꽤 끈끈하게 그려진다. 스크린의 새론-소녀는 부모 모두가 없거나, 한부모로 이루어진 가족 구성으로 등장한다 해도 그 결속은 매우 약하며, 종종 법적인 보호의 책임을 가진 부모의 대리인들은 그녀를 소유하고 억압하려할 뿐이다. 오히려 〈여행자〉에서는 고아원의 숙희와 예신언니, 그리고 새로운 입양가족이, 〈아저씨〉에서는 사회에서 버려진 아저씨 태식이, 〈만신〉에서는 그녀의 신이, 〈맨홀〉에서는 맨홀 아래에 방치된 이름 모를 소년이, 〈이웃사람〉에서는 죽은 소녀 수연과 이웃사람들이, 〈바비〉에서는 말이

통하지 않는 미국 소녀 바비가, 〈도희야〉에서는 사랑으로 상처 입은 영남이 그녀의 가족으로 선택 된다. 새론-소녀의 가족은 생물학적이고 가부장적인 수직 모델의 가족이 아닌 대안적이고 평행한 관계의 가족체로서 여성 연대를 제안한다.[20]

국가-민족주의의 폐해, 역사적 채무의 무게를 직접적으로 언급하지 않는 대신 〈눈길〉에서는 생활과 역사의 주체는 여성 자신이고 손을 잡는 하위 주체들의 연대에 주목한다. 이제 곧 독립유공자로 훈장을 받을, 역사의 주체로 기록될 영애의 아버지와 오빠는 정작 영애를 위해 해준 것이 없다. 늙은 종분은 자신의 방에 혼령으로 찾아온 영애에게 "너 아직도 느그 아부지 원망하나?"라고 묻는다. 일본군 '위안부'로 끌려가 죽음을 맞은 영애를 외면한 남성/민족/국가에 대한 가부장적인 기대를 여전히 품고 있는가를 묻고 있는 그녀의 태도에는 자신은 그렇지 않다는 의지가 결연하다. 지옥 같은 전장에서 어쩌면 그 이후의 삶에서 종분이 의지할 수 있었던 것은 자기 자신과 종종 영애 같은 여성들이었을 것이다. 오늘, 굳은 상흔을 가진 종분이 손을 내미는 대상은 또 다른 상처를 가진 소녀 은수이다. 학교와 사회, 국가는 경찰서에서 맞닥뜨린 두 남성이 은유하는 것처럼 은수를 이용할 뿐 그녀에 대한 보호의 책임을 지거나 돌봄의 윤리를 갖기 거부한다. 영애와 종분에게는 없

20　페미니스트 역시 친밀한 관계를 이루며 감정적 지지를 주고받는 집단 단위로서의 가족을 긍정한다. 페미니스트의 비판지점은 생물학적 단위'만'을 기반으로 하고 남성 가부장 질서 속에서 위계적 성역할을 고정하며 이를 정상적인 국가-사회 단위로 설정해 다양한 성을 억압하는 것으로서의 가족체제이다.

었던, 소녀 은수에게 새 삶을 제공하는 것 역시 새로운 여성연대체로서의 가족 구성원인 종분과 그녀의 요청을 받아들인 구청민원실의 윤옥이다.

〈눈길〉은 삼일절 특집극(2015년 2월 28일과 3월 1일)으로 방영한 후 〈귀향〉(조정래, 2016)과 함께 일본군 '위안부'라는 소재를 다룬 가장 대중적인 극영화가 되었다. 1988년 일본군 '위안부'의 존재가 드러난 이후부터, 〈낮은 목소리〉(변영주, 1995)를 시작으로 많은 다큐멘터리를 통해서 지속적으로 가시화되었다. 생존자 '할머니들'이 프레임 안에 직접 등장하면서 일본군 '위안부'의 문제는 민족, 젠더, 계급이라는 세 가지 축으로 구성되면서 논의되었다.[21] 이들 다큐멘터리는 그간 국가가 지워온 역사의 한 장을 공론화하며 스스로 쓰는 여성사를 만드는 것과 역사적 비주체로 간주되었던 할머니들의 기억을 기록하는 중요하고도 놀라운 작업들이었지만 내중의 곁에 가지는 못했다. 〈귀향〉과 〈눈길〉을 둘러싸고 재현의 층위와 방식, 이에 대한 대중의 정동을 둘러싼 논의가 분분했지만,[22] 이 두 영화가 '소녀들'의 우정을 중심에 두고 세대 간 여성의 연대를 주변에 배치하는 서사적 전략은 하위 주체가 자신을 역사의 행위자로 선언하며 국가를 넘어서는 연대의 수행성을 발휘하

---

21 정민아, 「일본군 '위안부' 소재 다큐멘터리의 기억 기록과 담론 전개 방식」, 『영화연구』 68, 158쪽.
22 논의는 발간 순서대로 다음과 같다. 손희정, 「어떻게 새로운 '우리'를 상상할 것인가」, 『씨네21』, 2016. 3. 16.; 권명아, 「'대중혐오'와 부대낌의 복잡성」, 『문학동네』 87, 2016년 여름; 장수희, 「비명이 도착할 때: 〈귀향〉을 둘러싼 각축전과 말 없는 비명」, 『여/성이론』 34, 2016년 여름; 손희정, 「기억의 젠더정치와 대중성의 재구성: 최근 대중 '위안부' 서사를 중심으로」, 『문학동네』 88, 2016년 가을.

고 있다는 점에 주목할 필요가 있다. 이는 일본군 '위안부'를 둘러싼 재현의 담론 변화를 감지할 수 있게 하는 대목이다. 다시 말하면, 할머니들의 기억과 증언의 다큐멘터리에서 소녀-할머니의 역사적 주체화와 연대의 드라마로 옮겨가면서 역사를 기억하고 오늘을 쇄신하려는 시민들의 시대정신과 밀착하고 있는 것이다. 특히 〈눈길〉은 세계 최초로(!) 성인 배우가 아닌 청소녀 배우 김새론과 김향기를 일본군 '위안부'로 등장시킨 드라마이자 극영화이다. 텍스트 외적으로 우리가 익히 알고 있는 이들 새론-소녀(김새론과 김향기)가 브라운관을 통해 대중의 안방과 스크린에 등장할 수 있었던 것은, 또 텍스트 내적으로 영애의 혼령이 지속적으로 늙은 종분의 현재의 공간에 와 앉아있을 수 있었던 것은, 분명 그간 현실의 생존자 '할머니'들의 끈질긴 활동/운동 덕분인 것이다. 그런 의미에서 현재의 종분과 과거의 소녀 영애가 손을 잡고 숲을 걷는 장면을 눈여겨보자.

소녀 영애: 참 열심히 살았다, 그지?
현재 종분: 그르지.
소녀 영애: 혼자서 고생했네.
현재 종분: 난 한 번도 혼자인 적 없었다. 니가 있어 여태 내가 살았지.

얼핏 나이든 여성과 소녀의 대화로 보이는 이 장면은 '니가 있어 여태 내가 살았지.'로 마무리된다. 이는 가려진 역사의 장막 뒤에서 열심히 살아온 선배 여성 전체를 소환해 그녀들의 노력과 희생 덕분에 오늘의 젊은 여성들의 삶이 한걸음 나아갈 수 있었다는 듯 지난날 여성의 삶과 역사에 경의를 표하고 있는 것이다. 또 오늘의 나이든 종분과 박재된 소녀 영애가 나란히 숲을 걷는 이 행위는 1944년의 식민지 조선이 풀어내지 못한 일본군 '위안부' 소녀 영애-종분을, 오늘날의 대한민국이 여전히 풀어내지 못한 일본군 '위안부' 할머니-소녀상을 연상시킨다. 그러므로 이 장면은 전쟁 범죄에 대한 법적/인권적 가치의 정치적 실현을 위한, 역사문제 해결을 위한, 시대적/세대적/젠더적 공감의 여성 연대를 매우 세련되게 상징화하는 것이다.[23] 그렇게 〈눈길〉은 새론-소녀 영애를 중심으로 시간과 공간을 넘어선 여성 연대의 고리를 형성해 낸다. 쓸모없어져 총살을 당한 위안소 동료 아야코 – 눈길에서 쓰러져버린 소녀 영애 – 영애와 함께 하며 살아남은 소녀 종분 – (영애로 살아온) 늙은 종분 – 오늘을 함께 살아가는, 홀로 버려진 소녀 은수.

---

23 〈눈길〉이 여성연대의 필요성과 강조가 잘 드러나고 있다고 해도, 오혜진의 지적처럼 이 영화가 "이성애 중심적 가족 로망스를 수호하는 지배적인 상상력으로부터 자유롭지 않다." 〈눈길〉에서 가부장적 가치에 대한 향수가 곳곳에 배어있기는 하지만, 이는 1940년대라는 시대적 배경의 한계일 수 있고 공영방송의 삼일절 특집극이라는 매체적/상황적 특성과 한계를 고려할 때 시청자 대중과의 접점을 고려한 서사적 전략으로 간주할 수도 있다. 오혜진, 「소녀, 귀신, 매춘부-제18회 서울국제여성영화제 쟁점포럼 〈일본군 위안부의 재현과 문화정치〉 후기」, 『말과 활』 11, 2016. 9.

마다 프리마베시와 새론-소녀

인기를 한 몸에 얻는 국민소녀들은 대중문화 시장에서 남근적 위치를 점유하면서 팬들에게는 여신(김연아와 하느님의 합성어인 '여느님'처럼)으로 여겨진다. 김연아나 손연재 같은 스포츠 영웅 소녀는 걸-파워 현상을 불러일으키며 사춘기 소녀들의 긍정적인 자아 이미지 형성과정에 상당한 영향력을 미친다. 하지만 그녀들은 여전히 신자유주의적 경쟁 체제와 외모의 가치를 중요시하는 자본주의적 상업시장의 시각장에 갇혀있다. 그러면서도 대부분의 예인 소녀들, 조신한 몸가짐의 교복 소녀들은 즉각적으로 남성 욕망의 시각경제 안에 포획된다. 성애적 코드를 강조한 걸그룹의 상업화 전략은 소녀들에게 금기시된 성적 욕망과 표현의 욕구를 독려하는 일견 알파-걸의 현현 같지만 실은 곧 볼거리의 대상으로 소비된다. 즉, 걸그룹을 향한 삼촌(남성) 팬들의 등장은 끝없는 경쟁과 그로 인한 사회적 불안으로 특징화되는 신자유주의 시대 하 남성성의 위기를 위무하는 취미이기도 한 셈이다.[24]

'지금은 소녀시대'인 대한민국에서 스포츠 국민소녀의 민족주의적 신화화, 걸그룹 소녀 육체의 상업화는 소녀의 이중적 신화성이 여전히 강력히 작동하는 미디어 공론장이다. 그런 대중문화 속에서 새론-소녀는 지난 10년간 가부장적 남성의 시각장에 포섭되지 않고, 대중문화의 에로티시즘적 상업성에서 벗어난 방식으로 자신의 존재감을 드러내면서, 스크린을 장악한 뉴-걸로 성장했

24 김은하, 앞의 글, 204쪽.

마다 프리마베시의 초상Portrait of
Maeda Primavesi
(구스타프 클림트Gustav klimt, 1912)

다. 그런 이유로 김새론은 클림트 그림 속의 마다 프리마베시를 불러온다. 어릿하고 화려한 색감 속의 그녀는 무한한 가능성의 미래에 정면으로 맞서는 동시에 지금 여기에 있는 관객의 대상화된 시선을 다시금 주체적인 응시로 받아 되돌리는 강인한 소녀 주체이다.[25] 이 응시로 인해 그녀는 유약함, 순결함, 선함과 자연스레 결별한다.

버려지거나 방치된 소녀, 말을 못하거나 초현실적인 능력을 가

25 마다 프리마베시는 화가 구스타프 클림트의 후견인 부부의 딸이었다. 클림트는 당시 10세의 마다를 그리기 위해서 여러 장 스케치를 했는데, 그 중에서 그녀를 가장 잘 드러낼 수 있는, 허리에 손을 얹은 채 도도하고 당당하게 정면을 쏘아보는 자세를 선택했다. 이 그림을 알게 해준 순천향대학교 영화애니메이션과 학생에게 감사한다. 그녀는 자신을 대신하는 이미지로 이 그림을 골라, 알 수 없는 미래를 향해 당당하고 자신감 넘치는 소녀 주체에 스스로를 대입해 흥미로운 텍스트 분석을 해주었다.

진 소녀, 죽은 혼령이거나 무당이거나 마녀인 소녀, 우리 곁에 늘 머무는 학생이기도 하지만 왕따를 당하거나 위안부로 끌려가거나 범죄에 쉽게 노출되는 소녀. 스크린 안의 새론-소녀는 문제소녀나 불량소녀로 분류된다. 그녀는 정상적인 혹은 주류적인 시민의 조건을 가질 수 없는 계급적이고도 세대적 운명에 처한 어린 비/시민들을 보여주고 있다. 보호 통제되어야 할 소녀가 가부장적 국가-가정 체제 밖에 비자발적으로 던져졌을 때, 그녀들은 불가시적인 비존재로서 배제된다는 아이러니를 가지고 있다. 국가-가부장제의 권위와 보호에 복속되지 않은/못한 소녀가 개인으로서 독립적 주체성을 표현한다는 것은 거의 불가능하다. 호모 사케르로서 소녀는 존재론적 위기, 공포, 불안에 처해있으며 사건과 위기에 처했을 때 스스로 무고함을 변론하기 힘들고, 자신을 구원하기 어렵다. 하지만 주디스 버틀러가 말한 것처럼, "보호를 받지 못한 사람이라고 하여 반드시 '벌거벗은 생명'으로 환원되는 것은 분명히 아니다."[26] 극한에 처한 소녀를 연기한 김새론의 필모그래피를 살펴보면 그녀는 항상 과정 중의 주체로 스스로를 증명한다는 것을 알 수 있다. 스크린에서의 새론-소녀는 남성-어른의 대척점에 존재하는 이중의 타자로서 사적 공간으로서의 가족과 공적 공간으로서 사회를 가로지르는 다양한 담론이 각축을 벌이는 장소인 동시에 체제에 이의를 제기하는 능동적 주체로 기능한다.[27] 새론-소녀

---

26 주디스 버틀러, 「우리, 인민: 집회의 자유에 관한 생각들」, 알랭 바디우 외 저, 서용순 외 역, 『인민이란 무엇인가』, 현실문화연구, 2013, 93쪽.

는 한국 사회의 문제를 폭로하고 균열의 지점을 드러내는 존재이며, 그리고 기성세대에게는 더 나은 새로운 세상을 만들자고 촉구한다. 김새론을 위시한 이들 새론-소녀의 부상에는 일견 사회 정의의 획득을 위한 민주주의 투쟁과 성평등을 위한 페미니즘 운동의 효과가 대중매체에 미친 영향이 산포되어 있을 것이다. 프레임 안/팎에는 강하고 독립적인 다양한 성격의 여성들이 점점 더 많이 등장한다. 이들은 이전 어느 때보다도 소녀들에게 긍정적인 롤-모델을 제안하고 있다.

혹자에게 이글은 아직 무르익지 않은 한 청소녀 배우의 10년의 필모그래피를 대담하게 혹은 성급하게 여성-주체화로 독해한 무리한 시도일 수도 있겠다. 어쩌면 스크린 밖의 김새론은 여느 알파-걸처럼 "저는 페미니스트가 아니에요, 그냥 평등주의자라고 할 수 있지요."라고 말할 수도 있겠다. 거기에 더해서 또한 새론-소녀의 매니지먼트 시스템은 영리하게도 그녀의 상품성을 일찌감치 다른 데에서 찾았는지도 모르겠다.[28] 또 수정자본주의가 틈새 시장의 가능성으로 눈치 챘을지 모를, 새론-소녀의 상품성은 그간 비난받았던 소녀성의 신화를 탈각했기 때문에 호명되었던 '여성-괴물성'에 즉 가부장제의 불합리, 남성중심적 역사의 부조리, 타자(여성과 아이)의 대상화에 저항하고 분노하는 데에 있을 것이다. 그

---

27   황혜진, 「〈수렁에서 건진 내 딸〉에 나타난 소녀 재현 연구: 섹슈얼리티와 가족, 공권력의 관계를 중심으로」, 『대중서사연구』 20권 2호, 133-134쪽.
28   현재 소속사는 YG엔터테인먼트이고, 2016년까지는 판타지오에 속해 있었다.

녀가 자본주의를 신봉하는 엔터테인먼트 산업에 등록되어 있다는 데에서 경제적, 법적, 사회적 판단의 권리와 책임이 온전하지 않은 미성년이라는 점에서, 기존의 체제가 강요하는 특정한 경향들은 무의식적으로 내면화하면서 자발적으로 소녀 문화상품으로 존재하는 법을 배우고 자신을 노련한 직업 소녀로 변화시키게 될지, 또는 소속사와 기획자 그리고 부모의 가부장적 의식과 남성 중심적 시선에 대해 주체적으로 협상하거나 자주적으로 저항해 낼지 여부는 미지수이다. 하지만 사회적이고 정치적인 관심을 표명하는 게시물을 종종 올리는 그녀의 SNS 계정[29]이나 '전체적인 시나리오를 보고 캐릭터가 마음에 들면 선택한다'[30]는 변치 않는 소신을 피력하는 인터뷰, 젠더에 상관없이 역할의 속성에 매료되고 또 '자신의 모습을 잘 드러낼 수 있는, 여성이 서사를 끌고 가는 작품이 많지 않다는 점에 대해서 아쉽다'[31]는 견해를 드러내는 지면을 보면, 스크린에 매번 새롭게 등장할 김새론의 행보에, 그리고 다음으로 나타날 새론-소녀들의 행보에 주목할 수밖에 없다.

---

29   인스타그램(@ron_sae)에는 주로 소소한 일상을 게시하지만, 그 중에는 유기견과 유기묘 봉사활동이나 입양에 대한 게시물(2015년 12월 11일, 2017년 3월 29일))과 '세월호 참사 2주기를 잊지 말아요'라는 게시물(2016년 4월 16일), 삼일절 98주년에 태극기를 게양하자는 게시물(2017년 3월 1일)도 있다.

30   안선영, 「'맨홀' 김새론 "19금 영화 많다고? 마음에 들면 선택"」, 『아주경제』 2014. 9. 4., http://www.ajunews.com/view/20140904082300345 (검색일 2016년 12월 3일)

31   고석희, 「매거진M '눈길' 김새론, 후회없이 조금 더 가까이…」, 『중앙일보』 2017. 3. 8. http://news.joins.com/article/21347845 (검색일 2017년 3월 8일)

4부

초국적 소녀상

일본군 '위안부', 촛불소녀 그리고 민주주의

장수희

앙팡맨과 탈제국 페미니즘

1919년에 도쿄에서 태어나 1941년 중국으로 종군했던 만화가 야나세 다카시는 전쟁 중의 배고픔과 전후의 궁핍한 생활 속에서 '반전'의 사상을 가지게 된다. 그래서 탄생한 작품이 머리(빵)를 떼서 배고픈 사람들에게 나눠주는 캐릭터인, 한국에서도 널리 사랑받은 〈날아라! 호빵(앙팡)맨アンパンマン〉이다. 악당들을 혼내주고 어려움에 처한 사람들을 도와주는 정의의 캐릭터인 앙팡맨은 지금도 세계 곳곳의 어린이들로부터 사랑받는 캐릭터이다. 애니메이션의 주제가인 〈앙팡맨 마치〉에는 "…그렇다, 기쁘다/ 살아있는 즐거움/ 설령 마음의 상처가 있어도/ 아아, 앙팡맨, 상냥한 너는/ 가라! 모두의 꿈을 지키기 위해!"라는 가사가 있다. 작가가 전쟁을 겪은 세대인 것을 생각해 보면, '성전'이라 불렸던 전쟁에서 목숨을 지키고 전후를 살아낸, 살아남은 자의 삶을 긍정하는 가사라고도 할 수 있을 것이다. 이 노래는 밝고 긍정적인 분위기와 쉬운 가사 때문에 어린이들뿐 아니라, 일본어를 배우는 외국인들의 일본어 교재로 사용되기도 한다.

그런데 2011년 동일본 대지진이 일어나면서 이 노래가 다시한 번 일본 사람들에게 회자되기 시작했다. 재난을 당한 일본 동북지방의 사람들을 구하고 지원하기 위해 출동하는 자위대의 모습에 이 노래가 얹어진 동영상이 인터넷에서 주목 받았던 것이다.[1]

---

1   유튜브 영상 '震災救助活動応援歌' アンパンマンのマーチ (Rescue efforts for earthquake in Japan)'(https://www.youtube.com/watch?v=0ih1hT0Vlxw).

이 동영상에서는 일본 국민을 구하는 자위대의 모습과 "모두의 꿈을 지키기 위해" 출동한다는 앙팡맨의 노래가 어우러지면서, 자위대가 '정의의 사도'로 표상되었다. 영상은 국민을 위해 헌신하고 있는 영웅 자위대의 모습을 앙팡맨과 겹쳐 연출해, 자위대의 군대화에 대해 염려하는 문제들을 희석시키는 효과를 발생시켰다.

이러한 회로 속에서 반전을 상징하는 정의의 영웅이었던 앙팡맨은 일본 '국민=시민'을 위한 '자위대=군대' 이미지로 치환되고, 시민들의 안전을 담보하고 국가를 수호하는 존재로 받아들여지게 된다. 이는 곧 일본 국민=시민으로 인지되지 않거나, 혐오를 통해 삭제되고 은폐되어야 할 대상으로 간주되는 비일본적 존재들은 앙팡맨의 구출대상에서 제외된다는 것을 의미한다. 나아가 야나세 다카시의 '반전'의 사상이 무엇이든지 간에, 일본 제국의 식민지배 때문에 생겨나게 된 재일조선인이나 오키나와인 그리고 전쟁의 역사와 경험 속에서 권리가 박탈된 존재들에게는 앙팡맨이 자신의 머리(빵)를 나눠주지 않을 것임은 예측할 수 있다. 만화가가 알면 대노할지 모르지만, 이 동영상에서 앙팡맨은 식민지배와 그로부터 비롯된 희생에 대해 사죄나 책임은커녕, 그것을 조직적으로 방기하고 전략적으로 응수하는 제국의 '영웅'과 다를 바 없다. 재난 상황에서 국가주의nationalism가 발동될 때 호명되지 못하는 주체들에게 일본의 내셔널리즘이라는 것은 국가를 기반으로 민족을 서열화하는 식민주의에 다름 아니다. 이러한 상황하에서 대항 내셔널리즘이, 식민자의 내셔널리즘과 같다고 할 수 없을 것이다. 그러나 내셔널리즘에 관한 다음과 같은 일반화는 제국의 입장에서 보는 내셔널리즘이란 것이 어떤 것인지 가늠하게 해준다.

제국주의 국가 일본의 국민은 자국의 내셔널리즘을 극복할 이유도 의무도 있지만, 한국의 내셔널리즘은 대항 내셔널리즘이기 때문에 존재 이유가 있다고 느낄지도 모르겠습니다. 제이차 세계대전 이전의 일본의 내셔널리즘도 서구 열강에 대한 대항 내셔널리즘의 양상을 얼마간 띠고 있었습니다. 그렇다고 해서 그것이 면죄되는 것은 아닙니다. 내셔널리즘의 젠더 분석이 해명하고자 하는 것은 내셔널리즘이란 '이룰 수 없는 약속'으로 마이너리티를 동원하기 위한 상징이라는 사실입니다. 공적으로 인정된 내셔널리즘에서의 마이너리티는 대항 내셔널리즘에서도 마이너리티에 지나지 않습니다. 내셔널리즘 운동에 동원된 여성은 자신들의 요구가 결코 우선적인 과제가 될 수 없다는 것을 경험하게 될 것입니다. 내셔널리즘 운동 속의 여성은 그러한 딜레마를 맛보게 될 것이며 내셔널리즘을 넘어설 필요를 느끼게 될 것입니다.[2]

우에노 치즈코는 조심스럽게 서술하고 있지만 이 글에서 피식민 국가의 대항 내셔널리즘과 제국 일본의 내셔널리즘을 등치시

---

2 우에노 치즈코, 『내셔널리즘과 젠더』, 박종철출판사, 1999, xii.

키려는 시도가 보인다. 조선(한국)의 내셔널리즘이 대항 내셔널리즘이고, 일본의 내셔널리즘도 서구 열강에 대한 내셔널리즘의 양상을 얼마간 띠고 있었다고 서술하면서, 한국과 일본 양자 모두가 내셔널리즘을 극복해야한다고 주장하고 있는 것이다. 나아가 내셔널리즘과 대항 내셔널리즘 모두에서 제외되어 있는 여성들은 내셔널리즘을 초월한 페미니즘이 필요하다고 주장한다.

이러한 주장에 대해 식민지 시기 신여성들이 접하고 동일시했던 '제국의 페미니즘'이 친일과 식민주의에 어떤 방식으로 접속하며 스러져갔는지를 밝히고 있는 송연옥의 '탈제국 페미니즘' 개념은 유용한 시사점을 준다. 식민지 시기 민족, 계급, 젠더의 뒤얽힌 식민주의의 영역에서[3] 민족차별과 계급차별을 눈감은, 성차별이나 가부장제에 대한 비판은 식민주의와 제국의 논리를 강화하는 담론일 수밖에 없었다. 미-일-한의 군사동맹을 통한 서열화와 식민주의가 지금도 계속되고 있다는 인식 하에서 민족차별과 계급차별을 자연화하는 식민주의와 성차별 및 가부장제가 불가분으로 얽혀 있다는 것을 직시하는 것이야말로 제국주의, 식민주의 페미니즘에서 벗어나는 '탈제국 페미니즘'이 될 수 있다는 것이다.[4]

이러한 논의에 따르면, '내셔널리즘을 초월한 페미니즘'이라는 것도 제국과 식민지 각각에서 달라질 수밖에 없을 것이다. 제국의 내셔널리즘 초월이라는 페미니즘의 과제와, 계급·젠더와 복잡하

---

3   宋連玉, 『脱帝國のフェミニズムを求めて-朝鮮女性と植民地主義』, 有志舎, 2009, 227쪽.
4   위의 책.

게 얽혀있는 식민지의 내셔널리즘의 초월은 얼핏 '가부장제 비판'이라는 공통의 문제의식을 갖고 있는 것처럼 보일 수도 있으나, 이는 식민지에서 계급의 문제와 젠더의 문제, 민족 문제 모두를 보편화할 위험을 갖고 있다. 가부장제를 통해 여성 억압을 강화하는 식민주의 구조 하에서 제국과 함께 가부장제만을 비판한다는 것은 어느 정도 유효한 것일까.

그런 점에서 일본군 '위안부' 평화비와 소녀상에 대한 박유하의 내셔널리즘 비판은 식민지 시기와 동시대의 역사성을 탈각시킨 것이라 할 수 있을 것이다. 그는 소녀상이 순결한 '민족의 딸'로서의 이미지만 강조하여 '제국의 위안부'라는 조선인 '위안부'의 본질을 보지 못하게 한다고 주장[5]한다. 이러한 주장은 민족주의 비판을 통해 식민주의를 긍정하는 방식이라고 할 수 있을 것이다. 소녀상이 순결주의에 기반한 '민족의 딸' 이미지만을 담고 있다는 단언은 소녀상을 중심으로 이루어지는 현재의 역동적인 움직임들을 간단히 삭제해 버린다.[6] 소녀상을 중심으로 이루어지는 역동적

5   박유하, 『제국의 위안부』, 뿌리와이파리, 2013.

6   임경화는 '박유하는 우에노 지즈코의 결함이다: 소녀상을 둘러싼 페미니스트 비판의 딜레마' (http://blog.naver.com/limkyounghwa/220779139763)라는 글에서 『제국의 위안부』의 소녀상 비판에 드러난 문제점을 다음과 같이 지적한다. 박유하는 소녀상이 "'순결한 민족의 딸'로서의 이미지만 강조하고 '제국의 위안부' 같은 다른 이미지를 소거하여 '조선인 위안부'의 '총체적'인 모습을 표상하지 못했다"고 비판한다. 그러나 그녀의 논의에서 "소녀상은 한일 간의 적대(불화)의 표상으로, '제국의 위안부'는 화해(용서)의 표상으로 기능하고 있"을 뿐이라는 것이다. 즉, 박유하의 '소녀상' 비판은 '제국의 위안부'를 화해의 표상으로 만들기 위한 전략적 제스처인 것이다. 소녀상과 관련해서는 정영환, 『누구를 위한 '화해'인가: 〈제국의 위안부〉의 반역사성』, 임경화 옮김, 푸른역사, 66~71쪽; 이타가키 류타·김부자 엮음, 『'위안부' 문제와 식민지 지배 책임』, 배영미·고영진 옮김, 삶창, 2016, 66~73쪽; 상우식, 「소녀상 앞, 대학생들과 함께 한 2박 3일」, 『제국의 변호인 박유하에게 묻다』, 도서출판 말, 2016, 251-258 참조.

인 활동들을 생각할 때, 소녀상은 단지 박제된 것이 아니며, 오히려 동시대성을 갖고 구성되고 있다.[7] 그런 면에서 이 글은 민족과 제국의 역사 속에서 삭제되어 간 '소녀'들의 말과 동시대에 구성되고 있는 '소녀적인 것'[8]들이 만들고 있는 장면들을 추적하려 한다. 그럼으로써 민족, 계급, 젠더가 복잡하게 얽혀있는 '소녀'라는 표상을 식민화시키는 것이 아니라 민주화 이후의 한국에서 '탈제국 소녀'로 나아가는 장면들을 포착하려고 한다.

이를 위해 먼저 태평양전쟁 말기 일본군과 미군 간의 지상전이 펼쳐졌던 오키나와라는 공간에서 일본군 '위안부'에 대한 기억과 전후 오키나와의 소녀가 어떻게 접속하고 있는지를 살펴보는 작업이 필요하다. 그리고 국가와 민족, 가부장제에 의해 호출되었던 '소녀'가 어떻게 '소녀적인 것'으로 확장되는지를 한국의 민주주의와 관련시켜 살펴보는 것은 '탈제국 소녀'가 민주화 이후의 민주주의, 평화주의와 어떻게 접속하는지를 알 수 있게 할 것이다.

---

7 권명아, 「점령당한 신체와 저항의 '오큐파이', 포켓몬고와 소녀상」, 『여성신문』, 2017. 2. 8. "한국정신대문제대책협의회가 25년 넘게 이어온 수요집회 역시 점령당한 신체를 애도하는 저항적 오큐파이 운동의 세계적인 사례다. 수요집회 1000회를 기리며 만들어진 평화비(소녀상)는 원래 기념물이었다. 그러나 소녀상 '설치'를 영토 분쟁으로 매도하는 공격 때문에 역설적이지만, 소녀상 설치 운동은 오큐파이 운동이 되고 있다."

8 이 글에서 '소녀적인 것'이라는 용어는 민주주의가 억압받는 여러 장소에서 여러 가지 방식으로 민주주의를 요구하고 있는 다양한 주체들의 목소리라는 의미로 사용하고 있다.

일본군 '위안부'와 소녀상의 연대

│ 오키나와의 일본군 '위안부'

일본의 최남단, 오키나와의 미야코지마 섬에는 '아리랑의 비'가 있다. 태평양전쟁 말기, 일본 본토의 사석捨石이었던 오키나와에서 미군과의 지상전이 펼쳐지는데, 일본 제국의 군인들이 오키나와에 주둔하면서, 미야코지마에도 10여개의 일본군 위안소가 세워졌다. 당시 오키나와에 살던 주민들은 일본군 '위안소' 주위에서 조선인 일본군 '위안부'를 많이 목격했다고 증언하고 있다. '아리랑의 비'는 위안소에서 빨래터를 오가던 일본군 '위안부' 여성들이 잠시 쉬던 자리에 만들어졌다. '아리랑의 비'를 세울 토지를 기증한 요나하 히로토시 씨는 어린 시절 검은 바위에 앉아 쉬던 여성들이 매운 고추가 없는지 물어보곤 했으나, 당시 오키나와 사투리로만 '고추'라는 단어를 알고 있었기 때문에 일본어 '토가라시'를 알아듣지 못했다고 한다. 그래서 '아리랑의 비'에는 오키나와에서 나는 붉은 고추가 놓여 있곤 한다. 그곳에는 조선인 '위안부'뿐 아니라, 일본군 '위안부'였던 여성들이 사용했던 11개의 언어와, 베트남 전쟁 당시 한국군이 저지른 전쟁성폭력 피해의 상징을 더해 베트남어까지 해서 12개의 언어로 쓰인 '여자들에게'라는 비도 함께 세워져 있다. 비문은 다음과 같다.

일본군에 의한 모든 성폭력 피해자들의 아픔을 나누며 세계에서 일어나는 무력 분쟁에 따르는 성폭행이 그칠 것과 다시는 전쟁이 없는 평화로운 세계가 오기를 염원합니다.

이 비문은 태평양 전쟁 시기 일본군에 의한 성폭행뿐 아니라 지금도 세계 곳곳에서 일어나는 전쟁성폭력에 대한 규탄과 평화에의 염원을 담고 있다. 함께 새겨진 피해자들의 언어는 독해 가능한 언어와 불가능한 언어가 섞여있음에도 그것을 마주한 사람은 물론이고 피해자 자신들까지도 서로 묶고 있는 것으로 보인다. 무엇보다 서로 다른 언어들을 함께 새겨 놓은 것은 그들의 경험을 어떤 방식으로라도 보존하고 유지하겠다는 기록에의 결기인 것이다.

오키나와의 전후 소설에서 조선인 일본군 '위안부'가 재현되는 방식을 살펴보면 11개의 언어를 함께 쓴 비문이 갖는 연대와 기록에의 결기를 새삼 확인해 볼 수 있다. 소설에서 오키나와의 '위안부'들의 경험에 대한 서술이 '언어'를 넘어선 어떤 것으로 전이되는 것처럼 재현될 때 특히 그러하다.[9]

『진흙 바닥으로부터』는 논픽션임에도 불구하고 읽는 것을 좀처럼 그만두지 않게 하는 유려한 문체를 가지고 있었다. 그러나 이 지나치게 미끈한 문체가 오히려 위화감의 화근이 되었다. 좀 더 자세히 말하자면, 빈번하게 삽입된 인물의 실명과 체험자가 진술 속에 등장해 자신의 무참한 체험을 직접 이야기할

---

9   오키나와 소설 「긴네무 집」에서의 '비명'에 관한 논의는 장수희, 「비명이 도착할 때―〈귀향〉을 둘러싼 각축전과 말 없는 비명」, 『여/성이론』 34호, 2016년 여름 참조.

때 스스로를 멸시하듯 가리키는 '삐-'라는 문자 언어 사이에 어떤 불쾌한 불연속감이 일어나, 언어 배후에 숨은 틈을 침울하게 두드러지게 만들었다. 그것이 큐히히-큐햐햐아-라는 바람 웃는 소리가 되었다고 테이프에서 나오는 허스키 보이스는 말한다.[10]

사키야마 다미의 소설 「달은, 아니다」에 등장하는 『진흙 바닥으로부터─어느 할머니의 외침』이라는 책은 일본군 '위안부'의 삶을 직접 회고한 책인데, 문자로 쓰인 이 책을 읽을 때마다 편집자는 "큐히히- 큐햐햐아-"라는 이명과 구토에 시달리게 된다. 문자를 따라 읽는 동안 이 편집자에게 나타난 증상은 언어로 전달 불가능한 어떤 체험과 기억이 전이된 결과로 일어난 일이다. 목소리와 언어를 잃어버린 피해자로부터 전이된 이 경험을 편집자는 언어화해 녹음으로 남긴다. 이 소설에서는 일본군 '위안부'였던 여성의 경험이 묘사되기보다 그것이 언어를 통해 어떻게 다른 사람들을 감응시키는지 보여주고 있다. 미야코지마의 '여자들에게' 비에 있는 12개의 언어, 혹은 그보다 더 많은 언어가 필요한 것은 이미 언어를 초월해버린 폭력과 고통의 경험이 야기한 정동이 '여자들에게' 비에 쓰인 언어가 아니라, 내용을 각각의 언어로 '번역하기'를 하는 과정 중에 전달될 지도 모르기 때문이다.

이처럼 완결된 서사구조를 넘어서고, 언어로 포획되지 않는 일

---

10 사키야마 다미, 「달은, 아니다」, 조정민 옮김, 『신의 섬』, 글누림, 2016, 320쪽.

본군 '위안부'의 삶과 경험이 '소녀' 표상으로 재현될 때 주목해야 할 것은, 표상된 '소녀' 자체가 아니라 재현을 만들어내고 있는 컨텍스트적 상황이다. '소녀' 표상에 대한 문제제기들이 늘 재현된 '소녀' 자체였음을 생각해 보자. 일본의 제국주의가 현모양처를 위한 규범으로 호명한 '소녀'와 일본군 '위안부' 문제 해결을 위한 수년간의 활동을 통해서 제작된 '소녀상'이 단지 '소녀'라는 표상 때문에 똑같이 해석되어서는 곤란하다.

| 반기지 평화운동과 소녀

오키나와에서 여성운동은 반기지 평화운동의 성격을 가지고 있다. 미야코지마에서 일본군 '위안부' 운동과 '아리랑의 비'를 세우는 활동을 주도한 여성운동가들은 미야코지마의 자위대 기지 반대 활동도 함께 하고 있다. 태평양 전쟁 당시 일본군의 기지가 있었던 곳을 활용하여 미군 기지가 세워지게 되고, 71년에 오키나와 반환 협정이 조인되면서 자위대가 미군의 보완부대로 배치되었다.[11] 이렇게 보면, 태평양 전쟁이 시작된 이후, 오키나와는 '일본군 기지-미군 기지-미군 기지와 자위대 기지'가 되어 왔다고 할 수 있을 것이다.

태평양 전쟁 말기 미군이 오키나와 본도에 상륙한 1945년 4월 이미 나키진손의 일본군위안소의 상당수는 미군 상대 위안소로 변모해 있었다.[12] 이는 군대와 군대의 전쟁성폭력이라는 것이 어

11 문소정, 「오키나와 반기지 투쟁과 여성평화운동」, 『기지의 섬, 오키나와』, 논형, 2008, 447쪽.

떤 방식으로 지속, 연계되는지를 보여준다. 따라서 동아시아의 군사화라는 관점에서 일본군 '위안부' 문제와 이후 오키나와의 전쟁 성폭력의 문제, 이와 연계된 여성운동의 모습들을 연관지어 생각해 볼 필요가 있다. 여성의 입장에서 보았을 때, 오키나와의 지속적인 기지화는 군인들의 국적만 바뀌면서 계속해서 전쟁성폭력의 표적이 되는 것이다. 기지화와 전쟁성폭력의 역사는 떼려야 뗄 수 없는 관계인 것이다.

오키나와의 여성들은 무력분쟁 하에서의 강간행위는 전쟁범죄로 규정되는 반면, '외국 군대의 장기주둔'에 의해 발생하는 일상적 폭력은 전쟁범죄에서 제외되는 상황에 문제제기 한 바 있다.[13] 미군 기지가 있는 오키나와와 한국의 주둔 미군이 저지르는 성폭력 사건이 전쟁성범죄라는 것은, 오키나와의 여성과 한국의 여성이 아직도 '전쟁 상태'에 놓여 있음을 의미한다. 일본군 위안소가 미군 위안소로 간단히 바뀐 역사에서 여성들의 상황은 과연 얼마큼 더 나아진 것일까? 이미 70년 전에 끝났다고 말해지는 전쟁에서 여성들은 정말로 놓여난 것일까?[14]

1995년 미군병사 세 명이 12세의 초등학생 소녀를 납치, 성폭

---

12 박정미, 「미군 점령기 오키나와의 기지 성매매와 여성운동」, 『기지의 섬, 오키나와』, 논형, 2008, 418쪽.

13 문소정, 앞의 책, 452쪽.

14 2016년 초에도 미군 군무원이 오키나와 여성을 성폭행하려다 살해하는 사건이 일어났다. 미군과 관련된 성폭행 사건은 오키나와와 미군 기지를 나누어 가지고 있는 한국에서도 예외가 아니다(윤희일, 「오키나와 미군무원의 성폭행·살해 사건, 아베 정권 발목 잡나?」, 『경향신문』, 2016. 5. 22. http://news.khan.co.kr/kh_news/khan_art_view.html?artid=201605221119001&code=970203).

행한 사건은 오키나와 현민 약 10만 명이 결집하게 하였고, 이 동력은 오키나와 여성들의 미군기지 반대운동의 도화선이 되었다.[15] 당시 기지 반대 주민투표에서 91%가 미군기지 폐쇄에 찬성[16]했다고 한다. 이 사건은 오키나와 사람들에게 6세 소녀 유미코를 미군이 강간, 살해했던 1955년의 사건을 떠올리게 했다. 이 두 사건은 미군의 극단적 폭력에 유린당한 어린 소녀의 이미지가 오키나와 기지반대운동에서 지배적 상징으로 기능하게 했다. 오키나와 사회운동을 분석한 연구들은 성폭행 당한 소녀로 대표되는 순결한 여성의 상징 이면에 성판매 여성의 상징이 은폐되었다고 지적해왔다.[17] 순결한 소녀의 이미지와 '일본 전후의 딸'이라는 오키나와'[18]의 비유는 오키나와 사회운동의 구심점이 되어 왔다고 평가되기도 한다.

이렇게 '소녀' 이미지가 호명되고 평가되는 방식은 한국의 '소녀상'을 둘러싼 논쟁과 비슷하다. 일본군 '위안부'의 이미지가 '소녀'로 재현되면서 그 순결성만이 부각, 강조되는 한편, 수난당한 '민족의 딸'로서의 상징이 현실의 피해 받는 다양한 여성을 지우고

---

15 혁은, 「오키나와서 평택에 온 서신: 헤노코 투쟁 10년, 희망을 담아」, 〈미디어 일다〉, 2006. 11. 15. http://www.ildaro.com/sub_read.html?uid=3467

16 「'오키나와 미기지 폐쇄' 주민 자치투표 91% '찬성'」, 『동아일보』, 1996. 9. 9, 11., http:// newslibrary.naver.com/viewer/index.nhn?articleId=1996090900209111011&edtNo=45&printCount=1&publishDate=1996-09-09&officeId=00020&pageNo=11&printNo=23306&publishType=00010(검색일: 2017. 6. 21)

17 박정미, 앞의 책, 407쪽 참조.

18 "어떤 의미에서 일본의 전후는 오키나와라는 딸을 미군 지배에 매도하고 번영을 얻은 것과 같다." 문소정, 앞의 책, 453쪽(高里鈴代, 『沖縄の女たち―女性の人権と基地·軍隊』, 明石書店, 2003 재인용).

여성의 피해자화에 일조한다는 비판이 있어왔다. 그러나 일본군 '위안부'였던 피해 당사자들이 피해자로서의 정체성에서 '평화 활동가'로의 정체성으로 바뀌어 온 역사를 가지게 된 것처럼, 소녀상도 '순결성'만을 앞세우는 이미지는 아니다. 순결성만이 강조되는 '소녀상'이라는 비판은 지금까지 소녀상 앞에서 이루어져 왔던 당사자들의 활동의 역사를 외면하는 것이다.

'소녀상'은 1000회 수요시위 때부터 시민들이 겹겹이 쌓아온 의미와 역사의 결들이라고 할 수 있다. 다시는 전쟁도, 식민주의도, 여성에 대한 폭력도 재발해서는 안 된다는 의지적인 모습으로 주먹을 꼭 쥐고 앉아있는 한복을 입은 조선인 소녀의 모습이지만, 이 소녀 앞으로, 일본군 '위안부' 문제에 연대를 하려는 많은 사람들이 모여든다. 이제는 할머니가 된 일본군 '위안부' 피해자, 기지촌 여성, 초중고등 학생, 세월호 유가족 등 모두 이 평화비 앞으로 모여들어 손을 잡았다. 제1242차 수요집회에는 오키나와에서 연대를 위해 참석한 '오키나와 한국민중연대'의 우메마 유시코 씨가 개인 발언에서 다음과 같이 말했다.

"…오키나와에도 130개가 넘는 위안소가 있다고 들었습니다. 오키나와에서는 옛날에 전쟁도 있었습니다. 그 시기를 생각하면 오키나와 사람들은 희생자였지만, 위안부 문제를 생각할 때 우리는 가해자가 됩니다. 오키나와 현민으로서 할머니들께 죄송하다는 말을 드리고 싶습니다. 그리고 빨리 (일본군 '위안부'

문제를) 해결하기 위해 열심히 노력하겠습니다. 매번 이 곳에 올 수 없지만 헤노코 기지 게이트 앞에서 열심히 싸우는 결의로 함께 싸우고 싶다고 생각합니다."

미군 기지 건설을 반대하는 오키나와의 활동가들은 역사적으로 오키나와와 일본군 '위안부' 문제를 연결시키며 발언하고 연대를 표명한다. '소녀상' 앞에 모여 있지만, 이미 이들은 '소녀'만을 말하지 않는다. 국경을 초월한 연대 의식은 또한, 일본군 '위안부' 문제 해결을 위한 활동을 통해 모금이 되는 '나비기금'으로도 이어지기도 한다. '나비기금'은 전쟁성폭력이 일어나고 있는 세계 곳곳의 여성들을 지원하기 위해 보내지고 있다. 일본군 '위안부' 소녀상이 조선의, 한국의 역사문제와 젠더 문제에만 골몰하는 것이 아니라, 조선인 일본군 '위안부'의 경험을 토대로 세계의 여성주의를 실천하고, 평화를 얻기 위한 투쟁들로 이어져 만나는 것이다.

일본 제국의 식민지였던 한반도의 역사와 그 이후 식민지였던 과거를 기반으로 해서 태어난 독재정권이 내세웠던 '한국적 민족주의'로 수렴되어 버리는 것이 아니라, 과거 식민지 경험 및 역사에 대한 통렬한 인식과 여성주의 연대의 흐름 속에 일본군 '위안부' 소녀상이 서 있는 것이다. 물론 이 흐름에서 한국의 '민주화'의 경험이 무엇보다 중요하다.

일본군 '위안부'와 민주주의

│ 일본군 '위안부'와 소녀들의 목소리

일본군 '위안부'들의 증언과 문제제기가 한국의 민주화 운동의 성과 속에서 이루어져 왔음은 주지의 사실이다. 박정희와 전두환으로 이어지는 친일-군부 독재 정권하에서 식민지 지배 책임에 대한 문제제기는 거의 이루어지지 않았다. 소위 '민주화' 이후에야 식민지 지배 책임에 대한 문제제기와 당사자들의 증언들이 폭발적으로 터져 나왔다. 민주화 운동의 결과물로 대통령 직선제라는 민주적인 형식을 획득한 87년 체제 이후에도, 이 체제에 끊임없이 균열을 내는 문제제기를 하며 실질적 민주주의를 요구해 온 것은 바로 식민지 지배 책임에 대한 요구와 지금까지 역사의 주체로 인정받은 적 없었던 여성들의 목소리였다. 친일-군부독재 정권하에서 기생관광과 성산업이 비약적으로 발전했고, 대통령 직선제라는 형식적 민주화 속에서도 젠더 억압은 계속되었다. 이러한 젠더억압적 민주화 체제에 계속해서 균열을 내고, 문제제기를 하며, 민주화에 대한 열망을 이어간 활동 중의 하나는, 이른바 '민주화' 이후 김학순의 증언으로 시작된 일본군 '위안부'들의 증언과 일본군 '위안부' 문제 해결을 위한 활동이었다. 다시 말해, 식민지 시기 및 군부독재와 완전히 단절된 체제로 보이는 87년 체제도 여전히 젠더억압적이었고 젠더억압이 여전히 해결되지 않는 체제 속에서 일본군 '위안부' 문제 해결을 위한 문제제기는 한국사회에 더 나아간 '민주주의'를 요구한 것이었다.

일본군 '위안부' 피해자들의 증언, 한국 정부와 일본 정부에 대한 사죄 요구는 한국의 민주화뿐 아니라 일본의 민주화를 요구하는 것이기도 했다. 일본의 소위 '전후 민주주의'는 전쟁책임의 인정과 반성을 통해 성립된 것인데, 일본군 '위안부'들이 증언을 하며 사죄를 요구하고 식민지 지배책임을 물은 것은 곧 일본의 '전후 민주주의'의 성립에 무엇이 삭제되어 있었던가를 성찰하게 했다. 또한 미점령기에 기원을 둔 표피적인 '전후 민주주의'가 아닌 식민지 지배책임을 지는 한 걸음 더 나아간 '민주화'에의 요구를 한 것이기도 하다.

일본군 '위안부'들은 태평양 전쟁 당시의 일본군 '위안부' 피해를 증언할 때, '소녀'라는 주체로서 겪었던 자신의 경험을 이야기했다. 증언 속에서 '소녀'라는 표상은 일본군 '위안부' 당사자의 어린 시절 피해 사실을 의미하기도 하지만, '민주사회의 주체'로서 한 번도 호명된 적이 없는, 젠더억압 체제 속에서 가장 취약한 존재였던 '소녀'를 가시화하고 불러내는 것이기도 하다.

이러한 측면에서 볼 때, 일본군 '위안부'가 등장하는 소설과 영화 등의 '소녀'들이 단지 '민족의 딸'이나 '빼앗긴 순결'로 그려진 것만이 아니라 문제제기를 하는 자, 목소리를 높이는 자로서 등장하고 있음을 간과해서는 안 될 것이다. 일본군 '위안부' 문제를 연구하고, 피해자들을 찾고 지원하기 시작했던 윤정옥 선생이 '그 때 그 소녀들은 왜 돌아오지 않는 것일까?'라는 소녀에 대한 질문으로 활동을 시작했던 것은 상징적이라고 할 수 있을 것이다. 들리지 않던 목소리, 등록되지 않은 자들이었던 '소녀'를 찾고 그 역사를 기록하는 일 자체가 한국사회의 민주화의 길이었기 때문이다.

재일동포로서 일본에 살고 있는 일본군 '위안부' 피해자 송신도의 법정투쟁기를 다큐멘터리로 그린 〈나의 마음은 지지 않았다〉(안해룡, 2009)에서 가장 인상적인 장면 중 하나는 송신도의 여학교 증언회 장면이다.

송신도: (전략) 먼저 전쟁이란…. 사람을 죽이기 위한 전쟁이었는지 뭐였는지 몰라도 16살 때 '위안부'로 끌려간 걸 생각하면 죽을래야 죽을 수가 없어. 그러니까 여러분들 얼굴을 보면 그리운 건지 그때 생각이 나는 건지 눈물 밖에 안 나오네요. 말문이 다 막히고.

[양징자 인터뷰]
양징자: 송신도 할머니는 이번 집회에서 학생들이 진지하게 들어 주는 걸 보고 마음 속 응어리가 조금 풀리셨는지 집회가 끝났을 때는 표정이 환해지셨어요. 학생들이 무슨 영문인지 '할머니, 예뻐요'라는 말을 건넸고 나중에는 완전 스타셨죠.

송신도: 무슨 말이든 괜찮으니까 해 봐.
학생: 내년에 사회인이 되는데 같이 술 한 잔 하실래요?
양징자: 내년에 술을 마실 수 있는 나이가 되는데 술 한 잔 하자고.

송신도: 좋고 말고. 가져만 와라. 아이고 좋아라. 내가 술을 무쟈
게 좋아한다.[19]

송신도는 자신의 어린 시절을 떠올리는 어린 여성들(소녀들)을
마주하고 앉은 증언회에서도 '전쟁을 다시 해서는 안 된다'라고 강
조하며 증언을 마친다. 증언을 다 들은 소녀들은 눈물을 흘리기도
하고, 감상을 얘기하기도 한다. 그 중 한 명이 송신도에게 '졸업하
면 술 한 잔 하자'며 마음으로 부딪쳐 오는데, 온 힘을 다해 증언을
한 송신도는 그제서야 크게 웃으며 졸업하면 술 한 잔하러 오라고
대답한다. 태어나기도 전의 전쟁 이야기와, 여성의 피해 이야기를
들은 소녀들은 이렇게 가볍게 일본군 '위안부'였던 여성에게 에너
지를 불어넣는다. 식민지 조선의 소녀였던 송신도와 식민지 지배
책임을 직면하게 된 현재를 살아가는 소녀들이 만나서 만들어 내
는 이러한 에너지는 어떻게 만들어지는 것일까. 젠더 억압적 체제
에 문제제기 하며, 들리지 않는 목소리를 드러내고, 동료를 만들어
함께 싸울 수 있는 소녀였던/소녀인 여성의 에너지들을 쫓다보면,
한국과 일본 사회에 소녀들이 문제제기를 하며 목소리를 높였던
여러 국면들을 만날 수 있다. 이 국면들은 '소녀'의 표상에서 확장
된 '소녀적인 것'이라 할 수 있을 것이며 이는 한국사회와 일본사회
의 민주주의에 대해 되짚어 볼 수 있는 계기가 될 수 있을 것이다.

---

19 양정자 편, 『나의 마음은 지지 않았다』, 재일조선인위안부재판을 지원하는 모임, 2011, 103쪽.

소녀적인 것과 민주주의

1950년대 한국전쟁 이후 한국에서 '소녀'라는 개념의 안착이 이루어질 수 있었던 배경에는 대중으로서의 여학생 계층이 폭넓게 확산된 시민사회가 있었다.[20] 이는 '소녀'와 민주주의의 관계를 드러내는 것이라고도 할 수 있을 것이다. 가부장적 '소녀' 표상에 대한 규범을 강화해 온 한국사회를 균열내는 것으로서의 '목소리를 가진' 소녀와 소녀적인 것은 민주주의에 대한 요구에 다름 아닌 것이다. 여기서 '소녀적인 것'이란 권위주의적이고 가부장적인 사회 내에서 박제되어 표상되고 타자화된 '소녀'가 아니라, 시민사회와 '소녀'의 '관계' 속에서 만들어지는 '소녀적인 것'을 말하는 것이다. 이는 한국사회에서 살아 온 자신의 역사와 경험을 토대로 한국사회에 말을 걸고, 대답을 듣는 행위 자체라고 해도 될 것이다. 다시 말해, 민주화 이후의 민주주의에 대한 요구는 '소녀적인 것'으로서 재해석될 수 있다는 것이다. 민주주의에 대한 요구가 끊임없이 새로운 세대들과 함께였음을 기억해보자.

이른바 '민주화'라고 말해지는 1987년 이후 한국사회에 소녀의 목소리가 터져 나오게 되는 것은 언제나 민주화를 요구하는 집

20　김복순, 「소녀의 탄생과 반공주의 서사의 계보: 최정희의 『녹색의 문』을 중심으로」, 『한국근대문학연구』 18호, 2008, 206쪽. 김복순은 1900년 전후의 일본과 1950년대 한국전쟁 이후의 여학생 수의 상황을 비교하며 소녀 표상의 탄생이 식민지 상태인 조선과 식민종주국인 일본을 등치할 수 없다고 보고, 한국에서의 소녀 대중은 한국 전쟁 이후 탄생했다고 보고 있다. 이는 주로 근대 국민국가의 탄생과 함께 소녀와 여학생을 다루고 있는 일본의 상황과는 다르다는 것이다. 김복순은 조선에서 1930년대의 "여학생층은 '특수계층'으로서, '소녀 공동체'라기보다 신지식층에 해당하는 '여학생 공동체'에 해당"된다고 보고 있으며, "1930년의 여성의 문맹률이 89.5% 였다는 사실은 당시의 여학생 층을 '상위 10%내의 특수계층'으로 규정하게 하며, 이들의 존재 근거는 대중석 실체석 집단인 '소녀'가 아니라 특수 엘리트 계층인 '여학생'이었다고 보는 것이 온당하다"고 한다.

회 장소였다고 말할 수 있을 정도이다. 1991년 김학순이 식민지 시기 일본군 '위안부'에 대한 경험을 증언함으로서 소녀들이 살아낸 식민지 시기와 그것을 기반으로 성립된 한국 사회가 드러나게 된다. 또한 2002년 효순 미선 추모를 위한 촛불 집회, 2008년 미국산 쇠고기 수입 반대 집회의 '촛불소녀'는 해방 이후 한국사회가 미국과 어떤 관계를 맺으며 성립된 사회인지를 자각할 수 있게 하였다. 이는 모두 87년 체제라는 형식적 민주주의의 체제에 끊임없는 문제제기를 하며 더 나은 민주주의로 나아가려하는 동력으로서의 여성과 소녀들의 목소리였다고 할 수 있을 것이다.

이처럼 일본군 '위안부'들의 목소리와 평화비, 촛불소녀들의 모습은 단일한 목소리가 아니었다. 각자 자신이 살아온 한국사회와 한국사회의 역사를 기반으로 하여 발언하기 때문이다. 따라서 한국사회에서 '소녀적인 것'은 더 나아간 민주주의를 요구하는 그 다양한 주체들의 경험과 맞닿아 있는 것이라 할 수 있을 것이다. 지금까지처럼 '소녀'를 순결함과 청순함으로 표상되는 정숙한 몸,[21] 혹은 수동화된 이상적 존재[22]로 단순화해 해석해서는 안된다. '소녀적인 것'은 가부장제, 억압적 체제, 이른바 '민주화'라 불려온 기정사실화 된 것들에 대해 문제제기하는 주체들의 여러 목소리들인 것이다.

이러한 '소녀적인 것'을 포착하기 위해 한국에서 일어나고 있

---

21 김은하, 「소녀」, 『여/성이론』 34호, 여이연, 2016, 203쪽.
22 위의 글, 201쪽.

는 민주주의에 대한 요구와 그 움직임에 주목할 필요가 있다. 그 중 지역의 민주화 운동과 일본군 '위안부' 운동의 결합이라는 측면에서 주목할 수 있는 것이 2016년 7월 12일 부산일보사 10층 강당에서 있었던 "나눔의 집 이옥선 할머니 증언 청취 및 일본군 '위안부' 피해자 역사·문학관 설립추진위원회 출범식"이다. 교수, 언론인, 예술인, 정치인, 활동가 등 부산의 각계각층의 시민들이 함께 모여 역사·문학관 설립 추진을 위한 추진위원회 출범 선언문을 낭독하고, 본격적인 모금활동에 들어갔다. 부산에서의 이러한 움직임의 도화선이 되었던 것은 2015년 12월 박근혜 정부와 일본 정부의 일본군 '위안부' 합의이기도 하지만, 이보다 더 전인 8월의 '부산 선언'이라고 할 수 있을 것이다. 교육부는 대학 민주화 투쟁의 결과물이었던 총장직선제를 폐지하기 위해 대학의 정원 감축과 학과 통폐합, 총장직선제 등을 대학 평가지표에 반영하는 식으로 총장직선제를 유지하는 국공립 대학을 압박해 왔다.[23] 부산에서는 대학 민주화의 결과물인 총장직선제를 요구하며 투신한 고 고현철 교수의 뜻을 기리고 계승하기 위해 각계각층의 시민들이 모여 '부산선언'을 발표하였다. 이후 '부산선언'은 12월 28일의 한일 일본군 '위안부'문제 합의에 대응해 '부산선언 2'를 발표하고 민주공원을 비롯한 부산 시내 각처에서 서명작업을 진행했다. 이를 기반으로 하여 일본군 '위안부' 피해자 역사문학관 설립 추진 위원회가

---

23 「돈의 노예 된 상아탑 … 자율성 사라져 암울」, 『광주일보』, 2016. 7. 4. 22., http://www.kwangju.co.kr/read.php3?aid=1467558000580911006

결성되고 모금활동 또한 벌이고 있다.[24]

부산에서 일어난 대학 민주화에 대한 요구가 곧바로 일본군 '위안부' 문제 해결을 위한 운동으로 이어졌다는 것은 시사적이다. 87년 민주화 이후의 민주주의에 대한 요구와 문제제기가 일본군 '위안부' 문제에 대한 관심과 문제제기로 이어지는 회로를 보이고 있기 때문이다. 다시 말해 억압받는 민주주의의 상황을 가장 잘 드러낸 것이 정부의 일본군 '위안부' 합의라는 상징적 사건이라면, 이에 대한 문제제기야말로 한국사회의 민주화 요구와 이어져 있으며, '소녀적인 것'의 한 장면이라 할 수 있을 것이다.

이같은 맥락에서 '세월호 참사' 이후를 살아내고 있는 목소리들은 민주주의에 대한 요구로서의 '소녀적인 것'이라고 할 수 있다. 2014년 4월 16일 인천에서 제주로 가던 세월호의 침몰로 300여 명의 학생들이 사망, 실종되었다. 세월호 침몰 당시의 정부의 대처와 진상규명 및 이후 특별법 제정에 대한 일련의 사태에서 세월호 유가족들이 해 온 일은, 민주주의에 대한 요구에 다름 아니었다. 세월호가 우리에게 호명하는 것이 "너희가 욕망하는 나라는 무엇인가, 너희가 원하는 나라는 어떤 것인가"[25]였기 때문이다. 세월호 유가족들과 거리로 나온 청소년과 시민들의 목소리는 한국사회의 민주주의에 대한 요구, 민주화 이후의 민주주의에 대한 요

---

24 「그동안의 경과」, 나눔의 집 이옥선 할머니 증언 청취 및 일본군 '위안부' 피해자 역사문학관 설립추진위원회 출범식 자료집, 2015. 7. 12.

25 진태원, 「몫 없는 이들의 몫: 을의 민주주의를 위하여」, 『황해문화』 89호, 2015, 205쪽.

구, 즉 '소녀적인 것'이라고 할 수 있을 것이다.

이러한 요구는 한국사회 내부에서만 '소녀적인 것'으로서 드러나는 것은 아니다. 동아시아에 이미 민주주의를 요구해 온 소녀/여성들의 목소리가 있어 왔으며, 놀랍게도 연대해 왔다. 새로운 민주주의를 위해서는 이러한 민주주의를 요구하는 동아시아 소녀/여성들의 연대에 주목해야 할 것이다.

탈제국 소녀

2016년 7월 13일 한국 정부는 국민에게 경상북도 성주에 사드(고고도미사일방어체계, THAAD) 배치를 통보하였다. 한반도에 사드 배치에 반대하는 사람들뿐 아니라, 경북 성주의 주민과 청소년들이 거리에 나와 촛불을 들고 집회를 시작했다. 가장 반대 여론이 높고 집회가 계속해서 열리고 있는 성주에 한국의 언론사들이 집중되었다. 그리고 주요 텔레비전 뉴스에서 "성주 투쟁위 '평화집회' 약속, 경찰 '외부세력' 개입 수사"(MBC, 17일), "성주 사드 시위 후폭풍…외부세력 개입"(YTN, 18일) 등의 제목으로 보도되기 시작했다. 집회에서 발언을 한 이재동 농민회장은 평생 성주에서 살아왔는데, 언론에서 '전문 시위꾼'이라고 하기도 한다면서 현장의 목소리를 언론이 제대로 전달하지 않는다고 비판하였다.[26] 또한 성

---

26 민일성, '성주농민회장 "'세월호때 이렇게 당했구나' 군민들 언론에 분노",〈고발뉴스닷컴〉, 2016. 7. 18. http://egloos.zum.com/garisangod/v/11225518

주 군민들은 이러한 언론에 대해 '세월호 때 그분들이 이렇게 당했구나', '우리 성주도 저렇게 당하는 거 아니냐'[27]라며 불안과 분노를 보이고 있다. 놀라운 것은 성주 군민들이 세월호 사건과 자신들을 동일시하고 있다는 것이다. 사드 배치 결정에 반대하며 거리로 나온 청소년들의 모습은 세월호 사건 이후 거리로 나와 촛불집회를 주도했던 청소년들의 모습과 겹쳐진다.

성주뿐 아니라 한반도 어느 곳이라도 사드가 배치되지 않기를 바라는, 성주에서 살아온 지역 주민들의 민주주의에 대한 요구는 '소녀적인 것'과 맞닿는다. 성주에서 저녁마다 이어지는 촛불 집회에는 성주에서 평생을 살아온 노인, 성주에서 살아갈 젊은이들이 동참하고 있다. 이들의 촛불이 또 다른 '소녀'들인 것은 아닐까. 제국주의에 문제를 제기하며, 전쟁성폭력의 희생자가 되었던 '소녀'들, 일본군 '위안부'들이 사죄와 진실을 요구했던 민주주의는 사드 배치 반대를 외치는 성주의 주민들의 목소리와 민주화에 대한 요구와 다른 것이 아닐 것이다. 생계와 생활을 지키고, 삶의 존엄을 지키기 위해 일본군 대사관 앞에서, 세월호 집회에서, 사드 반대 집회에서 싸우고 있는 이들의 민주주의에 대한 요구야말로 '소녀적인 것'이라 할 수 있을 것이다.

일본군 '위안부'였던 소녀의 목소리는, 할머니의 목소리로, 진실을 요구하는 세월호 가족들의 목소리로, 전쟁을 반대하는 지역 주민의 목소리로 일본 제국주의 시대의 군사 지형으로 재편되고

27 같은 글.

있는 신냉전 시대의 제국들에게 강력한 문제제기를 하고 있다. 탈제국 소녀의 역사는 이미 일본군 '위안부' 운동으로부터 시작되었고, 한국사회의 민주화, 동아시아의 평화로 이어져 가고 있는 것이다.

위안부 '소녀상'과 '국민 프로듀스'의 조우:
이상한 이상화의 징후[1]

현시원

소녀상은 단수인가 복수인가?

평화의 소녀상(이하 소녀상)은 단수인가, 복수인가? 2011년 12월 14일 위안부 문제 해결을 촉구하는 수요 집회 1000회를 맞아 서울 종로구 중학동 주한 일본대사관 앞에 제작된 소녀상은 물리적으로 하나가 아니다. 이 글을 쓰고 있는 2016년 6월 현재 소녀상은 포항, 원주, 울산, 천안, 군산, 고양 등을 비롯해 국내 30여 곳에 건립되었고 미국 캘리포니아 주, 호주에도 존재한다. 나는 이 글을 쓰기 위해 서울 종로구 일본대사관 앞에 있는 소녀상을 여러 번 찾았다. 그리고는 '정면으로 응시한다'는 문장을 적고 싶었던 것 같다. 하지만 정면으로 소녀상을 대면하는 일은 불가능에 가까웠다. 갤러리의 화이트큐브도 극장형 블랙박스도 아닌 거리 한가운데 위치한 소녀상을 대면하러 온 이의 눈에 들어오는 것은 금색으로 빚어진 소녀상의 존재가 아니었다. 소녀상에 집중하지 못하는 나의 눈은 큰 건물, 사람, 사건들을 옮겨다니며 둘러보고 있었다. 소녀상을 둘러싼 현실은 소녀상을 화이트큐브에 위치한 작품으로도, 관계와 참여로 대화를 도모하는 공공미술로도 볼 수 없게 만든다. 위안부 피해 할머니들을 재현한 소녀상은 하나의 모뉴먼트

1   본 글은 2016년 6월 7일 서울국제여성영화제 포럼 '일본군 위안부의 재현과 문화정치'에서 발표한 원고 「이상한 이상화의 징후-국민 프로듀서와 소녀상」을 수정 보완한 것이기도 하다. 이상한 이상화라는 단어는 주체가 원하지 않는 '수동적 이상화'의 측면을 의미한다. 위안부 할머니들의 모습을 재현한 조각상 '평화의 소녀상'에 대한 발표를 준비하며 지난 봄 먼저 떠올린 것은 글쓴이가 지금으로부터 딱 10년 전 한 포럼에서 발표했던 「이상한 이상화의 징후-현모양처 프로젝트와 근대미술 속 여성」이라는 논문이었다. 2006년 5월 박근혜 전 한나라당 대표가 습격을 당한 사건의 신문보도 이미지에서 출발했던 소논문은 병상에서도 흐트러지지 않던 박근혜의 헤어스타일에서 출발해 박정희 정권 시절 영부인 육영수를 매개로 하는 '양처현모 프로젝트', 그리고 1920-30년대 국가미술전람회에서 전시된 그림 속 여성 좌상 이미지를 분석하는 것으로 이어졌다.

monument가 아니다. 아직 정치적 논쟁을 야기하는 현재진행형의 산물이기 때문이다.

소녀상을 바라보는 관람자의 눈동자는 높이 130cm의 물체 앞에서 살짝 흔들린다. 하나의 이미지 위에 여러 개의 이미지가 겹쳐진다. 높게 쳐진 가름막, 낮밤으로 순번을 매겨 소녀상 곁을 지키는 서너 명의 대학생, 그중 한 명이 박근혜 정부와 일본의 협약 내용이 담긴 인쇄물을 들고 다가와 짧은 설명을 들려준다.[2] 소녀상 맞은편에 위치한 경찰 버스와 전경들은 인체 조각상인 소녀상에

---

2   소녀상지킴이 대학생농성은 2015년 12월 28일 한일 외교장관의 위안부 문제 합의문 발표에 따라 소녀상이 이전될지도 모른다는 우려가 높아지면서 행동에 나선 대학생들의 움직임으로 농성을 이어가고 있다. https://www.facebook.com/no1228

대비되는 '살아있는' 사람들이다. 소녀상 뒤로 보이는 나비 모양 포스트잇은 소녀상이 마치 살아있는 인물이라도 되는 듯 존댓말을 쓰거나 친구에게 건네는 말투를 혼용해 작성된 메시지가 담겨 있다. 소녀상은 의자에 앉아 반대편 방향을 응시한다. 스마트폰 카메라 기능을 사용해 소녀상을 '줌인' 촬영하면 화면 안에 소녀상만 클로즈업해 담을 수 있다. 그러나 소녀상은 다방면에서 복수의 주체들을 불러낸다. 2016년의 서울과 국내의 다른 도시들, 해외까지 이동하는 소녀상에 대한 SNS 반응은 소녀상이 기폭제가 되어 만들어낸 장면들이다. 이 모든 실제 사건들을 배경으로 앉아있는 소녀상, 소녀라는 이미지는 여러 질문들을 첨예하게 건드린다.

소녀상의 전파와 변형

언론과 SNS를 통해 숱하게 전송 배포된 소녀상 이미지는 피그말리온의 오래된 숙명처럼 소녀상의 존재를 환영과 실재, 기념과 기억의 매개체로 인지하게 한다. 피그말리온은 애초에 곁에 영원히 둘 수 없는 것을 존재하게 하려는 열망을 담고 있다. 그러나 그 인체 조각상은 또한 그 열망의 한계와 불가능성을 은유한다. 2016년 대한민국에서 소녀상은 기억과 역사의 모순을 물질화하고 사용하는 '이상異常한 이상화理想化'의 징후들을 보여주며 작동한다. 소녀상을 둘러싼 모든 사건들을 이상하다고 말할 수 있을까? 무엇이 이상하며, 무엇이 그렇지 않은가? '이상함'으로 쉽게 규정하지 않고 잘게 쪼개 분별하기 위하여 도리어 이상하다는 말이 필요하다고 주장해볼 수도 있을 것이다. 소녀상 뒤에 붙은 노란 포스트잇과 전국과 세계로 뻗어나가는 온오프라인의 관심은 소녀상을 집단적 이미지로 변형시킨다. 인터넷에서 소녀상의 JPG 이미지는 손쉽게 찾아볼 수 있고 언론매체와 소셜 미디어 등을 통해서도 자주 접할 수 있다. 소녀상을 만든 조각가 김서경과 김운성은 10-30cm 크기의 소녀상을 제작배포하기 위해 2016년 2-3월 텀블벅을 통해 약 2억 6천만 원의 후원금을 모았고[https://tumblbug.com/peace] 제작비를 제외한 기금을 정의기억재단에 후원했다.

　이처럼 소녀상은 고정된 대상이 아니다. 최초의 소녀상이 위치한 광화문과 서울, 그리고 전국의 곳곳에서 누군가 올려놓은 사물들과 화답으로 인해 소녀상의 외양은 변화한다. 직접 떠서 소녀의 목에 걸어두고 간 노란 목도리는 소녀상이 갖고 있던 일제침략기 위안부 할머니들을 재현하는 문제, 민족과 젠더의 형상화를 둘러싼 의미 작용의 틀을 훌쩍 뛰어넘는다.[3] 소녀상을 바라보는 수많은 관람자들은 소녀상에 즉각 반응하며 여러 기호를 덧입힌다. 이들은 위안부 피해 할머니들에게 의견을 전하는 메신저 삼아 대화를 건네기도 한다. 정반대로 위협을 가하는 주체들도 있다. 소녀

3　「'평화의 소녀상'을 둘러싼 정치 사회 예술적 의미」, 『문화+서울』, 2016년 4월호. 이 대담에서 미술평론가 이태호는 '장소특정적(site specific)' 의미를 강조하며 위치에 따라 소녀상이 다른 형태가 나오면 좋을 것이라 평했고, 김준기는 시민사회와 개인에게 다가가는 사회적 소통의 역할을 하는 예술 공론장으로 소녀상을 의미화 했으며, 이택광은 소녀상이 국민과 민족은 동일하지 않음을 보여주며 핵심은 위안부 협상에 있다고 주장했다. 한편 소녀상에 대한 글로는 일간지, 주간지 등의 기사보도, 칼럼 등이 여럿 있으며 김진령의 「한국을 휩쓰는 평화의 소녀상 설립 열기」(『내일을 여는 역사』, 174-191쪽, 2016) 등이 있다.

상 철거를 주장하는 일본정부의 주장을 비롯하여 소녀상이 언제 고 사라질지 모른다는 흉흉한 공포와 위협이 가해진다. 소녀상은 고정된 기념상이 아니라 여러 번 사용하고 전송됨으로써 의미를 생성하고 획득하는 이모티콘과 같은 역할을 한다. 미술제도 내의 조각 작품이 작가의 최종 승인 하에 완결된 상태를 유지해야 하는 것과 달리, 소녀상은 제작자 외에 다중의 시각적 참여가 덧입혀진 다. 보는 것에서 멈추지 않고 직접 방문과 참여로 보는 방식을 '사 용'한다고 말해볼 수 있을 것이다. 추모의 꽃을 놓아두는 기본적인 묵례의 인사에서부터 날씨가 추우면 붉은 털실 목도리를 가져오 고, 비가 오면 우산을 가져다 놓는 일들이 쉴 새 없이 벌어진다. 이 러한 행동들은 온라인 인터페이스 안의 소녀상을 검색하면 실시 간 뜨는 수 억 개의 이미지 데이터를 양산해낸다.

예비 주체

잊을 수 없는 역사적 만행을 겪은 위안부 피해 할머니들은 '소녀 상'으로 변형 배포되는 이미지가 되어 여럿의 동상으로 세워지고 있다. 일본 정부가 보기에 소녀상은 자신들의 극악무도한 치부를 드러내는 위협적인 상징물이다. 한편 2016년 상반기 한국에서 '소 녀'는 한 텔레비전 프로그램 안에서 단체로 총동원되어 등장하는 살아있는 재료가 되었다. 케이블채널 티브이엔tvn은 피라미드 대 열로 서있는 101명의 여성 연습생들을 배경으로 '대표' 장근석이 마이크를 들고 진행하며 이들 중 11명을 걸그룹으로 데뷔시키는 프로젝트를 방영했다. 나는 이 텔레비전 프로그램에서 수많은 소녀들의 단체 쇼트, 일명 '떼샷'을 보았고 이들을 가까이에서 또 멀리서 보면서 누가 누군지 어렵지 않게 분별할 수 있다는 사실에 놀랐다. 너무도 다른 성격, 재능, 표정과 제스처를 가진 101명의 소녀들을 똑같은 무대와 프로그램 장치에 올리는 메커니즘은 무엇일까? 모두 다 다른 소녀들의 개별성을 단체 쇼트로 묶어버리는 단순한 힘은 무엇이었을까. 그것은 바로 모든 소녀들이 101명 중 걸그룹 센터가 되고 싶어 한다는 중심 지향성과 스타가 되고 싶다는 성공 신화를 갖고 있을 거라는 단일성에 대한 신화다. 즉 '모든 소녀는 사회 안에서 같은 꿈을 꾼다'는 어른들의 간단하고도 간곡한 믿음이다. 먹이사슬을 직접적으로 떠올리게 하는 피라미드에 소녀들을 앉힌 무대 구성의 잔인함은 차라리 귀여운 것일 지도 모른다.

2016년 1월 케이블채널 티브이엔에서 방영한 〈프로듀스 101〉 (2016년 1월 22일-4월 1일, tvn)은 연습생이 춤과 노래, 끼와 실력을 발휘하면 시청자 투표를 통해 최종 결정된 멤버들이 실제 걸그룹으로 데뷔한다는 시나리오에 의해 작동되는 서바이벌 리얼리티 프로그램이었다. 프로그램에서 101명의 소녀들이 허리를 90도로 숙여 인사하는 대상이 누구였냐 하면, 텔레비전 화면에는 절대 모습을 드러내지 않는 소위 '국민 프로듀서님'이었다. 긴 생머리에 무릎 위에서 한참 올라온 짧은 주름치마의 교복을 입은 이들은 걸그룹 데뷔라는 목표를 향해 한국 사회의 집단성과 경쟁 시스템을 온몸으로 구현한다. 2016년의 대한민국이 만들어낸 이 특수한 소녀들의 풀 쇼트는 무엇인가? 소녀들은 정말 자신이 원하는 세계로 진입할 수 있을까? 그런 세계는 실재하기는 하는 건가? 방송에서 카메라가 자주 비췄던 것은 고된 연습기간으로 훈련된 이들의 댄스와 노래뿐만이 아니었다. "국민피디님을 실망시키지 않겠다"는 소녀들의 각오였다. 끝없이 선배 가수와 코치들의 심사를 받는, 만화 캐릭터에 등장하는 고양이나 강아지처럼 스스로 모에화하는 소녀들의 커다란 눈동자가 화면의 주인공이었다.

〈프로듀스 101〉에 등장하는 101명에 이르는 소녀들은 공통적으로 스타로서는 덜 완성된 예비 주체로 그려진다. 현재 상황 자체로 존재요건을 갖춘 1인 주체가 아니라는 점은 이들이 화면 안팎에서 끊임없이 움직이는 이유이기도 하다. '기획사의 연습생 주체란 과연 무엇인가' 라는 질문은 2016년 청소년 시기를 보내는 대한민국의 소년소녀들에게 매우 중요한 문제가 아닐 수 없다. 자신의 꿈을 이룰 수 있도록 선택받은 걸그룹, 그 중에서도 오직 한 명뿐인 센터가 되기 위해 고난도의 훈련과 평가를 받는 프로그램에서 가장 관습적인 것은 소녀들'끼리' 내부 경쟁하게 만드는 시스템이다. 시청자는 소녀 한 명의 존재를 보기보다 서너 명 이상의 그룹 내에서 경쟁하고 비교되는 것을 본다. 여기서 각자 차지하는 캐릭터를 형성하는 것은 교복과 긴 머리의 일본 애니메이션에서 비롯된 소녀들의 이미지 분석 못지않게 중요하다. 이것은 소녀들의 내면을 바라보고 통제하려는 어른들의 시스템이다. 물론 노래와 춤과 휴먼 다큐가 있는 서바이벌 프로그램을 보며 심각한 눈초리로 시스템 운운하는 것이 고리타분한 일처럼 보일 수 있다. 소녀는 원하는 것을 향해 나아가고 있고 노래와 춤을 사랑하기에 이 냉혹한 먹이사슬의 경쟁 체제 안에 제 발로 걸어 들어갔다고 생각할 수 있기 때문이다. 그러나 〈프로듀스 101〉을 통해 말하고자 하는 것은 왜 하필 한 명의 소녀가 아니라 집단 이미지로서의 군집된 소녀들이 한국 사회에 관습적으로 익숙한 것이 되었는가 하는 점이다.

2016년 매스 미디어에 등장한 소녀는 단독 이미지로 나타난 횟수보다 단체 컷으로 등장하는 경우가 많다. 걸그룹 '센터'를 도맡아하다 자기 이름을 걸고 배우나 광고모델로 활동하는 수지, 설현 등을 제외하면 거의 모든 십대 소녀들의 이미지는 4명 이상의 그룹 안에 있다. 이들은 긴 머리, 단발머리, 단발머리와 어깨를 조금 넘는 헤어스타일 등으로 캐릭터를 나눠가진다. 화면에 등장하는 대로 대략 분류하자면 얼굴이 예쁜 소녀, 몸매가 좋은 소녀, 털털한 성격으로 아저씨들과 입담을 대결할 정도의 배포를 가진 소녀, 엉뚱한 4차원 소녀 등을 연기한다고도 말해볼 수 있겠다. 이 집단 이미지 속에서 소녀는 자신의 고유한 캐릭터를 가진 주체로 등장하기보다 대규모 무리 안에서 '센터'가 되기 위해 경쟁하는 예비주체들에 가깝다. 어른과 아이의 중간 지대로서의 소녀가 신체 나이로 13세에서 18세의 나이로 통용된다면, 대중매체 안에서 등장하는 소녀들의 이미지는 꿈을 갖고 있으나 이 꿈을 이루기 위해서는 남자 성인 어른으로 통칭되는 다수의 선택권을 받아야만 하는 수동적 이미지로 존재한다. 물리적 나이 따위와는 상관없다. 모니터의 중심 화면을 차지하려는 소녀들의 이전투구는 소녀 단 한 명을 제외하고는 그 누구도 충분히 마음껏 행복할 수 없는 단편적인 경쟁논리를 따른다. 물론 프로그램 안에서 전소미, 김소혜 등 각각의 소녀들은 자기 의견을 거리낌 없이 말했고 춤과 노래에 대한 재능과 훈련은 물론 누구도 따라올 수 없는 자신감을 갖고 있었다. 그럼에도 불구하고 '센터' 아래로는 모두 다 삼각형 구도의 피라미드로 배치된 의자에 앉는 약육강식 형의 무대를 반복적으로 화면에 내보냈다. 다음 방송 회차면 경쟁에서 누락되어 굿바이 인사를 해야 하는 소녀들은 눈물을 짓거나 스스로 반성하는 모습을 보였을 뿐, 기준과 심사의 취약함에 대해서는 누구도 반문하거나 분노하지 않았다.

변화하는 얼굴

소녀상 또한 걸그룹이 되고자 했던 소녀들이 그러했듯이 다수의 형태로 존재한다. 물리적 공간 곳곳에 흩어져 있으며 인터넷에서는 여러 개의 이미지가 한꺼번에 검색된다. 소녀상에서 관람자는 과연 무엇을 보는가? 소녀상을 한반도의 역사라는 거대한 상상적 전시장에 놓인 작업이라고 생각해보자. 조각상을 처음 고안한 것은 두 명의 조각가였지만 소녀상은 현실 맥락에 의하여 계속 변화한다. 신문 보도사진으로 등장해온 소녀상 이미지는 행인이 신겨 놓은 양말, 털모자, 칭칭 감긴 목도리와 함께 하며 외양을 변형해 나간다. 그러나 목도리가 어떤 색인지, 꽃다발이 어떤 느낌인지 개별 상태의 디테일은 중요하지 않다. 중요한 것은 소녀상의 외양이 계속하여 변화하고 있다는 사실 자체이다. 소녀상은 일제 만행을 시각적으로 가시화해 구현하고 있고 일본의 충분한 사과 없이는 그 어떤 물적 보상도 정신적·육체적 고통을 보상할 수 없다는 현실을 드러내기 때문에 그 존재만으로도 위안을 주는 상징물이다. 소녀상을 바라보는 모든 이들은 언제고 소녀상 앞으로 다가와 어떤 작은 사물을 놓고 갈 자유가 있다. 위안부 피해 할머니들의 존재에 목소리를 보태고자 하는 이들은 참여적 태도를 갖고 다가간다. 한편 소녀상은 찾아오는 손님들을 맞이하며 계속 가변적인 이미지 상태를 유지한다. 불특정 다수, 거의 모두가 소녀상의 잠재적 관람자이자 변형자인 셈이다.

이미지 변형의 대상으로서 소녀상은 위안부로 끌려간 할머니의 과거였던 소녀의 모습에서 출발한다. 소녀상을 인격체로 대하고 보살펴주어야 한다는 일부의 생각은 마치 애완동물과 자신보다 작은 아이들을 '귀엽다'고 바라보는 인식의 틀과 궤를 같이한다. 〈프로듀스 101〉의 소녀들을 보고 쉼 없이 '품평'을 해대는 소비자이자 판정단이었던 시청자들이 신진 연예인의 운명을 결정지을 수 있다고 잠시나마 착각했다면, 소녀상을 보는 관람자들은 소녀상을 인정하고 바라보고 때로는 찾아감으로써 과거 일제 침략의 만행에 저항하고 소녀상의 존재를 더 가치 있게 만드는 데 일조하고 있다는 믿음을 갖는다. 소녀상의 이미지를 잠시나마 가용할 수 있는 사용 권한을 쥐고 있는 것이다. 소녀상은 유일무이한 조각 작품이 아니라, 거리에서 우연히 마주칠 지도 모르는 다수로 존재하고 계속 신문 뉴스에 보도된다. 소녀상이라는 물리적 대상을 의인화하여 감정을 투사하는 것은 위안부 피해 할머니들의 목소리와 존재에 지지를 표명한다는 작은 표현인 셈이다.

그러나 정말 거리에 놓인 소녀상은 귀여운가? 소녀상의 도상은 철저하게 관습적인 여성의 외양을 구현한다. 소녀상 위에 달라붙은 설명 또한 어느 정도 예상가능하다. 소녀상의 외양을 자세히 살펴보자. 작가가 전하는 상세한 풀이는 언론 인터뷰 등을 통해 알려진 바 있다. 소녀상의 어깨에 앉아있는 새와 바닥에 붙은 하얀 나비는 자유와 평화를 상징한다. 나비로 환생해서라도 일본의 사과를 받아야 한다는 희망을 전달한다. 소녀의 주먹 쥔 손과 뒤꿈치가 살짝 들려있는 모습은 각각 주체적인 소녀로서의 결연한 의지, 고향으로 돌아와도 갈 데가 없었던 처지를 뜻한다. 앉아있는 소녀 옆에는 빈 의자가 설치되어 있고, 뒷바닥에는 그림자가 형상화되어 있다. 작가들은 소녀상 옆에 있는 빈 의자에 대해서는 좀 더 긴 설명을 덧붙이기도 했다. 먼저 떠난 할머니들이 이 자리에 함께 하길 바라는 것과 더불어 소녀상을 찾은 사람들이 이 자리에 앉아 함께 했으면 하는 의지를 전하고자 했다는 말을 덧붙였다.[4]

집단 이미지로서의 소녀상

조각상이 위안부 할머니들을 '소녀'로 재현하면서 소녀상은 '저화질 이미지poor image'가 된다. 내적 외적 불안정성을 가진 소녀라는 주체와 위안부 할머니들의 끝나지 않은 고통과 저항을 담아내는 소녀상은 어디로 보나 유약하다. 소녀상을 유약하다고 인식하는 것 자체가 편견임을 부정할 수 없으나, 물리적으로 소녀상은 철거와 이전의 위협에 맞닥뜨리고 있다는 점에서 다시 한 번 유약한 물체다. 2016년의 오늘의 시점에서 소녀상을 보자면 광화문 소녀상의 경우 이를 지키는 대학생들이 상주하기는 하지만 소녀상은 외부의 위협으로부터 안전장치가 없다. 소녀상을 보는 관람객인 나는 지금 눈앞에 있는 소녀상 이외에도 누군가에 의해 옮겨지거나 부서지고 부정되는 도상파괴의 상태와 결부된 '소녀상'의 불안한 미래를 본다. 이 시선은 위안부 여성들의 과거에서 비롯된 은유이며, 현재 존재하는 이미지-상의 묘한 수동적 상태를 포함한다. 온라인에서의 소녀상은 어떨까. 소녀상 이미지는 수십 번 복사, 붙여넣기로 번식되고 손쉽게 클릭되어 여기저기로 이동한다. 조각의 물질적 상태를 유지하는 오프라인에서도 누군가 와서 신발을 신겨주면 거부할 도리가 소녀상에는 없다. 누군가 소녀상에 환대와 응원과 때로는 추모의 목소리를 덧입히고 싶다면 소녀상은 그 의사에 취약하게 기댈 수밖에 없는 것이다. 광화문에 있는 세종대왕과 이순신 동상에 그 누구도 쉽게 위협을 가할 생각을 하지 않

---

4   백지홍, 「인터뷰-비극과 희망을 담은 소녀상」, 『미술세계』, 미술세계 41호, 56-65, 2016.

는다는 점을 떠올려보자. 2015년 12월 28일 한일 위안부 협상에서 일본은 소녀상 철거를 주장하였고, 그간 소녀상 옆에 말뚝을 박거나 망치로 머리를 내려치는 등의 테러행위도 발생하였다.

한편 독일의 미술작가이자 저술가인 히토 슈타이얼Hito Steyerl은 이미지들의 존재방식에 대해 쓴 「저화질 이미지를 옹호하며」라는 글에서 아이폰과 구글 등 온라인 전반의 시스템에서 대량생산 유통되는 이미지들을 '저화질 이미지poor image'라 부른다. 메니페스토처럼도 읽히는 이 짧은 글에서 오늘날의 현대미술, 영화, 인터넷 등에서 빈번하게 숙주하는 저화질 이미지는 돌아다니는 사본이자 평균이하의 해상도를 가진 이미지다. 숱한 저화질 이미지들은 "업로드, 다운로드, 공유와 재포맷, 편집의 과정을 거치면서 질quality을 접근성으로 바꾸고, 깊은 사고를 기분전환용 소일거리로 변환"시킨다.[5] 히토 슈타이얼은 화려하고 풍성한 이미지가 가진 고해상도나 자본주의적 교환가치가 아니라, 속도나 격렬한 배포 방식을 기준으로 정의되는 새로운 형태의 가치기준을 생각해보자고 말한다.

인터넷에서 다양한 각도의 사진 이미지로 확산되고, 찾아온 사람들에 의해 모습이 변하는 소녀상은 스마트폰과 구글이 지배하는 오늘날의 시각 환경에서 새로운 차원의 이미지 번식을 만들어낸다. 애초 일본 제국주의의 만행을 기억하기 위해 제작되었던 소

---

5 Hito Steyerl, "In Defense of the Poor Image", *e-flux*, 2009.
http://www.e-flux.com/journal/in-defense-of-the-poor-image 이 글이 실린 *The Wretched of the Screen*는 2016년 9월 국내 출간되었다. 히토 슈타이얼, 『스크린의 추방자들』, 김실비 역, 워크룸프레스, 2016.

녀상은 조각가 김서경, 김운성에 의해 형태가 1차 완결되었지만 이제 아무 것도 신지 않은 발에 신발을 신겨주거나 추운 겨울에 털목도리를 감아주는 등의 개입을 통해 소녀상은 관람자들과 끝없는 커뮤니케이션을 한다. 이 커뮤니케이션은 소녀상의 이전과 철거에 맞서는 방어적 항변이기도 하다. 한편 히토 슈타이얼이 말한 바와 같이 일본군 위안부 피해 할머니의 정치적 이슈를 "기분전환용 소일거리"의 이미지 감상으로 변환시키는 측면도 존재함을 부인할 수 없다. 소녀상의 존재를 전국 곳곳, 대한민국 밖까지 확산된 다수의 소녀상은 마치 분신술과 같이 하나의 힘을 여러 개의 힘으로 강력하게 증폭시키고자 하는 의지의 표명일 것이다. 그러나 역설적으로 소녀상의 건립 숫자가 늘고, 온라인상의 이미지가 확대된다고 하여 소녀상 자체의 메시지가 강력해지는 것은 아니다. 앞서 글에서 언급했듯이 2016년 2월 김서경, 김운성 작가가 후원자를 모집하는 웹사이트인 텀블벅(https://tumblbug.com/peace)에 제안한 작은 소녀상 만들기 프로젝트는 단 며칠 만에 목표치인 1억을 266%나 넘겨 모금됐다. 10cm, 20cm, 30cm의 축소된 소녀상은 온라인 플랫폼을 통해 전국 곳곳에 위치한 누군가의 눈앞으로 대거 이동할 것이다. 소녀상에 대한 반응이 폭발적이었고 소녀상 이전을 요구하는 일본 정부 역시 소녀상이 가시화하는 힘을 분명하게 인지하고 있지만 소녀상 이미지를 가볍게 일괄적으로 확산시키는 것, 소녀상을 둘러싼 일화들을 극화하는 것만이 능사가 아니라는 것을 많은 이들은 이미 알고 있을 것이다.

'평화의 소녀상'은 소녀상과 소녀상의 변형을 둘러싼 이후 사건들을 모두 지시하는 총체적인 어휘다. 우리가 지금 마주하고 있는 '소녀상'은 간단하게 설명되지 않는다. 이 어린 여자를 재현한 물질은 결코 간단하지 않은 맥락을 겹겹으로 포괄한다. 소녀상은 어리지만 동시에 늙었다. 한 조각가 팀이 시작해 만들어낸 소녀 이미지는 지금 이 순간에도 소녀상을 보러 찾아오는 이들을 통해 계속 변화하는 모습을 갖는다. 소녀상은 위안부 피해 할머니들의 꿈과 한을 표현하며 과거 일제의 만행으로 고통을 겪은 어린 소녀들을 눈앞에 가시화한다. 분노의 대상을 향해 묵묵히 대항하는 소녀상은 건립 장소를 찾아온 누구나 볼 수 있고 만질 수 있다는 점에서 끝없이 새로운 주석이 붙여진다. 손가락 하나로 스마트폰 이미지를 확대하고 축소하는 변용을 자유로이 하듯, 소녀상은 정치적 힘을 가진 강력한 이미지가 되었으나 그 사용과 확장에 있어서는 열려있으며 속도가 빠르다.

이제껏 건립된 소녀상의 얼굴 표현과 자세 또한 모두 다 다르다. 예를 들어, 남해군 숙이공원에 위치한 소녀상은 '숙이'라는 이름을 가진 소녀상으로 현재 94세 박숙이 할머니를 모델로 하여 붙여진 이름이다.[6] 서양미술의 초상화 역사에서 모델과의 '닮음 likeness'이 주요 논점으로 자리해왔다면, 소녀상 '숙이'는 박숙이 할머니와의 외모의 유사성이 아니라 기억 속에 있는 과거의 어린 자

---

6   「아흔넷 위안부 피해자 할머니의 뜨거운 눈물」, 『오마이뉴스』, 2016년 5월 21일 자.
http://www.ohmynews.com/NWS_Web/View/at_pg.aspx?CNTN_CD=A0002211365

기 자신과 만난다. 어린 소녀는 서있고 옆의 의자에는 바구니와 호미가 놓여있다. 실존인물인 숙이 할머니가 자신의 과거와 만나는 장면을 언론사가 보도하면서 소녀상 숙이는 매우 독특한 '2인 쇼트'를 만들어낸다. 소녀상 중에서 흔치 않게 특정인물을 지시하는 이 소녀상조차 가리키는 대상의 레이어는 한없이 두꺼워진다. 그런가하면 서울 대학로 부근에 세워진 중국에서 일본으로 끌려간 위안부와 나란히 있는 2인 소녀상과 미니어처 크기로 전 세계를 돌고 있는 소녀상에 이르기까지, 소녀상은 제각기 다른 모델을 취한다.[7]

광주 시청 잔디밭에 위치한 소녀상은 대학 휴학생이 국민모금을 통해 제작한 것으로 한복 저고리를 입고 오른손을 하늘로 길게 뻗고 있다. 이 모습은 소녀보다는 주름진 옷고름, 허공을 쳐다보는 시선 등이 반공주의를 외치는 웅변적 꼬마 남성 조각상을 더 닮아있다. 이화여대 근처에 나비 모양의 날개를 달고 서 있는 평화비를 비롯해 지금은 입상 자세의 소녀상도 제작되었으나 앉아있는 소녀상은 근대 시기 국가미술전람회의 보편적 주제였던 여성 좌상의 한 이미지를 복사한 듯 닮아있다.

---

7 「소녀상 싣고 엉덩이로 여행-일본군 '위안부' 소녀상과 함께 러시아, 핀란드 등 세계 일본대사관 도는 '모터사이클 다이어리'」, 『한겨레21』 제 1113호, 2016년 5월 23일 발행.

한 명의 소녀는 어떻게 가능한가

소녀상을 말하기 위해 어디에서부터 뻗어 나가야 할까? 한 명의 소녀가 동상의 형태로 한국이라는 무대의 전시장 앞에 자리하기 위해서는 어떤 요건이 붙어야 하는가? 소녀상이 도플갱어처럼 수십 개 확산되고 있는 상황은 미술의 맥락에서도, 정치 현상의 맥락에서도 유일무이한 일이다. 이 절에서는 소녀상 하나의 존재에 집중하여 이제껏 한국 미술사에서 여성인물의 재현이 어떤 식으로 이뤄졌는지를 살펴보려 한다. 일본대사관 앞의 소녀상은 의자에 앉아있다. 앉아있는 형태의 조각상이나 회화 작업은 통상 '좌상'으로 분류된다. 좌상은 근대 미술계의 강력한 제도였던 국가미술전람회에 앉아있던 수많은 여성 조각상과 그림들을 떠올리게 한다. 한국 근대 미술 화단에서 '조선미술전람회'(1922-1944)를 통해 생산된 여성 이미지들은 대부분 앉아있는 좌상의 전통적 여성상이었으며 현모양처로서 국가와 사회를 위한 생산력을 구비한 성인 여성을 모델로 해왔다.[8] 소녀의 경우는 어떻게 그려졌는가? 남아있는 사례로 일반화할 수는 없지만 20세기 초중반 그려진 소녀들은 물감을 쥔 화가의 자제이거나 타자로 대상화된 여인들이었다. 어떤 여성이 역사의 기억 속에 남아있고 어떤 여성이 사라지는

---

8   근대 미술 화단에서 여성 이미지는 개별적 자아를 가진 다양한 모습으로 표현된다기보다는, 기생과 미인도처럼 성적 대상이거나 현모양처로 양극화되어 재현되었다. 근대사회의 수립 과정에서 새롭게 권력화된 남성=사회에 의해 여성은 타자화 되고 양극화 되어 규정되었기 때문이다. 더욱이 사회적으로 일제 강점기라는 특수한 상황 때문에 근대 여성인물화는 '남성과 일제'라는 이중의 주체에 의해 대상화되어 드러난다. 당시 미술 경향을 대변하는 '조선미술전람회'는 1922년 조선총독부의 지원으로 식민지 본국인 근대 일본의 관전제도를 모방해 창설되었는데, 이후 미술의 공중(公衆)화와 관변 작가상의 배출, 관학풍 양식의 육성 등 한국 근대 미술의 구조와 체질에 큰 영향을 끼치게 된다.

지를 떠올려 보자. 그러나 떠오르는 구체적인 이미지가 거의 없다. 대부분의 여성은 한반도 역사 안에서 소리 없이 사라진다. 그나마 남아 있는 소리 중 떠도는 것은 무모한 희생이거나 추악한 소문인 경우가 많다. 남아있는 여성이 자리하는 곳은 부박하더라도 논증과 대화 가능한 현실이 아니라 일방의 논리로 강요된 비이성이거나 차라리 혼란, 꿈의 영역인 경우가 대부분이다.

단일한 조각상으로서 소녀상을 말하고자 할 때 우리는 동상이라는 이미지의 물질적 형태를 떠올려 봐야 한다. 끈질기게 남아있는 물질의 특성을 갖기 때문이다. 소녀상은 역사와 현재가 공존하는 매우 가까운 역사적 시간에 바탕한다. 동상은 사라진 대상을 영구적으로 기억하고 기념하기 위해 남기는 물질적 형태로, 오랜 역사를 갖고 있다. 대한민국 근대사에서 동상을 만든 주요 주체는 국가였다. 제1공화국의 동상 제작을 폭넓게 연구한 조은정의 논문에 따르면 기념물로서의 동상과 영정 모델은 미국 장군, 위인, 영도자 세 가지로 분류할 수 있다. 미군정 이후 국가로서의 체계와 정체성을 수립하던 시기, 지금 광화문 광장의 중심부를 차지하고 있는 충무공 이순신 장군을 비롯한 역사적 위인이 대표적으로 제작되었다. 가부장 국가는 외국인도 일부 수용했는데, 맥아더, 콜터, 밴플리트 장군 동상이 이에 해당된다. 제1공화국 당시 생산된 기념물로서의 동상은 대부분 남성이었다.[9] 여성의 사례는 전무하다.

---

9   조은정, 「대한민국 제1공화국의 권력과 미술의 관계에 관한 연구」, 이화여자대학교 박사학위논문, 2005.

그러나 여성 인물을 모델로 해 동상을 제작한 흔치 않은 케이스도 있다. 국가적 프로젝트와 함께 진행될 때만 가능했다. 박정희 정권(1961-1979) 시절 전통성과 근대화의 추구라는 이중의 업무를 부여받았던 '현모양처 프로젝트'는 하나의 수사가 아니라 정치적 이념이자 제도로 수많은 이미지의 양산과 규율화 작업을 통해 구체화되었다.[10] 대표적으로 신사임당이라는 한반도 역사의 흔치 않은 여성 위인은 다름 아닌 '현모양처'의 이념을 계승하는 인물이다. 서울 사직공원에 위치했던 신사임당의 상은 아들인 이율곡의 동상과 함께 서 있었다. 당시 정권은 신사임당에 기대어 국가원수의 아내인 육영수의 이미지를 구축하고자 했고, 그 실천으로 신사임당 동상이 건립되었다. 즉 1960~70년대 박정희 정권은 조국 근대화와 민족중흥이라는 슬로건 아래 이순신을 비롯한 수많은 남성 애국 열사들을 동상, 역사 기념화, 민족 위인 영정으로 만들어왔는데, 1966년부터 1972년까지 네 차례에 걸쳐 애국선열조상건립위원회가 뽑은 15명의 위인 중 여성으로는 유일하게 신사임당과 유관순이 포함되었다. 신사임당과 유관순은 수난당한 희생자로서의 민족과 현모양처, 즉 조국 근대화를 다시금 요구하기 위해 여성의 수동적 역할을 강요하는 역할 모델이었다.[11]

소녀상이 현모양처 이데올로기와 얼마나 큰 간극을 가진 존재

---

10   신영숙, 「일제시기 현모양처론과 그 실상 연구」, 『여성연구논총』 14, 1999.

11   권행가, 「명성황후와 국모의 표상 연구」, 『한일비교여성사를 위한 시도-국제심포지엄 자료집』, 이화여자대학교 아시아여성학센터, 2006, 61쪽.

였는지 떠올려본다면, 동상으로서 소녀상의 존재는 갑각류에 가까운 한국의 보수 이데올로기의 갑옷을 벗어난 이질적 대상인 것이 분명하다. 심사임당의 동상이 한반도에서 거의 유일하게 여성-영웅을 기념하는 동상이라면, 무명의 희생자 여성들은 현모양처와 전통적 가치관에 의해 배제된 수동적 정체성을 구현하는 인물들로 동네 곳곳의 초입에 위치해있었다. 그러나 동상을 떠받치는 가치관은 다르지 않다. 현모양처와 같은 전통적 가치관을 수행하던 와중에 희생된 무명의 희생자 인물들 또한 동상으로 제작된 것이다. 예를 들어, 추운 겨울의 대관령에서 아들을 감싸 안고 자신은 희생한 모 여성을 동상화한 사례라든지 특산품이나 동네 정취를 소개하는 캐릭터가 된 소양강 처녀 등의 홍보 이미지로서의 '000 아가씨' 류가 있다. 이 여성 조각상의 긴 머리와 치마를 입고 신발을 신지 않은 모습 등은 전형적인 타자로서의 여성 이미지를 동네 방방곡곡에서 재현한다. 마지막으로 한국에서 재현된 여성 조각상의 가장 빈번한 사례는 모자상이다. 1930-50년대 작가들에게 모자상은 자신의 예술적 정취를 표현하기에 매우 유효한 주제였다.

2016년 거리에서 볼 수 있는 소녀상은 대한민국 역사에서 발언의 주체로서의 '소녀'를 재현한 조각상이다. 한국 정치사회 및 근현대 미술의 필터에 의한 여성 조각상에 부합하지 않는다. 이들은 현모양처의 이데올로기를 구현한 공공적 여성 '위인'도 아니며, 조각가가 여성을 모델로 타자화하여 구성한 미적 신비물도 아니다. 개인 희생자를 재현한 마을 어귀에 있는 조각상이 무명상태의 모델을 집단적 전범으로서 기억한다면, 소녀상은 위안부 피해 할머니들이라는 매우 구체적이고 명시적인 인물들을 모델로 한다. 광화문을 걷다보면 빌딩 앞에 있는 모자상을 보게 되는 경우가 많은데 둥근 형태의 돌의 질감을 그대로 살려 목가적 상태를 구현하는 이들과 달리, 소녀상의 눈코입 묘사는 매우 세밀하며 모자상의 여인에 비해 정신적으로 예민한, 개인으로서 자신의 목소리를 가진 이미지로 구현된다.

인간·여자·소녀의 트리플 '재현'

위안부 할머니의 존재를 기억하고 일본을 향해 발언하는 물질적 증거로서의 소녀상 조각상은 기존의 1차원적인 기념비적 독해를 방해하는 몇 가지 요소를 갖고 있다. 첫째, 소녀상은 할머니들의 현재 모습이 아니라 젊은 상태의 할머니들의 과거를 현재로 데려온다. 전국 곳곳에 존재하는 소녀상은 일제시기 일본으로 건너간 위안부 여성들을 모델로 하는데, 이 재현에는 모종의 합의가 투명하게 담겨있다. 소녀상은 일본 제국이 착취한 여성들이 '소녀'의 상태에 있었음을, 즉 가장 힘이 없으며 가장 대상화하기 쉬운 여자아이라고 가정한다. 14세에서 16세에 이르는 어린 소녀들을 끌고 간 역사적 만행에 사과 없는 바깥 세계를 바라보며 소녀상은 주먹을 쥐고 있다.

둘째, 소녀상의 제스처는 결정적 순간을 상징하지 않는다는 점이다. 빈 의자 옆에 앉은 소녀상은 특이하게도 아무 행동도 하지 않고 있는 것처럼 보인다. 그럼에도 일제국주의의 끔찍한 만행의 피해자이지만 스스로 발언하고 증언하고 끝까지 기록함으로써 얻어낸 수요 집회의 시간과 할머니들의 주체적 발언이 끌어낸 능동성은 단순히 희생, 피해의 이미지로 소녀상을 재현하지 않는다. 적극적인 저항의 모습이라기보다는 수동적으로 보일 수 있지만, 강직한 이 모습은 관람자로 하여금 꽃을 가져다 놓거나 옷을 입혀주는 등의 감정 이입을 자극하는 데 한 몫 한다. 말없이 저항하는 포즈의 재현은 1980년대 민중미술 작업에서 재현한 남성을 영웅화한 민중 이미지와 비교 해봐도 인상적이다. 민중미술의 남성 개인 영웅은 무엇인가를 하고자 하는 손동작을 취하는 가운데 그 뒤로 노동자나 농민의 집단이 배경으로 등장했다는 점에서, 소녀상과는 전혀 다르다 혼자 앉아있거나 서있는 소녀가 전국을 비롯해 미국, 독일 등에 지도를 그려가며 확산되는 것은 무척이나 예외적인 일이 아닐 수 없다. 따로 떨어져 자신의 위치에서 홀로 서 있는 채로 집단의 이미지를 구성한다. 소녀상은 하나가 아니기 때문이다.

누구도 닮지 않은 소녀들

소녀상에는 수많은 소녀들 그리고 할머니가 동시에 존재한다. 2016년의 텔레비전 프로그램 〈프로듀스 101〉과 소녀상의 소녀들을 비교한 것은 말도 안 되는 이상한 호기심에서 시작한 분석이었다. 그러나 소녀들에 대해 질문하면 질문할수록 가상의 그래프에 새겨 넣었던 질문들이 현실의 여러 통계, 사건들과 겹쳤다. 단연코 남성에 비해 여성은 타인의 시선에 취약하고 자기 의사 결정권을 제대로 사용하지 못하는 사회 구조에서 소녀는 소녀가 아닌 '소녀들'이 되어야만 어느 정도 제 모습을 가늠할 수 있는 힘을 가진다. 어른여자도 꼬마여자도 아닌 '소녀'는 쉽게 조언의 대상이 되고 공격의 대상이 되며, 친절을 가장한 삼촌들의 시각적 대상이 된다. 광화문에서 직면한 소녀상을 통해 질문하고자 하는 것은 무엇보다 왜 대한민국에서의 소녀 이미지, 소녀상, 소녀들의 재현과 등장은 집단이어야 가능한 것인가 였다. 자신의 목소리를 내며 홀로 도전하고 승패를 겨누는 1인 주체로서의 소녀가 아니라, 무엇인가 준비하고 있고, 예비하고 있는, 즉 전문가 어른(그것이 박진영이나 양현석 사장이든 아니면 문자 투표를 할 수 있는 시청자든 간에)의 판단과 결정에 따라야 하는 수동적 존재로서의 소녀들이 텔레비전에 등장하는 것을 근 몇 년 간 지켜보면서 소녀들의 자기 의사 표명권은 어디에 있는가 묻고 싶어졌다.

〈프로듀스 101〉의 실제 살아있는 소녀들과 일제 위안부 피해 할머니들의 과거와 현재를 동시에 기록하고 기억하고자 하는 소녀상의 존재는 물론 다르다. 그러나 소녀상 또한 단일한 이미지로서 가치를 인정받는다기보다는 JPG 이미지 또는 전국으로 뻗어나가는 여러 개의 조각상을 통해 집단으로 존재하는 소녀상의 군집을 만들고 있는 것을 보면서 나는 소녀상이 위안부 피해 할머니들의 이미지를 스스로 발굴하고 구현해내는 부지런함을 앗아가는 관습적 시각화에 포획당하는 것일 수 있겠다고 생각했다. 소녀상의 전국적 확대는 역사적 횡포에 대한 매우 진지하고 유효한 행동이라는 점에서 의미심장하게 볼 수 있지만 반대로 소녀상이라는 존재가 얼마나 덜 위협적이고 약한 존재이기에 여러 개로 확산되어야만 자신의 존재를 드러낼 수 있는가라는 점에서, 여기 한국 사회의 '소녀' 이미지에 대해 다시 한 번 생각해볼 필요를 자극한다.

　독자적으로 힘이 센 한 명의 소녀 이미지란 불가능한 것일까. 여기서 힘이란 무력에 저항하는 무력의 힘이 아니라 소녀가 가질 수 있는 1인 주체로서의 목소리와 '이미지의 소유권'을 말한다. 소유권을 주장하는 것은 편 가르기를 위해서가 아니라, 내일을 생각할 시간과 공간을 확보하기 위해 절실한 일이다. 교복도 입지 않고 긴 머리도 기르지 않고, 자신이 선택한 방법론으로 세상을 향해 말할 수 있는 소녀란 대체 어떤 방식으로 이 사회에서 모습을 드러낼 수 있는 것일까? 그 소녀의 얼굴과 목소리를 상상해본다. 얼굴을 가지고 있을 수 있을까? 어떤 목소리로 어느 시대의 말을 하고 있을까? 일본 대사관 앞에서 만난 소녀상의 얼굴을 다시 보니 소녀가 아니라 노인의 얼굴인 마냥 세상 모든 것을 다 안다는 듯한, 그러면서도 지치지 않는 결연한 표정을 하고 있다. 살아있는 사람이 아니라 금동 조각인데도 우리는 여기에서 이렇게 한 소녀의 표정을 읽는다. 아직 나에게는 정말 많은 소녀들이 필요하다. 각각의 소녀들이 한 명 한 명의 소녀로 보이게 될 때까지, 눈을 계속 깨끗하게 씻을 필요를 느낀다.

5부

소녀처럼 싸워라

여성 청소년 인권과
자기결정권

쥬리

여느 나라에서처럼 한국의 역사도 투쟁하는 청소년들과 함께 만들어져왔다. 19세의 나이로 형무소에서 고문으로 인해 사망한 독립운동가 유관순을 비롯하여 한국의 독립운동과 건국의 장에 청소년 주체들이 있었다. 4.19혁명에 앞장선 청소년들이 있었다. 유신 정권하에서는 수많은 이름없는 청소년 노동자들이 착취와 독재에 저항했다. 80년대의 민주화운동에도 고등학생운동가들을 비롯한 청소년들이 중심에 있었다. 이와 같은 사실들은 종종 은폐되거나, 어른들에 의해 청소년들을 훈계하기 위한 목적으로 재구성되곤 한다. 이를테면 '유관순 열사는 18세 때 독립운동을 했는데 너는 공부도 안 하고 뭐 하니!'라는 식으로. 오늘날에도 투쟁하는 청소년들은 존재한다. 2008년 촛불시위, 역사교과서 국정화 반대 투쟁, 세월호 집회, 박근혜 퇴진 촛불집회 등 정치적 집회시위의 장에 청소년이 함께하지 않았던 적이 없다. 그리고 청소년의 인권을 주장하면서 청소년의 삶의 문제, 학교와 교육의 문제, 청소년과 연관한 제도의 문제 등을 정치적 문제로 제기하고 있는 청소년운동이 있다. 이들 청소년운동 단체들은 각 단체마다 특정한 의제에 집중하기도 하고, 단체 특성상 지역운동을 하는 청소년단체라면 지역 청소년 조직화에 힘쓰기도 하면서 특정한 국면에서는 청소년운동으로써 함께 목소리를 내기도 한다.[1] 나는 2011년부터 청소년운동에 함께한 청소년활동가로서, 그리고 청소년운동단체인 '십대섹슈얼리티인권모임'[2]에서 활동하고 있는 입장에서 본 글을 전개할 것이다.

여성/청소년, 여성+청소년=여성청소년은 아니다[3]

다중적 소수자 집단이 모두 그렇겠지만, 여성 청소년의 문제는 여성문제, 혹은 청소년문제 중 하나로 환원될 수 없다. 여성 청소년은 '청소년'인 여성이기에 이 사회에서 여성에게 가해지는 폭력과 차별을 극대화된 형태로 경험하기도 하고, '여성'인 청소년이기에 청소년에게 가해지는 폭력과 차별을 극대화된 형태로 경험하기도 한다. 여성 청소년이 겪는 문제는 비청소년 여성이 겪는 것과도 다르고 남성 청소년이 겪는 것과도 다른 지점들이 있다.

예를 들어, 여성 청소년들이 학교에서 치마 길이 규제를 당하는 것은 여성의 옷차림이 타인의 시선에 의해 평가되는 것이 당연하게 여겨지는 사회적 맥락 속에서 발생하는 일이다. 그러나 오늘날에는 비청소년 여성들은 더 이상 길거리에서 치마 길이를 검사받지는 않는다. 학생인 청소년 여성들이 등교 시 교문 앞에서, 교실에서, 복장 검사시간에 치마 길이가 짧다고 지적을 받고 벌을 받는 것과는 달리 말이다. 한편으로는 청소년의 옷차림을 학교에서 규제하는 것이 정당하다고 보는 사회적 맥락 속에서 발생하는 일

---

1   청소년운동우물모임에서는, 청소년운동을 "청소년의 권리를 주장하고 청소년 억압적인 사회구조의 변화를 요구하는 저항적 성격의 운동"으로 규정하며, "주로 사회에서는 '청소년 단체' '청소년계' 등의 단어를 청소년을 비청소년이 선도, 보호, 육성하는 성격을 가진 단체 및 운동에 부여하고 있다. 그러나 우리는 청소년의 해방을 위해서 필요한 것은 청소년의 저항과 청소년의 인권 보장이며, 비청소년 중심의 사회에 청소년을 길들이기 위한 활동은 청소년 해방을 위한 것이 아니라고 본다." 라고 설명한다. (청소년운동우물모임에서 발간한 소책자 〈청소년운동 왔쪄염 뿌우〉인용)

2   십대섹슈얼리티인권모임은 청소년의 성적권리를 의제로 활동하는 청소년운동단체이다. 2011년부터 활동을 시작했다.

3   발새, '여성+청소년=여성청소년'이란 공식을 넘어서자, 인권오름 (2010)

이기도 하다. 남성 청소년들도 학교에 의해 용의복장을 규제당한다. 그러나 '성적 매력을 드러내지 않고 정숙해보여야 하기에' 옷차림을 규제당하는 것은 여성 청소년들이다. 실제로 대부분의 학교에서 실시하는 용의복장 규제는 여성에게 해당된다고 여겨지는 것일수록―화장, 스타킹과 브래지어 색깔 등―더 엄격하게 실시되곤 한다.

여성 청소년들이 겪는 문제는 여성문제나 청소년문제로 환원될 수 없지만, 이들이 겪는 문제는 여성문제로서도 그리고 청소년문제로서도 다루어져야 한다. 바꿔 말하자면 여성의, 청소년의 권리를 옹호하는 사람들이 함께 목소리를 내야 하는 사안이라는 것이다. 본 글에서 다룰 여성 청소년 인권의 의제들은 일부분은 모든 여성과 모든 청소년들이 공유하고 있는 경험을 포괄하고 있다. 그럼에도 다음의 의제들을 여성 청소년의 것으로 표현하는 이유는 특히 여성 청소년들이 겪는 문제들에 대한 것이기도 하고, 이 사회의 모든 여성 청소년들이 직간접적으로 영향을 받는 문제들이기도 하기 때문이다.

미디어와 여성 청소년에 대한 성적 대상화

여성 청소년을 성적으로 대상화하고 성상품화하는 문화에 여성주의자를 포함하여 많은 사람들이 문제의식을 표하고 있으며, 그래서 어떤 사람들은 지금 청소년에게는 성해방보다 성적 대상으로 전락하는 것으로부터의 보호가 더 필요하다고 생각하기도 한다. 여교사들이 여학생의 복장 규제에 대한 복잡한 심정을 드러내는 경우도 많은데, 여성의 몸에 대한 자율성을 빼앗는 것에 반대하면서도 한편으로는 학교로부터 규제당하지 않은 여학생의 외모 꾸미기는 그들을 성적으로 대상화하는 가부장의 취향을 반영하는 결과로 나타나는 데에 (규제를 통해서라도) 개입하고 싶어 하기 때문이다.

이전과 달라진 점이 있다면 학교와 가족 등 '보호자' 가부장이 여성 청소년에게 요구하는 덕목과, 그들을 성적으로 대상화하는 남성과 자본이 그들에게 요구하는 덕목의 간극이 더욱 적나라하게 드러나고 있다는 것이다. 이는 서브컬쳐와 대중문화의 경계가 흐릿해진 경향 및 보다 포르노적으로 재현되는 성상품화 전반이 증가한 맥락과 무관하지 않다. 흔히 옷차림에서의 신체노출에 대한 사회적 규제가 완화되고 노골적인 성적 이미지들이 대중문화에서 유통되는 현상이 '성개방'으로 해석되지만, 많은 사람들이 느끼다시피 이 성개방은 성해방과 동의어가 아니다. 대중문화에서 성적인 이미지들이 통용된다하더라도 대다수는 남성·이성애중심적이며 여성에게는 왜곡된 신체이미지와 성억압을 내면화하도록 작용하기 때문이다.

십대에서 이십대 초반의 젊은 여성 연예인들이 대중문화에서 섹스어필을 위해 준비된 외모와 순진무구한 표정으로 삼촌 부대 등 남성 팬들을 향해 적극적인 구애를 한다고 해도, 미디어에서 재현되는 어린 여성의 성적 실천이 현실에서 그대로 수용되지는 않는다. 연예인이더라도 어린 여성이면 화면에서의 섹스어필은 허용될지언정 실생활에서의 성적 실천은 금기시되는 것이 우리 사회의 수준이다. 걸그룹을 성적으로 소비하는 '삼촌 부대' 일원이더라도 자신의 딸이 걸그룹처럼 섹스어필을 하는 것은 절대 불허하는 가부장의 법칙, 그것이 여성 청소년이 마주하는 현실이다.

그러므로 미디어에서 재현되는, 섹스어필을 하는 여성 청소년 이미지들을 근거로 우리 사회의 실제 청소년들에게 성개방, 혹은 성해방이 이루어졌다고 속단해서는 안 된다. 그리고 여성 청소년이 성적 대상화되는 것을 막겠다고 성상품에 대한 청소년들의 접근을 막고 청소년에게 적용하는 규제를 늘리는 것은 답이 될 수 없다. 여성, 혹은 여성 청소년을 성적으로 대상화하는 매체에 단지 청소년의 접근만 불허한다고 해서 문제가 해결되지는 않기 때문이다. 성상품화 현상에 대한 해결책을 청소년관람불가 딱지를 붙이는 것으로 내리는 것은 가장 간편해 보이지만 실제로는 아무것도 해결하지 않는 방식이다. 또한 우리는 과연 섹스어필을 하는 성상품화만이 문제인가 질문해야 한다. 성상품화라고 하면 남성에게 섹스 대상으로서 어필하는 여성의 이미지를 떠올리게 되지만, 오빠가 지켜주고 싶은 '국민여동생'과 아빠를 '딸바보'로 만드는 사랑스러운 딸의 이미지는 성상품화의 결과가 과연 아닌가? 왜 특히 청소년과 관련하여 문제시되는 성상품화는 섹스어필에만 국한되는가? 국민여동생이든 딸바보로 만드는 딸이든 성별과 나이에 대한 편견을 강화시키고 여성 및 여성 청소년에게 고정된 역할을 부여한다는 점에서 지양되어야 한다. 그러나 여성 청소년이 섹스어필을 하는 이미지로 등장할 때 문제의식이 어느 정도는 공유되는 반면, 국민여동생과 딸의 이미지로 등장할 때는 거의 아무도 문제제기를 하지 않는다.

검열의 대상이자 투쟁의 장, 몸에 대한 권리

저희 학교에선 여학생의 스타킹은 살구색과 검정색만을 허용합니다. 커피색은 학생답지 못하다는 이유로 허용하지 않는다고 합니다.　　　　　　　　　　　　　　　　　　— 부산 ㅈ고등학교

레깅스를 착용할 경우 레깅스와 양말 사이 발목이 드러나면 벌점을 받습니다.　　　　　　　　　　　　　　　　— 서울 ㄱ고등학교

하복과 춘추복을 입을때는 살색스타킹에 무늬 없는 흰색 양말을, 동복을 입을 때는 검정스타킹에 무늬 없는 검정색 양말을 신도록 정해져 있습니다.
손톱길이는 손가락 끝에서 1mm 이내여야 하고 매니큐어를 바르면 안 됩니다. 손톱이 위로 떠서 자라서 짧으면 피나는 저는 점검할 때마다 짧게 깎고 엄청 고생합니다.

립밤도 색 없는 립밤이라고 손에 발라 보여줘도 뺏어가고 벌점 주고, 입술 갈라 터진 애들도 마찬가집니다. 화장은 아예 못하게 하고요.

머리 끝에 고데기라도 돼있으면 뭐라고 엄청 합니다. 심지어 두발 규정이 짧은 길이로 돼있는데 층 낸 머리 금지라고 해서 짧게 컷트 친 머리도 엄청 뭐라 합니다. 체육 전공하던 짧은 머리 애가 올해 일학년으로 저랑 같이 입학했는데 지나가는 쌤들마다 엄청 구박하시고, 학생부 선생님이 '머리는 기르고 있니'라면서 눈치 많이 줍니다.

악세사리도 전부 압수 및 벌점입니다. 반지 목걸이 귀걸이 전부 그렇습니다.　　　　　　　　　　　　　　　—부산 ㄷ고등학교

저희 학교는 여자 중학교입니다. 두발 길이가 10cm가 넘어서는 안됩니다. 묶는 것 또한 금지로 지정되어있으며, 칼단발로 해야됩니다. 치마길이도 무릎 밑 10cm 이상이어야 됩니다. 무릎이 보일시엔 벌점 1점이 부과됩니다.　　　　—부산 ㅇ중학교[4]

　위 사례들에서 묘사한 용의복장규제들은 특이한 몇몇 학교에서만 시행하고 있는 것들이 아니다. 학교나 지역마다 얼마나 촘촘하게 규제하는가는 차이가 있지만 용의복장규제는 대다수의 중고

4　위 사례들은 2015년에 인권친화적 학교+너머운동본부에서 진행한 〈불량학칙공모전〉에 참여한 학생들이 보낸 사례들이다. 〈불량학칙공모전〉에서는 '학생이 불량한 것이 아니라 학칙이 불량하다'는 모토로 인권침해적인 학칙, 학교관행 사례들을 모았다.

등학생들이 경험하는 보편적인 일이다. 학교에서는 학생의 용의가 어떠해야 하는가를 머리부터 발끝까지 정해두고 이를 지키지 않는 학생을 처벌한다. 처벌의 종류는 다양한데, 지적과 구두 경고에서부터 벌점 부과, 징계, 그리고 '노는 애'라는 낙인찍기 등이 있다. 남성 청소년들도 학교에서 용의 규제를 당하지만, 특히 여학생의 몸은 그야말로 검열의 대상이자 투쟁의 장이 된다.

학교는 여학생의 치마길이를 검열한다. 여학생은 교문을 들어설 때나 복장 검사를 할 때는 치마의 허리에 있는 단추를 헐렁하게 조정해 치맛단이 무릎까지 오게 만든다. 복장 검사가 끝나면 다시 허리의 단추를 조정한다. 학교는 여학생의 화장을 검열한다. 여학생은 화장한 티가 나지 않는 제품을 골라 사용한다. 어떤 화장품은 '선생님도 몰라요'라는 카피를 사용해 십대 타겟으로 광고하기도 한다. 학교에선 립밤은 쓸 수 있지만 틴트는 쓸 수 없다고 한다. 여학생은 옅은 색깔이 들어가 있는 립밤을 사용한다. 때론 색깔이 들어갔다고 립밤마저 교사에게 뺏기기도 한다. 학교에선 염색과 파마를 금지한다. 여학생은 파마를 하고 학교에선 머리를 올려묶고 다닌다. 교사에게 파마를 발각당하면 '이거 고데기예요'라고 항변하기도 한다. 파마이면 물이 묻어도 구불거리고, 고데기면 풀어지므로 교사는 파마인지 검사한다며 머리에 물을 묻혀보라고 한다. 물론 고데기도 학교 안에선 금지이고, 고데기를 학교에 들고 왔다간 압수당하기 십상이다.

많은 여성주의자들이 성 상품화와 외모지상주의를, 특히 청소년이 접하는 성 상품화와 외모지상주의를 우려하고 있다. 교복 광고에 걸그룹을 모델로 삼는 것이라든지, 청소년을 겨냥한 화장품 광고 등에 대해 비판하는 목소리가 적지 않다. 하지만 이런 사안은 한 가지 관점으로만 볼 일은 아니다. 첫 번째로 여성에게 특정한 외모를 갖출 것을 요구하고 외모지상주의를 조장하는 문화의 측면에서 볼 수 있고, 두 번째로 소비자본주의 사회에서 청소년 소비자를 겨냥하여 상품을 생산하고 광고하는 측면에서도 볼 수 있다.[5] 그리고 세 번째로는 '학생다운'[6] 용의를 강요하는 학교와 청소년의 외모 꾸미기를 부정적으로 바라보는 사회적 시선을 비판하는 관점으로도 접근해야 한다. 이 가운데서 여성 청소년들은 특정한 외모를 갖고 싶은 욕망을 가진, 또 여자라면 외모가 어떠해야 한다는 사회적 압박을 받는 여성으로 성장한다. 그러면서도 외모를 꾸미고 싶은 욕망을 억압하는 학교를 다녀야 하고, 외모를 꾸민다는 이유로 어른의 얼굴을 한 사회의 눈초리를 견뎌야 한다. 용돈과 알바비를 모아 화장품을 샀는데 화장을 한다는 이유로 학교에선 벌점을 받고 화장품을 뺏기는 상황, 알바를 할 때는 여성노동자로서 화장을 하는 것이 의무가 되고 친구들과 만날 때는 화장을 하지 않으면 촌스럽다고 핀잔을 듣는 상황이 여성 청소년의 상황이다. 그렇기에 여성 청소년의 외모 꾸미기는 성인 여성의 그것과

---

5   흔히들 최근의 현상이라 생각하지만, 청소년 소비자를 겨냥하는 마케팅에 대한 분석과 평가는 이미 90년대부터 쏟아져 나왔다.

6   학생다운 것은 무엇일까? 보통 성적이지 않은, 꾸미지 않은, 어려 보이는, 순종적으로 보이는 외양을 '학생다운'모습이라고 일컫는 것 같다.

똑같은 관점으로 분석해서는 안 된다. 여성 청소년에게 외모 꾸미기 행위는 순응이면서도 저항이고, 개인적인 취향의 실천이면서도 사회적 메시지를 던지는 행위다. 많은 여성주의자들이 이것을 간과한다.

학교와 사회가 여성 청소년에게 강요하는 외모는 '여성다우면서도 학생다운' 외모이기 때문에, 어떤 경우에는 학생답지 못한 것에 대한 제재 뿐 아니라 여성답지 못한 것에 대한 제재도 가해진다. 앞서 본 학생들의 사례 중 긴 머리도 못 하게 하면서—우리는 여기에서 긴 머리를 대하는 성적 함의를 읽을 수 있다—또 짧은 컷트머리도 못 하게 하는 학교의 사례를 보았다. 중고등학교에서 여학생에게 일괄적으로 치마를 입게 하는 것도 여성답지 못한 것에 대한 제재로 볼 수 있다. 여학생이 원하면 바지 입는 것을 허용한다고 하는 학교들이 있지만, 여전히 여학생 교복의 기본형은 치마다. 여학생용 바지 교복이 있지만 치마에 비해 디자인이 너무 이상해서 아무도 바지 교복을 안 입기 때문에 입기가 꺼려진다는 여학생들도 있다. 교복 뿐 아니라 성별에 따라 다르게 적용되는 두발 길이 규제 등은 학교가 공식적/비공식적인 방법을 통해 이분법적 성별고정관념에 맞는 인간을 재생산하는 기능을 수행하고 있음을 보여준다. 이렇게, 여성 청소년의 몸은 검열의 대상이자 투쟁의 장이 된다.

성적 자유와 성적 자기결정권의 문제

여성 청소년의 몸을 검열의 대상으로 삼는 명분에는 청소년의 성을 유예해야/보호받아야 할 것으로, 비청소년이 된 이후까지(혹은 결혼할 때까지) 지켜야 할 순결로 보는 관점이 전제된다. 이 사회에는 바람직한 성과 그렇지 않은 성의 위계가 존재한다. 여성의 성, 동성애, 성과 결혼 이외의 관계에서의 성이 바람직하지 않은 것으로 여겨지는 것처럼 청소년의 성과 성적 실천은 부정적인 것으로 여겨진다. 청소년은 미성숙하기 때문에, 입시공부를 해야 하는 시기이기 때문에, 임신과 출산을 책임질 수 없기 때문에—청소년이 임신과 출산에 대해 책임질 수 없도록 만드는 사회구조는 문제시되지 않는다—성적이어선 안 되는 존재로 간주된다.

그러나 청소년의 성별이 여성인가 남성인가에 따라 그 성이 얼마나 금기시되는가의 정도는 달라지는 부분이 있다. 이를테면 남성 청소년의 성적 실천도 미성숙하고 비도적적인 것으로 여겨지기는 마찬가지이지만, 남성 청소년의 자위나 포르노 소비, 음담패설 문화 등은 '남자니까 그럴 수 있지' 정도의 범주 안에서 정당화되진 못해도 이해되는 경향이 있다. 반면에 여성 청소년의 자위나 포르노 소비, 음담패설은 사회적으로 문제시되지도 않을 정도로 비가시화된 영역이다. 대부분의 성교육에서 자위행위나 '음란물' 등에 대해 다룰 때 행위주체를 남성으로 상정하기도 한다.[7]

2016년 4월 개봉한 한국 영화 〈위대한 소원〉은 시한부 선고를 받은 남성 청소년의 '죽기 전에 섹스를 해보고 싶다'는 소원을 그의 친구인 남성 청소년들이 이루어주기 위해 고군분투하는 내용을 담고 있다. 만약 주인공이 여성 청소년이었으면 어땠을까, 아마 상당한 문제작이 되었으리라 짐작한다. 비청소년들의 성애를 묘사한 많고 많은 영화들의 주인공이 청소년이었다면 그 영화들이 어떤 취급을 받았을까 생각해보는 것도 흥미로울 것이다. 비슷한 정도의 노출과 스킨십이 등장해도 그 행위 주체의 나이와 성별에 따라 영화는 '청소년유해물' 판정을 받기도 하고 그렇지 않기도 한다.

여성 청소년의 성적 자유와 성적 자기결정권을 둘러싼 논쟁과 투쟁의 지점들이 있다. 본 단락에서는 그 각 지점들을 하나씩 설명하려고 한다.

사랑을 금지하는 학교와 인권침해적 학칙의 문제

한국의 아무 중고등학교나 골라서 학칙을 확인해보면 둘에 하나쯤은 '이성교제', '풍기문란' 등에 대한 규제가 명시되어 있음을 확인할 수 있다. 실제로 전국 고등학교 중 51.2%가 이성교제를 규제하는 내용을 학칙으로 두고 있다는 조사 결과도 있었다.[8] 학교가 학생의 이성교제 및 인간관계를 규제하는 것은 일차적으로 정

7　교육부가 2015년에 발표한 〈국가수준 학교성교육표준안〉에 따른 성교육 프로그램안을 보면, 중학교 과정의 〈성 욕구의 조절〉 차시에서는 성 충동이 생긴 청소년들의 사례 여섯 가지를 제시하는 데 이 중 한 사례만이 여성의 사례이다. 게다가 남성들의 사례는 불특정다수에 대한 강한 성욕이나 자위와 관련한 사례인데 반해 여성의 사례는 남자친구와 스킨십을 하고 싶어 하는 사례이다. 남성의 자위행위에 대해서는 상세히 설명하고 있지만, 여성의 자위행위에 대해서는 '남성에 비하여 수는 적지만 여성에게도 있는 일'이라는 언급밖에 없다.

당성 측면에서 문제가 있다. 사생활에 대한 지나친 간섭이기도 하고 학생이 이성교제나 연애를 하는 것 자체가 비도덕적이거나 남에게 피해를 주는 일은 아니기 때문이다. 다른 문제는 이 '이성교제'와 '풍기문란'의 기준과 범위가 모호하기 때문에, 그리고 대다수 학칙들에서 무엇이 '이성교제'이며 '풍기문란'인지에 대해 자세히 밝히지 않기 때문에 문제가 된다(어떤 학교들에서는 팔짱끼면 벌점 1점, 포옹하면 2점 식으로 구체적으로 적시해놓기도 하지만). 학칙에 대한 해석과 처벌의 집행이 모두 교사 자의에 근거해 행해지는 경우가 많은데, 때로는 남녀 학생이 함께 있기만 해도 풍기문란인가 하면, '모범생' 커플의 연애는 눈감아주는데 '노는 애'들의 연애는 '불건전한 이성교제'로 여겨지기도 한다. 어떤 학교에서는 이성 학생 간 교류나 연애에 대해 일상적인 감시와 처벌을 하기도 하고, 어떤 학교에서는 이성교제 금지 학칙은 있지만 일일이 적용하지는 않다가 어떤 학생의 연애가 '문제'시 될 경우에 해당 학칙에 근거해 처벌하기도 한다. 처벌의 정도도 학교마다, 사안마다 다른데 작게는 헤어지라는 교사의 종용, 벌점 부과, 학부모 호출부터 정학이나 퇴학 등의 징계까지 이루어지고 있다.

---

8   2013년 서울시교육청에서 낸 자료에 의하면 전국 고등학교 중 51.2%가 이성교제를 규제하는 학칙을 가지고 있었다.

벌점카드	벌점 번호 및 내용별 점수
지도 월일 2014년 월 일	1. 지각 및 무단외출 : 1점 2. 정문지도 (용의복장위반) : 1점
벌점 자 확인	학년 반 번 성명 : (서 명)	3. 매점 음식물 보행 중 취식 및 건물 내 반입 : 1점 4. 쓰레기 무단 투기, 옥내·외 침 뱉는 행위: 1점 5. 실외화로 실내출입, 책걸상, 건물 벽 등 낙서 : 1점 6. 책임불이행(주번, 청소 등), 고의적 기물 훼손 및 파괴 : 1점
벌점 번호 · 점수	벌점 번호 : ( )번 벌점 점수 : ( )점	7. 일과시간 중 휴대폰, 부당한 전자기기 사용 : 1점 8. 학교 단체 활동 고의적 불참, 수업태도 불량 및 방해 : 1점 9. 부적절한 하급생 지도, 교실 방문 : 2점 10. 사고결과, 보충·자율학습 도망 : 1점 11. 무단결석 : 2점
지도교사 성명 : (서명)	12. 교사에 대한 불손한태도 지도 불응 : 2점 13. 일과 중 외출하여 게임방 출입 : 5점 14. 흡연, 학교폭력, 절도, 이성교제, 교사지도 불이행 등 징계 : 10점

저희 학교에는 '교내 연애 금지'라는 항목의 교칙이 있습니다. 교내 연애가 발각되면 당사자는 교내의 모든 수상에서 제외되고 교내 봉사 등의 처벌을 받습니다. 학교에는 일 년에 몇 번 학생들에게 종이를 주고 연애를 하는 학생 이름을 적어서 내라고 합니다. 또 일부 학생들을 감시자로 삼아 친구들이 연애를 하는지 감시하게 합니다. 연애하는 학생을 교사에게 고자질하면 상점을 주는 등 특혜를 주고요.

한 번은 남녀 학생이 손을 잡고 있는 것이 기숙사 CCTV로 적발된 적이 있었습니다. 두 학생은 한 달동안 기숙사 퇴사를 당하고 퇴학 협박을 당했습니다. 그 여학생은 집이 멀어서 기숙사에 살아야 하는 학생이었는데도 말이에요. ─충북 ㅂ고등학교[9]

---

9 위 사례는 2015년에 인권친화적 학교+너머운동본부에서 진행한 〈불량학칙공모전〉에 참여한 학생이 보내온 것이다.

인권침해적인 학교 학칙에 대해 청소년운동은 지속적으로 문제제기를 해왔다. 학칙은 학교 공간 내에서 학생에게 '법'만큼의 영향력이 있으며, 징계는 '사법처리'에 가깝다. 하지만 헌법재판소에 제소가능한 법과 다르게 학칙은 보편적 인권의 기준에서 볼 때 부당하다고 제소할 수 있는 기관이 없고, ―교육청 등에서 학칙 개정 권고를 할 수는 있으나 현행법상 학칙 제개정 권한은 학교장에게 있다― 학칙에 의거한 처벌은 기소하는 검사와 피의자를 대변하는 변호인, 판결하는 판사의 독립성이 원칙적으로 보장되는 사법절차와는 달리 처음부터 끝까지 교사의 자의에 의거하는 경우가 많다.[10] 학교가 인권침해적인 학칙으로 학생을 규제해서는 안된다는 내용의 학생인권조례는 학교장의 학교운영에 대한 '자율성'을 침해한다는 논란을 겪어 왔다. 어떤 학칙을 둘지는 학교장의 자율성에 해당하는 부분인데 학생의 인권을 침해하는 학칙을 두지 말라고 제한하면 안 된다는 논리이다.

인권침해적인 학칙이 일부 학교에만 있는 것이 아니라 대다수 학교에서 비슷한 양상으로 존재한다는 점에서, 그리고 초중고등학교는 다른 집단과는 다르게 제도적(의무교육), 사회적으로 참여가 강제되고 어느 학교를 갈지에 대한 선택의 폭도 매우 좁다

---

10 최근에는 일부 학교에서 학생을 참여시켜 징계 여부와 종류를 결정하는 '학생자치법정'을 운영하고 있다. 그러나 이마저도 경우에 따라서는 교사가 행사하는 영향력이 큰 문제가 있고, 학칙 제/개정 과정의 민주성이나 인권침해적인 학칙의 존재 자체를 문제삼지 않은 채 기존의 학칙에 의거하여 징계를 논의하는 방식이라는 점에서 단지 학생이 참여해서 징계를 결정한다고 해서 정당성이 확보될 수 있는 부분인가는 평가해보아야 한다. 벌점과 같은 경미한 사안만 학생자치법정에 판단을 맡기고 그보다 중한 징계인 경우에는 교사들이 결정하는 경우도 많아 문제제기가 있는 상황이다.

는 점에서 인권침해적 학칙의 문제는 해당 공간의 특성이나 학교 장의 운영에 대한 자율성의 영역으로 치부할 수는 없다. 이성교제 규제 학칙을 비롯하여 학생인권침해적인 학칙들을 두지 못하도록 규제할 학생인권조례와 상위법이 필요한 이유다. 학생인권조례는 그 제정과정부터 제정 이후 현재진행형인 정착과정까지 청소년운 동의 성과이자 과제이다. 청소년운동에서는 학생인권조례가 '조 례'이기 때문에 가지는 한계를 절감하며, 전국적으로 적용되는 '학 생인권법' 제정을 주장하고 있다.

학교에서 당연한 듯이 학생의 이성교제와 연애에 간섭하고 그 를 처벌할 수 있는 것은, 한편으로는 인권침해적인 학칙이 존속할 수 있는 학교의 구조 때문이기도 하고, 한편으로는 청소년의 성적 실천을 금기시하는 사회문화 때문이기도 하다. 청소년의 연애나 성적 실천을 금지하는 법은 없다. 하지만 학교에서는 처벌 대상이 되고, 각 가정에서는(특히 여성 청소년의 경우는) 부모에 의해 '머리 채 잡힐' 일이 되곤 한다. 학교에서는 청소년기의 이성교제는 '건 전해야' 한다고, 혹은 연애 자체를 하지 말아야 한다고 가르치고, 교육부가 낸 학교 성교육표준안에서는 당당하게 청소년의 성은 '금욕'을 바탕으로 해야 한다고 말한다. 청소년의 성적 자유와 성 적 자기결정권은 이렇게 당연한 듯 부정된다.

'나는 처녀가 아니다' 선언한 여성 청소년에게
쏟아진 비난들, 성적 자기결정권의 문제

나를 비롯한 십대섹슈얼리티인권모임 활동가들은 2013년에 '나는 처녀가 아니다, 여성 청소년에게 순결을 강요말라'고 적힌 피켓을 비롯하여 청소년의 성적 권리에 대한 주장을 담은 여러 피켓을 들고 슬럿워크[11]와 퀴어퍼레이드[12]에 참여했었다. 그 때만 해도 해당 문구가 적힌 피켓을 든 나의 사진이 그렇게 온라인에서 화제가 될 줄은 몰랐다. 어느새 여러 온라인 사이트, 블로그, SNS 등에서 그 사진은 반향을 불러일으키고 있었다.

그 반향의 대부분은 성희롱과 훈계였다. 남성으로 추정되는 네티즌들의 반응은 '걸레', '룸나무(성노동자가 될 것이라는 뜻)' 등의 단어를 사용하여 성적으로 비하하거나, 자신과 섹스하자는 의미를 담아 희롱하는 반응이 많았다. 성희롱이 아닌 반응들은 훈계가 대부분이었다. 어떤 여성 네티즌은 걱정을 담아(?) 다음과 같은 글을 남겼다.

> "나중에 반드시 후회할거야. 남자친구를 사귀는 건 좋은데 무분별해지면 안 돼. 아무리 세상 인식은 변했더라도 더 오래 살아온 어른들이 여자애들에게 더 걱정스런 잣대를 보내는 이유

---

11 2011년 캐나다 토론토에서 열린 안전포럼에서 경찰관이 '(성폭행) 피해를 당하지 않기 위해 여자들은 슬럿처럼 입지 말아야 한다.'고 한 말이 촉발시킨 운동이다. 여러 나라에서 '슬럿'처럼 입고 행진하며 여성의 성적 자기결정권을 요구하는 운동으로 진행되었다.

12 성소수자의 권리를 요구하는 축제이다. 서울에서는 2000년 이래로 매해 열렸다.

가 있는거야. 여자 몸은 남자와 달라. 정 하고 싶거든 적어도 20살은 넘기고 너가 하고 싶지 않거든 남자친구한테 절대로 미안한 마음 가지지 마. 니 몸이 니 마음이 더 중요한거야. 사고칠 생각일랑 하지 말고 결혼식장에 손잡고 들어가는 순간까지 지금 사귀는 남자친구가 너와 평생 가주지 않는다는 거 명심해. 같은 여자로써 언니로써 조언하는거야."

성희롱과 훈계로 점철된 이 반응들은 '나는 처녀가 아니다'라는 여성 청소년의 선언이 급진적이고 정치적으로 유의미한 선언임을 증명해주는 반응들이었던 셈이다. 여성 청소년이 순결을 강요말라고 하자 그들은 그녀에게 걸레라는 딱지를 붙였고, 자신이 섹스할 수 있는 여성으로 여기며 희롱했다. 여성 청소년이 성적 욕구를 가지고 주체적으로 성적 실천을 할 가능성―남자친구가 원해서가 아니라 본인이 원해서 성적 실천을 할 가능성!―은 어른의 얼굴을 한 사회가 상상가능한 범위 너머에 있었다.

여성 청소년의 '성적 자기결정권'은, '거절할 권리'와 동의어로 여겨지는 경우가 많다. 여성 청소년을 대상으로 하는 대부분의 학교 성교육에서도 성적 자기결정권을 언급하는 맥락은 '남자친구가 하고 싶다 해도 안 된다고 이야기하라', '누가 접촉을 하려고 하면 싫다고 의사 표시를 하라' 등이다. 원치 않는 성적 접촉과 성폭력으로부터 자유로울 권리는 성적 자기결정권의 중요한 부분이지만, 성적 자기결정권은 거절할 권리 이상의 것이다. 성적 주체로서 여성의 역량을 드러내는 언어인 성적 자기결정권이 여성 청소년에게는 순결을 지켜야 한다는 당위에 알맞게 처신할 대처법-아무도 여성 청소년에게 그것을 원하는지 묻지 않은 채 '싫어요'라고 말하라고 한다-정도로 해석되는 것은 매우 안타까운 상황이다.

의제강간 연령 기준 상향을 둘러싼 논쟁, 누구에게 성적자기결정 '능력'이 있는가?

2015년 12월, 남인순 의원 등은 현행법상 만 13세 미만으로 정해져 있는 의제강간 기준 연령을 만 16세 미만으로 상향조정하는 형법 개정안을 발의했다. 15세 여성을 강간한 혐의로 40대 연예기획사 대표가 기소되었으나 그것이 '사랑'이었다는 가해자의 주장에 무죄판결이 난 이후였다. '여성'의 이름으로 단체, 변호사, 정치인 늘이 의제강간 기준 연령을 만 16세로 상향해야 한다는 입장을 냈다. '판단능력이 부족한' 청소년을 성폭력으로부터 보호하기 위해서라는 이유였다.

많은 나라에서 의제강간 제도를 시행하고 있고, 그 중에는 나이 뿐 아니라 지위, 관계에 기준을 두는 경우도 있다. 특정 연령 미만인 사람과 성관계한 사람이 당사자의 교사나 부모 등 보호·양육자인 경우 의제강간죄를 묻는 식이다. 남인순 의원 등이 발의한 안은 나이만을 기준으로 두며, 만 16세 미만인 사람과 성관계한 사람에게 의제강간죄를 적용하되 만 19세 미만인 경우 처벌하지 않는 안이다. 이는 의제강간 연령 기준 상향에 대해, 보다 근본적으로는 누구에게 성적 자기결정 '능력'이 있는가 여부를 국가가 일괄적으로 판단할 수 있는가에 대한 질문과 논쟁들을 불러왔다.

십대섹슈얼리티인권모임과 청소년인권행동 아수나로는 "청소년 대상 성폭력의 해결책은 의제강간 연령 기준 상향이 아니다"라는 제목의 성명을 발표했다. 본 성명의 논거는 다음과 같다. 하나는 의제강간 연령 기준에 대한 논의의 장에 청소년의 목소리가 없었으며, 청소년의 '미성숙함' '판단능력 부족'을 근거로 상향을 주장하는 것은 '여성의 목소리'가 아니라 '비청소년 여성만의 목소리'라는 것이다. 두번째는 청소년의 성에 대한 대중적 감성은 '청소년은 성적 자유를 누려서는 안 된다'는 주장과 '청소년의 성은 보호되어야한다'는 주장을 크게 구별하지 못하고 있는데, 의제강간 연령 기준 상향에 대해 그것이 정당한지 혹은 침해최소원칙에 부합하는지를 고민하는 것이 아니라 감정적으로 동조하는 대중적 지지를 얻고 있는 상황이 문제적이라는 점이다. 세 번째는 나이라는 일괄적 기준으로 해당하는 모든 성관계가 강간임을 국가가 선언하고 공권력이 개입한다고 했을 때, 만 16세 미만 청소년의 성적 주체성과 수행성은 일방적으로 부정된다는 것이다. 네 번째는 청소년을 대상으로 한 비청소년의 성폭력을 나이위계와 지위권력을 철폐하기 위한 노력으로 해결하지 않고 의제강간 연령 기준을 상향하여 해결하려는 것은 올바른 해법이 아니라는 것이다. 다섯 번째는 의제강간 기준 연령이 상향되었을 때에도 만 19세 이상과 연애하는 만 16세 미만은 존재할 것인데, 그를 못마땅해하는 부모나 학교에서 상대방을 공권력으로 처벌받게 만들 수 있는 카드를 쥐게 되면 당사자 청소년은 오히려 무력화된다는 점이다.

"청소년들이 비청소년들에 의해 나이권력과 지위를 이용한 성폭력 피해를 경험하고 있는 것은 사실이다. 교사에 의해, 부모에 의해, 고용주에 의해 권력을 이용한 성폭력을 겪거나 목격하는 것은 청소년의 일상에서 드물지 않은 일이고, 청소년에 비해 사회경제적 자원이 많은 비청소년이 청소년을 성적으로 착취하는 것 또한 구조적으로 일어난다. 이런 현상이 일어나는 것은 이 사회에서 청소년의 인권 현실이 열악하기 때문이고,

청소년에게 비청소년과 동등할 수 있는 사회경제적 자원이 보장되지 않기 때문이며, 청소년을 성적으로 이용당하기 쉬운 위치에 머물게 하는 부실한—섹스하지 말라고나 하는—성교육 때문이다. 청소년이 비청소년에 의해 이러한 폭력을 겪지 않으려면 우리가 비청소년과 동등해져야 한다. 나이권력과 지위를 이용한 성폭력의 문제는 나이권력 자체를 없애고 교사-학생, 부모-자식, 고용주-노동자 관계 등 청소년이 약자의 위치에 놓이게 되는 관계를 평등하게 만들어 해결해야 한다.

청소년들이 성폭력 피해를 겪고도 신고하길 망설이는 것은 부모에게 알려질까봐 우려하기 때문이고, 성폭력을 경험한 당시 정황이 술을 마시고 있었다거나 기타 어른들의 눈에 '청소년답지'않은 행동을 했던 정황이라서 비난받을까 두려워하기 때문이다. 청소년의 신체와 행동에 덧씌워지는 낙인을 제거해야 청소년이 주체적으로 자신의 피해를 호소할 수 있다.

청소년이 겪는 성폭력의 해결책으로 의제강간 연령 상향을 내놓는 것은, 청소년의 주체성과 성적 자기결정권을 위해 필요한 자원을 마련하는 대신 청소년의 성적 자기결정 능력 자체를 부정해버리는 처사이다."

― [성명] 청소년 대상 성폭력의 해결책은 의제강간 연령 기준 상향이 아니다 中

위 성명에서는 다루지 않았지만, 현행법상 강간 성립 요건[13]을 변화시키고 성폭력이 발생하는 성별, 나이, 지위 등에 따른 권력구조에 대해 수사기관과 재판부의 이해도를 높이는 것이 필요한 상황에서 의제강간 기준 연령 상향은 미봉책일 뿐이라는 주장도 있었다. 또한 의제강간 기준 연령이 상향되더라도 만 19세 이상과 성적 관계를 맺는 만 16세 미만은 존재할텐데, 이러한 관계를 불법으로 만든 결과—드러날 경우 애인의 교도소행을 감당해야하는 상황이 된다는 점에서—이들 청소년이 자신이 맺고 있는 관계에 대해 타인과 소통하거나 도움을 요청하지 못하도록 고립시킬 위험이 있다는 주장도 제기되었다.

의제강간 기준 연령 상향에 반대하든 혹은 동의하든, 누군가의 성적자기결정 능력을 나이로 재단할 수 있는가, 그에 따라 국가가 개입하고 처벌을 내리는 것이 정당한가는 생각해볼 만한 문제다. 잊지 말아야 할 것은 성적자기결정 능력이란 개인이 어떤 기준치를 달성하면 획득하는 능력이 아니라, 사회가 그 개인에게 어느 정도의 성적 자기결정권을 보장하고 있는가에 달린 문제라는 점이다. 여성 청소년은 여성이면서 청소년이라는 점에서 성적 자기결정권/능력이 부족할 수밖에 없는 상황에 처해있다. 이를 해결하기 위해 의제강간 기준 연령을 상향하여 성적 자기결정권을 제도적으로 부정하는 것이 꼭 필요한 일인지, 혹은 나이와 지위에 따른 권력이 없는 학교와 가정, 사회를 만들고 성에 대한 정보접근권과 성교육을 보장하여 해결해야 하는 문제인지 생각해보아야 한다.

13　현행법상 폭행이나 협박이 있었어야 강간으로 인정받는다. 다만 아동청소년의성보호에관한법률에 따라 19세 미만이 피해자인 경우 위계 및 위력을 이용한 성관계로 인정받는다.

누군가는 자기결정권을 "수 십 가지 중의 아이스크림 중에 고를 자유가 아니라 '너 같은 사람이 아이스크림을 왜 먹어?'라는 부당한 질문을 없애는 것, '아이스크림을 사 먹을 돈은 있어?'라는 말이 안 나오게 공공의 자원을 확충하는 것"[14]이라고 표현했다. 성적 자기결정권은 단지 어떤 성행동을 할 것인가 아닌가에 대해 선택할 좁은 의미에서의 자유만을 의미하지 않는다. '청소년이 감히 성관계를 하려고 해?' '청소년은 미성숙하니까 성적 자기결정권을 보장해서는 안 돼'라는 말들을 없애고, 청소년이 온전히 성적 자기결정권을 실현할 수 있도록 정보접근권과 성교육, 일상 속에서의 평등한 관계, 결정능력에 대한 사회적 존중, 궁핍한 상황에 내몰리지 않도록 지원하는 안전망을 마련하는 것이 필요하다.

청소년에게 무엇이 유해한가,
동성애·음란물·성매매를 둘러싼 보호주의

청소년인권행동 아수나로에서는 청소년보호주의를 다음과 같이 정의하고 있다.

"청소년 보호주의란 청소년을 '어른'들이 보호하고 보살펴야 할 미성숙한 존재로 보는 관점과, 그러한 생각 및 제도들을 포괄한다고 볼 수 있다. 위험이나 범죄 등으로부터 '보호받을 권

---

14 류은숙, 「인권단어장: 자기결정권」, 『인권오름』(2016)

리' 자체는 인권의 중요한 요소이다. 청소년보호주의는 보호의 필요성을 말하는 것이나 여러 형태의 보호 전반이 아니라, 청소년의 핵심적 속성을 '보호할 대상', '보호받을 약자/피해자'로 보는 것을 이른다. 청소년보호주의는 청소년을 보호받을 대상으로, 비청소년을 보호하는 주체로 위치시키며 권력관계를 견고히 한다. 실제로 보호주의는 청소년들을 단속하고 규제하고 문화와 삶을 억압하는 방식으로 나타나는 경우가 많다. "이게 다 너를 위한 거다."라는 논리 속에 주체인 비청소년들이 일방적으로 조치를 취하는 구도이기 때문이다."[15]

국제적으로는 임금노동과 노동착취로부터의 보호-일터 대신 학교로-, 범죄와 인신매매로부터의 보호를 가장 전통적인 어린이·청소년의 보호로 여기고 있다. 그러나 우리 한국 사회가 무엇을 청소년에게 유해한 것으로 보고 있는가, 무엇으로부터 청소년을 보호해야 한다고 보고 있는가를 살펴보면, 오늘날 이 사회에서 특히 유해하다고 여겨지는 것은 '성'이다. 성적인 것들을 비롯해서 술·담배 등으로부터 청소년을 보호하겠다는 것이 1997년부터 시행된 '청소년보호법'의 골자이다. 그런데 이를테면 제3세계의 노동착취당하는 청소년은 불쌍하거나 구제해야할 대상으로 여겨질지언정 당사자가 '나쁜 청소년'으로 취급받지는 않는다. 그러나 우

---

15   청소년인권행동 아수나로, '청소년인권행동 아수나로 백과사전'(청소년인권행동 아수나로 10주년 기념자료집) (2016)

리 사회에서는 성적인 것들을 접하거나 향유하는 청소년, 술·담배하는 청소년은 '계도해야 할', '나쁜 청소년'으로 여겨진다. 우리 사회의 맥락에서는 청소년 보호와 청소년에 대한 낙인찍기, 단속과 규제가 한데 뒤섞여 진행되고 있는데, 이것은 매우 문제적이다. 예를 들어 한편으로는 '청소년을 보호하기 위해서' 청소년의 흡연을 규제하면서, 흡연하는 청소년이 폭력 피해의 대상이 되거나 퇴학당해 학습권을 박탈당하는 것도 정당화되는 것이다. 보호는 보호할 주체의 책임을 강조하는 언어라는 점에서 그 '보호'가 실패했을 때 논리적으로는 국가나 '어른들'의 책임을 물어야 할 것 같지만, 현실에서는 '보호'의 영역을 벗어난 청소년 개인의 잘못으로 돌려지고 불이익을 당하는 것도 청소년인 경우가 많다.

이 단락에서 다룰, 동성애와 음란물, 성매매의 경우도 마찬가지이다. 동성애는 사회적 맥락에서 청소년에게 유해한 것으로, '선정적'인 것으로 여겨지고, 음란물과 성매매는 사회문화적으로도 그렇지만 제도적으로도 청소년에게 유해한 것으로, 그리고 사실은 한국 사회에서는 나이에 상관없이 불법인 것으로 규정되어 있다(성매매는 포괄적인 단어인데, '삽입성행위'나 '유사성행위' 없는 성매매는 불법은 아니다). 다만 음란물과 성매매는 법적으로는 불법이지만, (특히 남성)비청소년이 음란물을 소비하거나 성구매-성판매는 다르다-를 하는 것은 공식석상에서 이야기할 것은 못 되도 만연해 있고 그다지 음지화되는 경험들도 아니다.

2011년, 청소년활동가들은 서울 학생인권조례 제정을 위한 주민발의 서명운동[16]을 마무리했다. 그 때 즈음부터 시작되었다, "학생인권조례 통과되면 학교에서 항문성교를 가르친다", "초등생이 엄마 되고 중학생이 아빠 된다"는 피켓을 든 사람들이 등장했다. 학생인권조례 내용 중에 학생을 성적지향이나 성별 정체성, 임신 및 출산 여부로 차별하지 않는다는 조항이 있어 그것을 근거로 그런 문구를 들고나온 것이었다. 그들은 학생인권조례가 학생들을 '정치화한다', '지나친 자유를 보장한다' 등의 논리로 학생인권 및 청소년인권 자체에 대해 적개심을 드러내기도 했다. 학생이 집회 등을 통해 학교 안팎에서 의사표명을 할 권리를 명시한 부분도 공격의 대상이 되었다. 저들의 활동이 성과를 낸 것일까, 이 '집회할 권리'에 대한 부분에 대해서 시의회는 '학교규정으로 시간과 장소 등을 제한할 수 있다'는 단서조항을 달아버렸다. 학생의 성적지향과 성별정체성에 대한 정보를 학교가 누출해서는 안 된다는 부분에도 '보호자는 제외'한다는 단서조항이 달렸다.

청소년활동가들이 학생인권조례 발의를 위해 서명운동을 직접 발로 뛰면서 노력한 반면, 학생인권을 반대하고 청소년을 동성애로부터 보호해야 한다고 주장하는 어른들은 반대운동을 벌였다. 그들이 동성애로부터의 청소년 보호를 외칠 때 청소년 성소수자들은 학교 내 성소수자 인권 보장이 필요하다고 이야기했다. 나는 이 사건을 이 사회 청소년보호주의의 현실을 보여주는 사례로

16　서울 학생인권조례는 시민들이 직접 요구하는 '주민발의'형태로 의회에 세출되었다. 주민발의를 위해 서울시민 1%의 서명이 필요했는데, 청소년은 유권자가 아니라는 이유로 서명할 자격이 없었다.

평가한다. 청소년을 '걱정하는', '부모'의 포지션으로 자신을 포장했지만, 그들은 결국 청소년 인권을 반대하고 싫어하는 사람들이었다. 그들이 동성애라는 유해한 것으로부터 청소년을 보호해야한다고 외친 결과 낙인은 청소년 성소수자들에게 찍혔다. 동성애를 다룬 영화 〈친구사이?〉는 청소년유해물로 분류되었다가 15세관람가로 등급이 조정되었다. 2015년 방영된 드라마 〈선암여고탐정단〉에서는 여자 고등학생끼리의 키스신을 내보냈다는 이유로 방송통신심의위원회로부터 '경고'조치를 받았다. 청소년을 대상으로 하는 방송에서 여고생 간 키스신을 내보낸 것은 어린이 청소년의 정서함양에 유해하다는 이유였다. 2016년에도 남성 간 키스신을 방영한 〈SNL코리아 시즌7〉이 방심위로부터 행정지도 제재를 받았다. 청소년이 시청하는 프로그램에서 동성 키스신을 내보내는 것이 부적절하다는 민원을 받아들인 결과였다.

　요즘은 '나는 성소수자를 혐오하므로 그들이 공적 공간에서 드러나지 않길 바란다'고 선언하는 것보다 '우리 아이들을 보호하기

위해서 성소수자의 존재는 공적 공간에서 드러나지 않아야 한다'
고 주장하는 것이 더 세련된 주장으로 취급받는 것 같다. 이렇게
청소년보호주의는 자신이 싫어하는 존재를 추방하는 데 빛 좋은
구실로도 활용된다. 동성애가, 성소수자가 청소년에게 유해한가?
청소년은 주체성 없는 존재라고 선전하고 청소년 성소수자를 낙
인찍는 그들의 행태가 청소년에게 더 유해하다.

　최근 한 라디오에서 진행한 '청소년의 성과 성교육'을 주제로
한 토론 프로그램에 초청받아 출연한 적이 있었다. 그 프로그램에
서 토론에 참여하며 놀라웠던 것은, '음란물'에 대해 이야기할 때
아무런 조사자료나 근거 없이도 '예전에 비해 요즘 청소년들은 음
란물을 더 일찍, 더 많이 본다', '청소년이 음란물을 보는 것은 문제
다'라는 이야기가 비청소년들에게 통용되는 부분이었다. 음란물이
정말로 혹은 얼마나 유해한가, 청소년에게만 유해한가에 대해서
는 아무도 의문을 제기하지 않는다. 사실 '음란물', 즉 포르노는 한
국에서는 나이불문하고 불법이다. 음란물의 문제점에 대해 이야기
하면 꼭 청소년의 음란물 소비를 문제삼는데, 한 조사결과[17]에 의
하면 사실 음란물을 가장 많이 보는 연령대는 40대이다. 포르노와
관련해서 가장 문제시 되는 부분은 그것이 여성에 대한 잘못된 인
식을 조장한다는 점인데, 그래서 주로 '청소년들에게 왜곡된 성인
식을 심어줄 수 있다'는 주장이 통용된다. 사람의 의식은 자신을
둘러싼 환경과 접하는 정보들에 의해 구성되므로 틀린 말은 아니

17　미래창조과학부가 조사한 '2013년 인터넷중독실태조사'

다. 다만 청소년에게만 해당되는 문제가 아닐 뿐. 나의 경험상에는 여성에 대한 왜곡된 성인식—성별에 대한 고정관념과 여성에 대한 평가절하 등—을 갖고 있는 사람은 연령대가 높아질수록 더 많았다.

2013년, 심재철 국회의원이 국회 본회의 도중 휴대폰으로 여성의 나체 사진을 보고 있었던 것이 드러나 논란이 일었다. 이에 심재철 의원은 청소년들이 스마트폰에서 성인인증 없이 음란물을 볼 수 있는지 여부를 알아보려고 접속한 것이라고 항변했다. 본인의 항변을 뒷받침하기 위해서였는지, 그는 전기통신사업자가 전기통신역무를 제공할 때에 이용자가 청소년이면 청소년 유해 매체물 차단 프로그램을 함께 제공하도록 하고, 계약 시에 청소년 이용자와 보호자에게 차단 프로그램이 있음을 알려주도록 의무화하는 내용의 전기통신사업법 개정안을 발의했다. 이 개정안의 경우 당시에는 통과되지 못했지만, 이보다 더 심각한 내용의, 통신사가 유해물 차단 프로그램이 있음을 알려주도록 하는 것을 넘어서 모든 청소년 이용자들이 차단 프로그램을 설치하도록 강제하는 법안이 이후 통과되었다. 2015년부터 청소년들은 자신의 스마트폰 사용이 국가와 보호자에게 상시적으로 감시 및 검열되는 앱을 강제로 설치당하게 되었다. 이 앱의 경우 청소년 이용자의 기록을 무분별하게 수집하고 유출할 위험성이 있고, 인터넷 접속과 앱 사용 내역을 보호자가 엿볼 수 있도록 하는 기능이 있는 것도 있어 정보보호와 사생활보호에 침해를 야기한다. 청소년이 스마트폰으로 음란물을 본다는 비청소년들의 우려가 모든 청소년이 휴대폰에 유해물 차단 앱을 설치하도록 강제하는 정책으로 이어진 셈이다. 청소년보호주의가 청소년의 권리 침해와 규제로 이어지는 단면을 보여주는 사례이다.

스마트폰이 대중화된 시대, 스마트폰으로 음란물을 보는 것은 청소년만이 아닐 것이다. 청소년도 비청소년도 스마트폰으로 음란물을 보지만, 비청소년 주체는 청소년을 보호한다는 명목으로 일방적인 규제를 할 수 있다. 청소년은 보호와 통제의 대상으로만 여겨지기 때문이다. 이전 세대들도 청소년기부터 포르노를 보았다. 그 매체는 그림, 잡지와 사진, 비디오, PC, 스마트폰 등으로 변화해 왔지만 청소년을 포함한 사람들이 포르노를 보는 현상은 변하지 않았다. 하지만 문제시되는 것은 늘 '요즘 청소년'이다. 포르노가 어떻게 제작되고, 누구에 의해 소비되며, 그 안에서 여성과 남성은 어떻게 그려지는지에 대한 문제는 포르노를 소비하는 모두의 문제이며 사회적인 문제이다. 그런데 '청소년'이라는 타자

가 있는 덕분에 비청소년들은 포르노의 문제를 자신의 문제가 아닌 청소년의 문제로 떠넘길 수 있게 된다. 청소년을 탓하면 문제가 해결되는가, 비청소년들은 청소년을 문제로 규정함으로써 자신의

문제를 회피하고 있는 것은 아닌가. 흔히 포르노 등을 '청소년유해물'로, 성매매업소를 '청소년유해업소'로, 성적 컨텐츠가 오고가는 사이트를 '청소년유해사이트'로 표현하곤 하는데, 나는 성적인 것과 성매매에 대한 것을 '청소년유해' 어쩌고로 지칭하는 것이 문제적이라고 본다. 그것들의 본질은 청소년에게 유해한지 여부에 대한 것이 아니기 때문이다. '청소년유해'로 표현함으로써 성매매와 포르노, 성적대상화의 보다 본질적인 문제가 오히려 가려지고, 청소년에게만 차단되면 문제가 없는 것으로 여겨지게 된다. 이것이 바로 비청소년들의 문제 회피다.

청소년은 지나다닐 수 없는 길이 있다. 성매매업소 등이 밀집된 곳에 지정되는 청소년통행금지(제한)구역이다. 이 청소년통행금지구역 설정에 대해 '성매수하러 간 아버지가 자식들과 마주치는 것을 방지하기 위한 것이 아닐까'라고 우스갯소리처럼 이야기하곤 하는데, 비청소년들의 성매매를 위해 청소년의 통행의 자유를 침해하는 것은 불공평한 일이 아닐 수 없기 때문이다. 성매매특별법 이후에는 집창촌 철거와 함께 성매매업소들이 밀집하여 운영되지 않고 곳곳에서 보다 은밀하게 운영되기 시작했기 때문에 최근에는 청소년통행금지구역 지정이 별로 유효하지 않은 추세다.

성매매의 경우 성매매와 관련한 것들을 청소년이 접하는 것도 문제시되지만, 특히 여성 청소년의 성판매가 문제가 된다. 다른 '청소년 보호'가 으레 그렇듯, 이 성매매로부터의 보호도 보호의 영역을 벗어난 청소년을 낙인찍고 규제하는 방식으로 이루어진다. 청소년의 성판매는 비행으로 간주된다. 청소년을 성매매로부터 보호하자고 한다면 여성 청소년이 성판매를 하지 않고 살아갈 수 있도록 청소년에게 경제적 안정망을 지원한다든가, 여성 청소년이 성착취와 인신매매의 피해자가 되지 않도록 노력하자든가, 보호자 동의 없이는 청소년이 노동하지 못하게 하는 법을 바꾸자든가 하는 논의가 전개되어야 한다. 물론 (전직)성판매 여성 청소년들의 자립을 지원하는 단체와 사업들이 있지만, 성판매하는 여성 청소년들에 대해 대중은 그들의 권리를 어떻게 보장할까에 대해서가 아니라 그들을 어떻게 규제하고 '우리 아이'와 같은 '순수한 청소년'들로부터 어떻게 격리시킬까에 대해 고민한다. 익명 채팅 프로그램들이 성매매(조건만남) 알선에 이용된다는 사실이 알려지자, 대중과 언론은 여성 청소년들이 그 프로그램을 활용하여 성판매를 한다는 것에 주목하며 청소년이 익명 채팅을 하지 못하도록 만들어야 한다는 반응을 보였다. 익명 채팅을 활용하여 성구매를 하는 비청소년 남성의 이용을 규제하는 것이 아니라, 성판매를 할 가능성이 있는 여성 청소년의 이용을 규제하자는 것이다. '보호'를 위한 상상력의 한계가 청소년을 추방하는 것인 셈이다.

익명 채팅 프로그램을 이용하지 못하게 하면 여청 청소년들이 성판매를 안 할 수 있게 되는 것도 아니다. 사실 익명 채팅 프로그램을 이용하여 조건만남을 하는 것은 성매매 중에서도 가장 위험하고 열악한 방식에 속한다. 업소에서 성판매를 하면 정해진 공간과 타인들이 있기 때문에 폭력에 노출될 상황이 적어진다. 상대방의 얼굴도 미리 확인할 수 없는 익명 채팅 프로그램으로 구매자가 지정하는 장소에서 단둘이 만나는 방식은 위험부담이 클 수밖에 없다. 아이러니하게도 여성 청소년들이 익명 채팅 프로그램을 이용한 위험한 방식의 성판매를 하게 되는 것은 업소에서 단속과 처벌을 피하기 위해 청소년을 고용하지 않기 때문이다. 그런데 익명 채팅 프로그램을 못 쓰게 하면? 그들이 성판매를 하게 되는 구조적 원인들은 그대로 존재하는데 여성 청소년들은 또 어디로 가서 성판매를 하게 될까.

학교 내 여성 차별, 여학생은 공부를 너무 잘한다?

학교를 다니는 여성 청소년들이 자주 불만을 토로하는 것 중 교사의 성차별적 발언들이 있다. 특히 입시와 관련한 성차별적 발언들을 많이 토로하는데, 이를테면 '여자는 수학, 과학을 못한다'거나, '지금은 여자가 잘해도 고3 되면(혹은 사회에 나가면) 남자들이 더 잘한다' 등이다. 각종 통계 결과와 남학생들이 내신성적을 잘 받는 데 불리하다는 이유로 남녀공학고등학교를 기피하는 경향을 볼 때, 여학생이 남학생보다 더 입시 성적이 높다는 것은 이제 기정사실화된 듯하다. 나한테는 씁쓸한 사실로 다가오는데, 남자인 것은 그 자체로 인정의 근거가 되는 반면 여자인 것은 그렇지 않기 때문에 남자들만큼 인정받기 위해서 더욱 노력해야 하는, 하고 있는 여성 청소년의 모습들이 그려져서이다. 여성 청소년들은 여성이 취

업하기가 얼마나 힘든지를, 여자라는 이유로 장래희망을 이루는 데 훨씬 더 많은 방해물을 넘어가야 한다는 사실을 이미 알고 있다. 그녀들은 여자가 예쁘지 않으면 공부라도 잘 해야 한다는 말을 들으며 산다. 어느 학용품 업체에서는 여자캐릭터가 "어머! 얼굴이 고우면 공부 안 해도 돼요. 어서 책을 펴야지..."라고 말하는 그림을 넣어 필통을 제작하기도 했다.[18]

2016년 4월 동아일보는 "'여성에 포위된' 남학생들... 우리는 느리고 답답하대요"라는 제목의 기사[19]를 냈다. 앞서가는 '알파걸' 때문에 '베타보이'들이 학교생활을 힘들어한다는 것이다. 동아일보는 "전문가들은 여학생들에게 유리한 한국의 학교 시스템과 학부모들의 조바심이 우수한 알파걸과 모자라는 베타보이를 낳고 있다고 지적했다"라고 썼다. 동아일보가 주장하는 베타보이의 서러움은 다음과 같다. 첫째는 한국 학교가 여학생에게 유리한 시스템이라는 것이다. "남자는 시각이, 여자는 청각이 뛰어나다"며, 교사 한 명이 정적으로 교단에 서서 지시를 내리는 방식이 청각 자극에 둔감한 남학생들에게 불리하는 것이다. 두 번째는 남학생들이 '여

18 '반8'이라는 업체에서 학력차별적, 성차별적 문구를 담은 학용품을 세칭혜 논란이 되었다. 시민단체들의 항의 끝에 업체 대표가 사과했다.

19 김의균, 「'여성에 포위된' 남학생들… "우리는 느리고 답답하대요"」, 『동아일보』, 2016년 4월 18일

자들에 포위'되어 자신을 이해하는 남자어른을 찾기 힘들다는 것이다. 집에서 아빠보다 엄마와 지내는 시간이 더 길고, 교사 중 여성 비율이 높은 것이 원인이라고 한다. 기사는 남자아이들도 사춘기가 되면 "골든타임"이 온다며 "남자아이들이 자주 꾸중을 듣고 실패를 경험하게 되면 자존감이 떨어지므로 인내하고 계속 격려해줘야 한다"고 당부한다.

동아일보가 주장하는 것처럼 남자는 시각이, 여자는 청각이 뛰어난지, 그리고 한국 학교 시스템이 '청각' 위주이며 여자에게 유리한 시스템인지는 의문이 든다. 한국 학교처럼 교과서와 문제집에만 코를(눈을) 박고 공부하는 나라가 드물 것이기 때문이다. 이 기사에 대해 많은 사람들은 남성 어린이·청소년들을 위해 남교사 할당제를 통해 비율을 높여야 한다고 반응했다. 돌봄, 양육을 여성이 전담하는 상황에 대한 문제제기는 없었다. 엄마만큼 아빠도 양육에 참여해야 한다거나, 여성의 일로 취급되는 보육 직업에 남성 비율을 늘려야 한다는 반응은 드물었다.

여학생들이 너무 공부를 잘한다며 걱정하는 것은 위 동아일보 기사 뿐만이 아니다. 여학생들은 사회적으로는 공부를 너무 잘한다고 우려를 사고, 학교에서는 "고 3되면 남학생들이 더 잘한다"는 말을 듣고, 나중에는 남녀 모두 면접을 봐도 남자만 뽑는 회사들에 지원서를 넣다가 그래도 '성적'으로 직업을 구할 수 있는 고시쪽으로 발걸음을 돌린다. 중앙대학교 이사장이 "분 바르는 여학생 말고" 남학생을 더 뽑으라며 수시모집 과정에 개입했다는 논란[20]

5 | 소녀처럼 싸워라

은 서글픈 현실의 단면을 드러낸다.

중고등학교 내에도 성별에 따른 차별적 운영과 관행은 존재한다. 글의 앞부분에 여학생의 성을 단속하는 방식으로 이루어지는 용의복장규제의 문제도 지적했지만, 대표적으로 남녀를 분리하고 남자에게 우선순위를 매기는 방식이 학교 내 성차별로 존재한다. 이를테면 학번을 부여할 때 남자 먼저, 여자 나중의 순으로 부여한다든가, 남녀를 분리해서 급식실을 이용하게 하면서 남자 먼저, 여자 나중의 순으로 이용하게 하는 등이다.

> 저희 학교는 급식을 성별로 구분지어 먹게 합니다. 남자부터 먼저 들어가고 여자가 들어가는 형식인데 남자 3학년>2학년>1학년>여자 3학년>2학년>1학년 순으로 먹게 됩니다. 맛있는 메뉴가 나올 때 남학생들이 두세번씩 밥을 먼저 받으면 여자 1학년은 다 떨어져서 배식 받지 못하는 경우도 많습니다. 수차례 건의를 했지만 남학생들이 밥을 빨리 먹는다는 이유로 개선하지 않고 있습니다. — 서울 Y중학교[21]

---

20 중앙대 2015학년도 수시모집 과정 중에 이사장이 "분 바르는 여학생 말고" 남학생을 뽑으라는 발언을 해서 논란이 되었나. 여성단체 등은 중앙대 앞에서 '분노의 분 떡칠' 시위를 하기도 했다. 교육부에서 문제 사안에 대한 조사를 허술하게 한다는 지적도 끊이지 않았다.

21 위 사례는 2015년에 인권친화적 학교+너머운동본부에서 진행한 〈불량학칙공모전〉에 참여한 학생이 보내온 것이다.

여성 청소년, 시민으로서의 권리를 위하여

아래 사진은 2002년 서울시 교육청 앞에서 어느 고등학교 학생들이 학교 재단의 비리를 규탄하며 시위한 것을 언론에서 찍은 사진이다. 그런데 이 사진은 '젝스키스 해체 반대 여고생 시위'라는 설명을 달고 인터넷에 광범위하게 퍼졌다. 많은 사람들이 사진의 여고생들을 비난했다. 젝스키스 해체 반대 시위라는 설명에 대한 대중의 의심 없음은 여성 청소년이 '무개념'하고 미성숙하며 정치적으로 유의미한 실천을 할 수 있는 주체가 아니라는 사회적 인식이 있기에 가능했고, 이 사진은 여성 청소년에 대한 그러한 인식을 강화시키는 도구로 작동했다. 처음 이 사진을 젝스키스 해체 반대 시위라고 설명하며 유포한 사람은 해당 시위에 대해 악감정을 가졌거나, 혹은 여성 청소년에 대한 부정적인 사회 인식을 강화하기 위한 의도를 가졌을 것이다. 그

의도는 관철되었다. 최근에 와서야 모 언론사에서 이 사진이 사실과 다르게 매도되고 있다고 기사를 내보내 시위자들의 명예가 조금이나마 회복된 상황이다.

여성 청소년의 몸과 성적 자기결정권을 잠식하는 차별과 낙인에도 불구하고, 여성/청소년들은 어딘가에서 끊임없이 목소리를

내고 저항하고 있다. 사회는 이들을 주체로 인정하지 않지만 여성 청소년들은 이미 그 각각의 삶에서 세상에 저항하고 세상과 협상하는 주체로서 살아가고 있다. 본 글에서는 여성 청소년의 권리가 어떻게 침범당하고 있는지에 대해서 뿐 아니라 여성/청소년의 권리를 위한 투쟁과 그에 대한 사회적 반응들도 함께 설명하기 위해 노력했다. 사회구조가 결국 사람들에 의해 만들어진다면, 이 글이 세상을 똑바로 바라보기 위해 시도하는 누군가에게 조금이나마 도움이 되기를 바란다.

촛불소녀,
페미니스트 되다

홍승은

2008년, '촛불소녀'는 한미FTA 광우병 쇠고기집회의 상징이 되었다. 언론은 촛불소녀, 유모차부대 등을 '아마조네스 부대(그리스 여전사)'라고 치켜세우며, 여성의 정치참여에 주목했다. 촛불소녀'와 '유모차부대'를 비롯해, '촛불여대생', '밀양할매', '위안부할머니', '고대녀', 여성 총 학생회장, 여성 당 대표, 여성 대통령, 최근 '효녀연합'까지. 여성들의 정치활동은 꾸준히 "○○녀"라 명명되며 이슈화되어왔다.

하지만 여전히 여성은 정치적 무관심의 상징이다. 최근 필리버스터 연설의 전문을 담은 책이 주로 2-30대 여성들에게 팔렸다는 소식을 언론에서 보도했을 때, 해당 기사의 댓글창에는 "냄비 받침 용으로 샀을 것이다", "과시욕으로 샀을 것이다", 심지어 "시민단체에서 돈 주고 여직원들 심부름 시켜서 샀겠지" 등 여성들의 정치적 관심을 조롱하는 글들이 넘쳐났다. 선거철에는 여성의 정치 무관심을 질타하는 이와 비슷한 선전 구호를 너무나 쉽게 확인할 수 있다. '여성은 정치적으로 무관심하며 사적인 것에만 몰두한다'는 비난이 '20대 개새끼론'에 이어 뒤따라 나오는 것 즈음은 우스울 정도다. 올해 총선에서는 "언니, 에센스는 그렇게 꼼꼼하게 고르면서..."라며 선거도 좀 꼼꼼히 챙기라는 비아냥거림을 선관위가 버젓이 광고로 제작하는가 하면, "오빠, 혹시 그거 해봤어?"라며 성행위를 연상시키는 듯한 말로 여성을 대놓고 성적 대상화하는 투표 독려 광고도 등장했다. 현대사 관련 도서의 독자층을 분석한 "2030 여성들이 현대사에 왜 빠져들까"라는 제목의 경향신문 기사에서는, 현대사 관련 도서의 주요 구매층이 '역사서적과는 거리가 멀었던 20~30대 여성'이라는 점이 특이사항이며, '여성들이 〈나꼼수〉를 계기로 정치, 역사에 관심을 갖고 책을 구입했다'고 보도했다. 여성이 역사에 관심이 없을 것이라는 기본 관점부터 문제적이지만, 기존의 정치경제 관련 팟캐스트와 정치사회 분야의 서적 대부분이 남성들의 언어로 채워져 있다는 점에서 여성들의 도서 구매가 그리 고무적인 현상처럼 보이지만은 않았다. 그 팟캐스트를 청취하고 그 사회과학서들을 구입했던 여성들은 오로지 '듣는' 위치에만 서있기 때문이다. 서점에서 소위 '잘 나가는' 사회과학서의 대부분은 수도권, 학벌 좋은, 이성애자, 중산층 이상의 남성 저자들의 작품이다. '그'들이 정의한 이론과 경험을 학습하며 '의식화'되는 과거의 인습은 여전히 반복되고 있다.

그 많던 '촛불소녀'와 '촛불여대생'은 지금 이 순간 어느 곳에서 정치에 참여하고 있을까. 정치주체로 이슈화되었던 수많은 "○○녀"들은 어디에 있을까. 왜 그녀들은 어떨 때엔 정치의 적극적인 참여 주체가 되고 어떨 때엔 정치에 극도로 무관심한 계몽의 대상이 될까. 그녀들은 스스로 목소리를 내지 않는 걸까, 못하는 걸까, 혹시 입막음 당해온 건 아닐까. 정치에 끊임없이 소환되고 곧 배제되어왔던 여성들을 '침묵당하는 자리'에서 '침묵하지 않는 자리'로 끌어오기 위한 논의를 진행하기 위해서, 여성의 정치참여가 어떤 식으로 제한되고 굴절되는지 세심하게 살필 필요가 있다.

2016년 초 '대한민국 효녀연합'은 '촛불소녀'처럼 여성정치의 상징이 되었지만, 그만큼 한국 사회에서의 여성정치의 한계를 여실히 보여주는 계기가 되기도 했다. '촛불소녀'이자 '효녀연합'이었던 그녀(홍승희)는 내 친동생이다. 동생과 내가 운동사회에서 여성으로서 배제를 경험하며, 새로운 운동형태를 퍼포먼스와 삶의 정치를 통해 시도했던 것, 그 과정에서 '효녀연합'이 탄생한 것, '효녀연합'을 둘러싼 각종 해석과 폭력을 경험하며 마지막에 '페미니스트'를 선언하게 된 흐름을 따라가는 것은 비록 개인적 경험이지만, 여성들의 정치 참여와 좌절의 모습이 이와 크게 다르지 않을 것이라는 점에서 의미있는 시사를 제공할 수 있을 것이라 생각한다. 이를 통해 남성중심의 정치에서 배제되어온 여성들이 정치 주체로서 바로 설 수 있는 고민을 더욱 확대할 수 있길 바란다.

촛불소녀가 광장을 벗어났을 때

"여성은 역사적으로 '진보운동'에 어떤 기여를 했는가?"라는 질문은 이미 남성을 기준으로 정의된 운동의 문화, 가치, 이념,

방식 등을 전제하고 있기 때문에, 이 질문에 대해 어떻게 대답하든 그 대답은 곧 여성이 남성보다 '덜 기여했음'을 입증할 뿐이다. 전제 자체를 의문시하지 않으면 "아무리 해도 화염병을 멀리 던질 수 없던" 여성, "거리 시위 때 뒤따라가는 대오를 따라잡지 못해 뒤처지는" 여성이 사회운동 조직에서 주변화 되는 것은 어쩔 수 없는 것이 된다.

『오빠는 필요 없다』(전희경)

동생과 나는 2008년 광우병 촛불집회 때 처음으로 광장정치를 경험했다. 당시 동생의 나이는 열아홉, 나는 스물하나. 처음 접했던 광장정치는 우리에게 자유와 해방감을 느끼게 해주었다. 스쳐 지나다니기만 했던 길거리에 자리를 깔고 앉아서 '자유'와 '정의'를 외치는 시간이 꿈만 같았다. 어릴 때부터 요구받았던 착한 딸, 성실한 학생, 조신한 여자의 도리를 요구받지 않아도 되었고, 온전히 '나'로 존재하는 기분이었다. 같은 마음을 가졌다고 생각되는 수많은 사람들 속에서, 가족이나 학교에서는 느낄 수 없었던 강력한 동질감도 느꼈다. 전희경은 "여성에게 집회의 경험이 특히 짜릿한 이유는 기존의 사적인 장에 유폐된 가족 구성원에서 벗어나 공적 주체가 되는 경험을 제공하기 때문"이라고 했는데, 우리에게도 집회는 해방감과 동시에 시민으로의 주체성을 확인하는 경험이었다.

집회가 끝나고 광장을 벗어났을 때, 거리에서 느꼈던 해방감을 일상으로 연결하기 위해서 각종 진보적 청년단체, 시민단체, 정당 활동을 했다. 독서모임, 대안청년공동체 등을 조직하고 운영하면서 '세상을 바꾸기 위해' 노력했다. 당시 운동권들의 학습은 주로 사회구조와 민족문제에 관한 철학, 역사서를 읽는 것으로 시작됐다. 가끔 486세대 선배들이 "오 아직도 그 책을 읽는구나!"라며 반가워하는 걸 보면 예나 지금이나 운동의 '커리큘럼'은 크게 변하지 않은 것 같다. '주요 모순'과 '부차적 모순'같은 어려운 운동권 용어를 쓰진 않았지만, 소위 NL, PD담론에 대한 선배들의 회상을 무용담처럼 들으면서 계급 혹은 민족 모순이 사회 문제의 가장 중요한 원인이라고 여기게 되었다. 민족이 해방되면, 계급모순이 해결되면 세상이 변하고 내 삶도 변할 거라고 믿었다.

하지만 선배들의 문제의식에 동의하고 대의를 위해 신념을 다잡아도, 조직 내에서 일상적으로 느끼는 불편함은 끊이지 않았다. '희생, 결의, 비타협, 헌신, 투쟁'을 이야기하는 운동권 특유의 문화는 나에게 맞지 않는 옷을 입은 것 같은 느낌이었다. 밤샘 집회 도중 버티지 못해 혼자 집으로 돌아가야 했을 때, "쟤는 항상 먼저 가더라."라고 동료가 가볍게 던진 말이 내내 머릿속에서 맴돌았다. 먼저 귀가했다는 이유로 모두가 나의 열정과 진정성을 의심하는 것 같았다. 그 후, 부산 한진 중공업 집회에서 몸이 아파 잠시 대오를 이탈한 사이 동료들이 최루액이 섞인 물대포를 맞았을 때에는 걱정스러운 마음에 앞서, 누가 말하기도 전에 죄책감이 먼저 들었다. 이후로도 그런 일은 많았다. 가두행진을 하다가 뒤쳐져서 누군가가 나를 끌어줘야 했을 때, 농활에서 여자들도 밖에서 샤워를 해야 했을 때, 이장님이 나를 '임자'라고 부르며 스킨십을 했을 때, 위계적인 회의문화에 잘 적응하지 못했을 때, 나는 그 모든 것들에 불편함을 느꼈다. 그때마다 '나는 조직에 잘 맞지 않는 사람인가' 라고 스스로를 질책했다.

당시에는 그것이 내 사상과 헌신성의 부족 탓이라 여기고, 내 '사소한' 불편함이 아닌 '대의'를 위해서 더 치열하게 활동하려고 노력했다. 실제로 선배에게 내가 느끼는 불편함을 얘기하면, 돌아오는 대답은 "같이 공부하자"거나 "그래도 사람들을 보듬고 대의를 위해 나아가자, 세상을 바꿔야지", 또는 "체력도 사상의 발현이다"라는 말뿐이었다.

이렇게 불편함을 느끼면서도 선뜻 나서서 문제를 제기하지 못했던 이유는 '진보적인' 조직에서조차 내가 적응하지 못하면, 나는 사회 어느 곳에서도 적응하지 못하는 사람이 될 것 같았기 때문이다. 그래도 이곳이 주류 사회보다는 나을 텐데. 여기에서마저 적응하지 못하면 나는 말 그대로 불평불만만 많은 사람이 될 것 같았다.

불편함을 말해도 변화하지 않을 것 같은 조직의 분위기도 내가 입을 다물 수밖에 없었던 이유였다. 운동권에서의 생활은 매일이 '투쟁'의 연속이었다. 신문에서는 싸워서 이겨야 할 적들을 눈앞에 뚜렷이 보여주었고, 구성원들은 매일 긴장 속에 지내야 했다. 간혹 조직 내에서 갈등이 일어나면 수습하기 위한 노력은 있었지만, 재발 방지를 위한 성찰은 없었다. 내부의 '사소한' 문제로 지체할 시

간이 없었기 때문이다. 매일 쏟아지는 '적'들의 공격에 맞서 대자
보, 집회를 준비해야 했다.

같은 지역에서 운동을 하던 한 선배가 동생과 나를 가리켜 "쟤
네 처음 봤을 때는 적당히 하다가 그만둘 줄 알았는데, 그래도 꽤
버티네."라는 말을 한 적이 있다. 선배의 말에 담긴 시선처럼, 우리
의 운동은 항상 시험대에 올려져있었다. "젊은 여자는 사회 문제
에 관심이 없는 편인데, 기특하다"는 식의 의외성을 부각하는 칭
찬은 우리에게 흔히 여자의 특성이라고 취급되는 나약함, 섬세함,
예민함 등을 배제하도록 만들었다. 안 그러면 언제든 "역시 여자
애들은 오래 못해"라는 평가를 들어야하는 걸 누구보다 스스로가
잘 알고 있었다.

새로운 운동방식의 시도, 퍼포먼스와 일상정치

5년 간 진보 정당과 청년 자치단체를 기반으로 활동을 하다가, 기
존의 운동 방식이 우리에게 맞지 않다고 느끼고 다른 방법을 고
민하기 시작했다. 마침 대학원을 졸업하고 본격적으로 경제활동
을 시작해야 했던 시기였기에 더욱 고민이 많았다. 노동조합 활동
을 경험해보라는 선배의 권유로 잠시 한 국립 고등학교에 행정보
조인으로 취업했다. 하지만 위계적인 조직 생활과 노동과 삶이 분
리된 삶은 나에게 맞지 않았다. 당시 비정규직 행정보조인은 교사
집단 내에서 투명인간 같은 존재였다. 회식 때에도 부르지 않았

고, 교무실에 음료가 배급될 때에도 으레 배제되었다. 그깟 '요구르트' 하나 받지 못했을 뿐인데, 그 사소한 소외가 내 위치를 정확히 파악하게 해주는 계기가 되었다. 반대로 하지 않아도 될 일에는 언제나 포함되었다. 누군가 결혼이나 전근 기념으로 떡을 돌리면, 행정 보조원 여자 둘이 무거운 떡 상자를 들고 각 교무실들을 돌면서 모든 선생님들에게 한 사람 한 사람 떡을 나눠주는 일을 해야 했다.

공공기관에서의 경험은 노동과 일상이 분리되고, 노동으로부터의 소외가 무엇인지 체험할 수 있었던 기회가 되었다. 고작 한 달을 일했을 뿐인데, 3년 같이 느껴지는 시간이었다. 퇴근시간을 기다리고, 월급날을 기다리고, 금요일을 기다리게 되는 하루하루가 낯설었다. 설사 그것이 내가 꿈꾸는 '사회운동'을 위한 길이라 해도, 의미없는 노동을 하며 살아가기는 싫었다. 결국 사직서를 냈을 때, 그 직장을 권유했던 선배는 "자기 좋은 것만 하려고하면 누가 노동운동을 하려고 해?"라며 '나약하고 자기밖에 모르는' 나를 비난했다.

하지만 나는 생각이 달랐다. 당시 학생운동을 함께 했던 선배나 동료들이 졸업 후 남들과 똑같이 취업 준비를 하거나 공무원 시험을 준비하는 모습을 보면서 결국 이전의 운동이 취업으로 단절되는 것 같은 느낌이 들었다. 학생운동을 할 때 그렇게 '해방'과 '자유'를 외치다가, 졸업을 할 때쯤엔 조용히 취업준비를 하고 언젠가 다시 노동운동을 하면 된다는 방식이 마음에 들지 않았다. 처음 집회에 참여했을 때 느꼈던 자유가 계속 내 일상에 남아있기를 바랐다. 새로운 형태의 경제 활동과 삶의 방식이 필요하다고 생각했다. 기존의 길이 아닌 다양한 방식으로 살아가며 내 몫의 균열을 내고 싶다고 생각했다.

2012년 겨울, 우연히 사회적 경제라는, 주류 경제와는 다른 결로 운영되는 경제시스템을 알게 되었다. 노동과 일상이 분리되지 않는 우리만의 일터를 일구며 활동을 하기로 마음먹은 결과, 2013년 동생과 함께 '인문학카페 36.5°'를 오픈하게 되었다. 카페 공간을 활용하여 인문학과 예술을 매개로 한 각종 세미나, 강연회, 작은 소모임 등을 열었고, 지역 내 청년 공동체를 일구며 활동했다. 카페를 오픈한지 약 6개월이 지난 2014년 4월 16일, 세월호 사건 이후부터 동생은 거리에서 퍼포먼스를 하며 거리의 '사회예술운동'을 하게 되었고, 나는 인문학카페를 운영하며 '일상예술운동'을 지속해왔다. 우리는 서로의 활동을 응원하며 각자의 방식으로 운동을 했다.

나와 동생은 서로 얼굴도 잘 보지 못할 정도로 바빴다. 특히 동생은 하루가 멀다 하고 끊임없이 이어지는 집회에 참여하느라 매일 숨 가쁜 하루하루를 보냈다. 집회 때마다 각종 퍼포먼스와 피켓 등을 준비하던 동생은 기존의 경직된 운동방식을 넘어서 집회를 하나의 축제처럼 만들고 싶다고 했다. 누구나 창조와 풍자를 통해 자신의 정치적 의견을 예술과 함께 집회에서 표현해낼 수 있어야 한다는 것이었다.

지난 2016년 1월. 동생은 여느 때처럼 새로운 퍼포먼스를 준비했다. 그때 준비한 퍼포먼스가 '대한민국 효녀연합'이었다. 그렇게 효녀연합은 한일 위안부 협상 반대의 아이콘이 되었다.

예쁘고 개념 있는 '대한민국 효녀연합'

아베 신조와 박근혜 정부의 일본군 '위안부' 졸속 협상, 그리고 이 협상에 항의하는 '위안부' 피해자 지원단체를 '종북 세력'으로 모는 어버이연합의 망언에 분노하던 사람들은 동생의 피케팅에 관심을 보였다. '어버이연합'을 미러링하여 '효녀연합'을 만들고, "애국이란 태극기에 충성하는 것이 아니라 물에 빠진 아이들을 구하는 것입니다"라고 적힌 피켓을 든 동생은 금세 많은 사람들에게 알려졌다.

효녀연합 SNS에는 하루만에 1만 명의 시민들이 모였고, 효녀연합을 따라 각종 '○○연합'들이 생겨나기 시작했다. 아빠에게까지 동생과 함께 다큐를 찍자는 제의가 들어올 정도로, 수많은 언론으로부터 출연제의가 이어졌다. 총선을 앞두고 몇몇 야당에서 러브콜을 받으며 효녀연합 '홍승희'는 2016년 총선의 아이콘으로 부상하게 되었다. 처음에 '내용'과 '방식'에 가있던 관심이 얼마 안가 '홍승희' 개인에게로 이어졌던 것이다.

불과 몇 달 전 광화문에서 동생을 '국정교과서 청순녀'라고 소개했던 언론은 동생에게 새로운 "○○녀"를 붙여댔다. 어버이 연합에게 평화적으로 손을 내미는 '효녀', 평화시위 '미소녀' 등 동생의 피케팅은 의도와 상관없이 다방면으로 호명되고 재단되었다. 이러한 이름붙이기는 우리에게 꽤나 익숙한 일이었다. 일례로 몇 년 전, 우리의 활동을 취재하러 왔던 어느 기자가 "예쁜 여자 사진이 있으면, 클릭 수 하나가 더 늘어난다"며 최대한 예쁜 사진을 보내달라고 한 적이 있었다. 이미 오래 전부터 집회현장의 '젊은 여자'들이 언론에 회자되는 일은 빈번했다. 더구나 동생이 본격적으로 거리에서 사회문제에 대해 목소리를 내고 퍼포먼스를 시작한 이후부터 언론에 노출되는 횟수는 더욱 많아졌다. 그동안 동생에게 붙은 이름표를 잠시 살피면, 통일대행진 '촛불여대생', 반값등록금 집회 '유심열사', 실신한 '여대생', 국정교과서에 반대하는 광화문 '시위녀', 광화문 '청순녀', '돌직구녀', 청년 하우스푸어, 소셜아티스트, 신촌대학 '대자보녀', 박근혜 대통령을 풍자하는 작업 때문에 벌금을 많이 받았다고 '벌금녀', 그리고 보수 진영의 '종북녀', '통진당녀' 등이 있다. 거기에 대한민국 효녀연합 '효녀, 개념녀, 미소녀'가 더 추가된 것이다.

언론의 흐름과 맞물려 '효녀연합' 관련 기사에는 "얼굴도 예쁜데 개념도 예쁘네"부터 "역시 여자는 얼굴이 예뻐야 개념이 있지"와 같은 반응이 댓글1-2위를 다퉜다. 동생을 욕하는 커뮤니티에서도 동생에 대한 비난은 "강간하고 싶다", "얼굴은 예쁜데 왜 저러지", "보쌈해서 여자친구 삼고 싶다"는 반응이 내지수였다. 이 중에는 "얼굴 예쁜 애들은 개념 있게 저런 운동하지. 못생긴 애들은 페미질이나 하고", "페미니즘하는 애들이 보고 배워야하는데"와 같은 여성운동에 대한 조롱도 함께 있었다.

어느새 일본군 위안부 문제는 한 발자국 뒤로 밀려나있었다. 사람들의 관심은 그녀의 메시지보다 다른 부분으로 향했다. 위안부 문제를 제기한 동생조차 또다시 여성으로 대상화되고, 동생의 메시지는 왜곡되었다. 나는 이러한 흐름이 이해되지 않았다. 일본군 '위안부' 문제는 민족 문제로만 논할 사안이 아니며, 여성의 성적 대상화를 확대하는 젠더-섹슈얼리티 문제와 직접적으로 연결되어 있다. 미국 위안부나 베트남 전 등에서 한국군도 위안부를 운영했다는 역사적 사실만 보더라도 위안부 문제는 일본 제국주의나 우리 민족의 문제로만 보기는 어렵다고 생각했다. 하지만 당시에도 상당수 여론의 반응은 '일본 여자들도 똑같이 해주자'는 식의 보복적 분노가 주를 이뤘다. 나는 이 문제가 단순히 '일본놈'을 욕하고 타도할 게 아니라 위계적인 젠더 체계를 유지하고 있는 우리 모두가 성찰해야 하는 문제라고 생각했고, 페이스북에 이와 같은 문제의식을 남겼다.

효녀연합을 응원한다면서, "얼굴도 예쁜데 마음씨도 곱네"라는 말이 대다수다. 그 예쁘다는 일상적이지만 지독한 시선이 위안부 문제의 본질이 될 수도 있다는 것을 사람들은 모르는 걸까? 위안부는 일본으로부터의 폭력 이전에 여성에 대한 모든 차별적 시선과 태도에서부터 기인된 것이다. 그 훨씬 전부터 이루

5 | 소녀처럼 싸워라

어져왔고 지금도 이루어지는 폭력이다.

사람들은 스스로의 반성이 꼭 필요한 위안부 문제의 본질보다, 답답한 현실을 타개해줄 젊고 예쁘고 개념 있는 효녀부대에 열광한다. 내 안의 아베나 어버이연합은 보지 않고, 눈에 보이는 적을 까면서 내 속 시원하게 긁어주는 영웅이 너무 좋은 것이다. 이러한 선망에는 진지한 성찰과 반성이 들어올 자리가 없다.

수요 집회를 1000회 넘게 꾸준히 지켜온 사람들의 이야기는 회자되지 않는다. 같은 피켓을 들고 남성이나, 상대적으로 예쁘지 않은 여성, 장애인, 노인이 그 자리에 서있었다면 이정도의 여론의 주목을 받았을까? 언론 역시 주목을 끌만한(잘 팔릴) 그녀들에 주목한다.

게다가 이 연장선에서 무슨 국회의원을 준비한다는 남자가 "대한민국 오빠연합"을 만들어 이러한 오빠 논리에 힘을 실어주니, 흙탕물이 따로 없다. 관행적으로 생각해오던 당연한 것들을 푹푹 찔러 불편하게 하는 것이 아닌, 모두에게 환영받을 만한 비판적 이야기가 정말 필요할까. 불편함 없는 비판이 바꿀 수 있는 건 대체 뭘까.

위안부의 문제에 다시금 여성이 조명되고 쓰이고 회자되는 이상한 흐름이 반복된다.

2016.1.8 〈SNS내용〉

동생이 문제의식에 동의하고 내 글을 공유하면서 많은 사람들에게 글이 노출되었다. 순식간에 다양한 피드백이 왔다. "'위안부' 문제를 여성 문제라고 하면 욕먹기 때문에 말을 못했는데 이렇게 여성 문제로 들고나와줘서 고맙다", "내가 하고 싶었던 말인데 말해줘서 고맙다", "궤도가 이탈되지 않도록 잡아주어서 다행이다"라는 반응이 있었고, 한편 "예쁘다는 건 얼굴이 아니라 개념이 예쁘다는 것입니다", "위안부가 어떻게 젠더 문제냐"라는 식의 다른 반응들도 있었다.

효녀연합을 둘러싼 폭력, 오빠가 허락한 사회운동

동생에게 돌아오던 관심의 반동만큼, 나의 글에 대한 반응도 뜨거웠다. 특히 글을 올린 다음날부터 자칭 '진보마초'라고 불리는 SNS 스타들은 나를 끊임없이 비난했다. 그들은 거의 한 달 동안 나를 공개적으로 모욕하고 조롱하며 조리돌림 했고, 후에는 자신들의 말을 따르지 않는 동생에게까지 비난의 화살을 퍼부었다.

글을 올린 다음날, 맨 처음 확인했던 글의 내용은 "동생은 21세기 운동가형이고, 언니는 20세기 먹물형이다"였다. 일면식도 없는 사람들이 내 글 하나만 보고는 다짜고짜 나를 '재수 없는', '동생 활동에 찬물을 끼얹은 언니라는 년'이라고 욕을 하고 있었다. 꽤 많은 사람들이 그 글에 동조하고 있었다. 그 뒤로도 그들은 동생과 나를 대비시켜 비방을 해왔다. "동생이 기껏 퍼포먼스 잘해서 위안부협상문제 하드캐리하고있는데 거따가 언니라는 년이 찬물 쫙 퍼붓고 있자나", "언니는 여전히 동생 질투 부림에 여념이 없군요. 사실 핏줄이라도 저런 언니는 없는 것만 못한데..", "카인과 아벨 콩쥐와 팥쥐 이후 이렇게 동생 못잡아먹어서 안달난 언니는 처음 보는 듯. 성장과정이 궁금해진다 갑자기", "샘난다고 한마디 하기가 그렇게 어려운 건지 왜 그렇게 스스로까지 속이면서 사는 건지 에혀" 등 내가 동생을 질투해서 괜히 트집을 잡는 거라고 몰고 갔다. 질투에 눈 먼 언니, 역시 여자의 적은 여자라는 말들도 따라왔다. 그들의 상상 속에서 동생과 나의 관계는 한없이 일그러졌고, 나는 피해의식을 가진 정신병자가 되었다. 내 말의 목적과 의도는 온데간데없이 사라져버렸다.

여태껏 글을 써오며 이렇게까지 비난과 조롱을 들어본 일이 없었기에, 처음에는 손놓고 어찌할 바를 모르다가 이후에야 이것이 '여성혐오'의 하나의 방식이라는 것을 알게 되었다. 기존에는 아는 사람들과 정보를 공유하고 생각을 나누는 용도로만 활용했던 SNS가 순식간에 나의 인격이 되어 실명으로 공공연하게 조리돌림 당하는 경험을 하게 된 것이다. 학생운동을 하며 가장 두려웠던 것은 종북 딱지나 뉴라이트, 일베와 같은 조직이나 사람들이라고 생각했는데, 당시에는 비슷한 지향을 가지고 있다고 생각했던 사람들에게 당하는 조리돌림이 가장 무섭게 느껴졌다.

이후 동생이 사태의 심각성을 느끼고, "나를 개념녀나 미소녀로 부르지 말아 달라, 계급이나 민족문제만큼 여성에 대한 폭력이 심각하다는 것을 느꼈다, 나는 '페미니스트'가 되겠다"고 글을 올린 이후, 그들의 비방은 더욱 심해졌다. "언니가 동생만 잘되고 본인은 망한 현재 분위기에 대해 동생을 얼마나 들들 볶았을지 상상만 해도 소름이 끼칩니다. 결국 좋은 운동가 하나 자기처럼 페미니스트 만들어 한남충 실자지 운운하는 더러운 진창을 구르게 만들겠군요. (...) 이 언니는 정말 끔찍하다는 말 밖에 안 나옵니다", "착하고 공부 잘하는 애 하나가 여기저기서 사랑받으니 얼굴에 칼자국 난 일진 언니들이 데려가서 너만 잘났냐 쌍년아 이러고 호되게 교육시킨 담에 같이 껌 씹고 침 뱉고 다니게 만든 경우랄까..", "언니씨같은 존재, 세상 누구에게도 도움이 안 되고 이세상이 개좆대가리 만큼도 나아지는데 도움주지 못하면서 가증스런 헛바닥으로 씨부렁거리고나 다니는 벌레같은 인간을 가리키는 겁니다", "거참 이 언니는 안 만져줄 수가 없네그려"라며 성희롱적 발언까지 서슴지 않았다.

동생에 대해서도 "점점 언니 닮아가네", "그 착한 게 언니한테 맞은 건 아닌지"라며 비아냥 거렸고, "동생분 물론 친자매끼리 어려운 건 알지만, 언니가 헛소리할 때 너무 감싸고만 돌지 마시길. (...) 나설 때 안 나설 때 정도는 구분해야 사람입니다. 갈색 덩어리만 보면 똥인줄 알고 달려드는 건 똥개밖에 없어요"라며 동생의 주체적 결정에 대해서도 모욕적 언사를 퍼부었다.

그들뿐만 아니라 세월호 노란리본, 파리테러 애도 사진을 게시한 사람들마저 그 글에 꽤 많이 공감하는 모습을 목격했다. 아무런

5 | 소녀처럼 싸워라

성찰 없이 페이스북 내 조리돌림을 유희거리로 즐기는 모습을 보고 내가 믿었던 '진보'가 무엇인지 의구심이 들었다. SNS 상에서 진보적 담론의 형성이 어떤 의미를 가질 수 있을지 허탈함도 느꼈다. 나중에 이러한 문제가 나뿐만 아니라 많은 여성, 특히 페미니스트들에게 집중적으로 발생해왔다는 것을 알게 되었고, 후에 피해자들과 공동 성명서를 내었지만 그들의 변화 없이 사건은 흐지부지 일단락되고 말았다.

평소와 다름없이 느꼈던 '불편함'을 내 SNS에 솔직하게 남겼다는 이유로, 그 내용이 여성주의적 관점이었다는 이유로, 그리고 글쓴이가 현재 주목받고 있는 '효녀연합' 홍승희의 언니라는 이유로, 나는 동생을 질투하는 이기적인 '꼴페미'가 되었다.

그렇게 약 한 달 동안, 일방적으로 온라인 폭력에 시달렸던 나는 정신적인 고통이 육체적으로 이어지는 경험을 하게 되었다. 가장 힘들었던 점 중 하나는 글 쓰는 것, 내 목소리를 내는 것에 대한 두려움이었다. '내가 글을 쓰면 또 조롱할 텐데, 차라리 SNS를 탈퇴하고 은둔할까. 내가 정말 벌레 같은 존재는 아닐까'와 같은 생각들이 나를 괴롭혔다. 글쓰기가 과연 어떤 의미가 있는지 회의감이 들었다. 이번 사건을 통해서 여성이 스스로의 목소리를 내는 것이 얼마나 위험한 일인지, 특히 그것이 여성주의적 관점일 때 동지라 믿었던 '진보적 집단' 내에서 어떤 폭력을 겪게 되는지 알게 되었다.

자유의 임계에 도달하다

웹은 소란에도 아랑곳하지 않고 여자들을 물건 취급하는 체제를 맹렬히 비난했다. 남자들은 주먹으로 위협하는 동작을 하며 오싹한 말들을 내뱉었다. "미친년!", "저년 끌어내!", "뒷골목으로 끌려가 강간당하고 싶냐!", "벗겨 버려!" 이미 좌파 운동가들에게 정나미가 떨어진 슐라미스 파이어스톤은 자본주의와 더불어 남자들을 규탄하기 위해 단상 위로 성큼성큼 걸어 올라가 소리쳤다. "여러분, 우리가 살고 있는 세상에 대해 이야기해 봅시다. 우리 여자들은 여러분들이 무슨 뜻으로 혁명을 외치는지, 그저 권력을 더 얻으려는 목적으로 그러는 것은 아닌지 의심하게 됩니다" 남자가 대부분이었던 청중은 욕설과 야유를 퍼부었다.

『쪼개진 세계』 루스 로젠Ruth Rosen

'효녀연합' 사태의 흐름을 정리하면, 2016년 1월 초 효녀연합 퍼포먼스 사진이 주목받으면서 언론의 '효녀연합 홍승희' 띄우기와 함께 평화시위 '미소녀', '개념녀', '효녀' 등 여성에게 붙는 라벨링이 지속되었다. 여론은 동생의 외모평가를 넘어 활동이력이나 가족관계 등 사생활에도 관심을 가졌고, 몇몇 야당은 동생에게 러브콜을 보냈다. 여론이 만들어낸 프레임에 갇혀 또다시 '촛불소녀'나 '소녀상'처럼 스스로의 목소리를 잃은 채 소비되어갈 뿐이었

5 | 소녀처럼 싸워라

다. 이러한 흐름 속에서 일본군 '위안부' 사태를 제국주의의 민족 수탈의 시각에서만 보지 말고, 가부장제 내 여성 억압의 관점에서도 성찰하자는 내 글이 공유되었고, 단번에 나는 "동생이 잘 나가니까 질투하는 꼴페미"라는 낙인과 함께 지속적인 온라인 조리돌림을 당했다. 동생이 나와 함께 페미니즘을 공부하고 페미니스트가 되겠다고 선언하자, 동생도 비판의 대상이 되었다. 자칭 '진보마초'들은 동생을 "스물일곱이나 먹어서 언니의 그늘을 벗어나지 못하는 비주체적인 인간"으로 규정했고, 일베나 김치녀 페이지처럼 동생을 '통진당녀'라고 욕하던 그룹들은 동생을 '김치녀'라 표현하며, "효녀연합 홍승희의 역겨운 실체"라는 제목으로 "홍승희는 메퇘지였다", "페미니스트였다", "배신감이 든다"는 글을 올렸다. 그녀는 단 한 달 만에 '효녀연합 개념녀'에서 '비주체적인 어린 여자', 마지막엔 '페미니스트 김치녀'가 되었다.

　폭력을 경험한 사람은, 그 이전과 다른 시각으로 세상을 바라볼 수밖에 없다. 특히 폭력의 주체가 함께 '진보적인 사회'를 꿈꾸었던, '동지'라고 믿었던 사람들이라면 그 배신감은 이루 말할 수 없다. 이전에 내가 겪었던 폭력은 주로 제도권 교육, 종북몰이, 주류경제에서 강요되는 획일화된 삶의 폭력이었다. 그것에 대항하기 위해서 학교를 그만두고 학교 밖 대안 교육을 꿈꾸거나, 국가보안법 폐지 운동을 하거나, 주류 경제에 대항하여 '사회적 경제'의 가능성을 탐구하고 살아왔다. 하지만 이번에는 '여성'으로서 '여성주의적 관점'을 말했다는 이유로 폭력을 당했다. 그리고 이와 같은 폭력이 주변에서 무수히 일어나고 있는 것을 목격하고 있다. 그래서 이에 대해 기록하고 증언하려고 한다. 삶 속에서 마주하는 폭력과 느낌에 집중하고 진솔하게 반응하려고 한다. 이것이 지금 내가 할 수 있는, 내게 주어진 최선의 행동이라고 생각한다.

폭력이 있었고, 다친 사람이 있었다. 그런데 사람들은 다친 사람이 '페미니스트'라는 이유만으로 피해자에게 엄격해지고 가해자에게 관대해진다. 마치 폭력집회에 나왔기 때문에 물대포를 맞은 것이라는, 과잉 공권력에 대한 정당화처럼 이 사건도 극단적 페미니스트이기 때문에 폭력을 당할만했다는 인식이 만연했다. 이는 비단 SNS 내에서의 문제만은 아니다. 공당이라는 조직조차 젠더문제에 대해서는 놀라울 정도로 무지하고 무감각하다. 최근 중식이 밴드의 여성혐오 노래 가사에 비판을 접한 일부 정의당 당원들이 "인간 이전에 성평등이라는 것인가?", "젠더 폭력이 극에 달했다", "정의당은 페미니즘 정당이 아니다"와 같은 반응을 보인 것은 이 일례일 뿐이다. 이미 그 전부터 "해일이 오는데 조개를 줍고 있다"나 "외계인이 침공하는데 우리끼리 싸우면 안 된다"라는 발언이 쏟아져 나온 곳도 진보진영이었다.

이렇게 흔히 우리가 '정치'라고 불러온 영역은 여성들을 철저히 소외시켰다. 지금의 '여성정치인'에 대해, '박근혜를 여성정치인이라고 할 수 있는가'라는 질문이 가능한 것처럼 단순히 섹스에 따라 '여성정치'의 달성유무를 판단할 수 없음은 분명하다. 효녀, 딸, 엄마, 할머니로서 가부장적 역할에 충실한 '타자', 'ㅇㅇ녀'를 뛰어넘어 남성적 기표 밖으로 나오려는 순간, 여성들은 바로 '이기적인 페미니스트'로 둔갑하여 주변화되어버리고 만다. 여성들은 꾸준히 정치적 영역에 참여해왔지만, 그 참여는 온전한 참여라기보다 대상화된 이용에 가까웠다. 여성 정치의 역사는 남성들의 언어로 해석되면서 전부 지워졌다. 기록되지 못함으로써, 언어를 갖지 못함으로써 한 세계가 통째로 사라진 것이다. 일본군 '위안부' 문제를 기억하기 위한 '소녀상'은 만들어졌지만, 정작 피해자들이 '소녀'였던 시기에는 자신의 피해를 증언할 권리조차 보장받지 못했다. 보호받아야 할 소녀의 이미지에서 벗어난 이후에는 위안부 '운동가'가 아닌, 위안부 '할머니'로 지칭되었다.

그렇다면, 진보·보수 할 것 없이 '여성혐오'가 만연한, 젠더 감각이 부재한 이 시대에 여성의 주체적 정치는 가능할까. "운동의 꽃", "조국의 딸", 조국의 어머니", "○○녀"까지 여성들이 정치적 상징으로 소비되어온 역사는 지난하지만, 정작 여성들이 스스로를 명명하고 주체적으로 정치적 좌표를 찍은 역사는 오래되지 않은 것 같다. 남들이 규정해온 정체성을 거부하고, 나에 대해 스스로를 이야기할 때, 더 이상 침묵하지 않을 때, 여성은 자신의 노력이 벽에 부딪치는 경험을 통해 자신이 서있는 위치를 깨닫는다. '그'들이 명명한 정치가 아닌, 그녀들이 스스로를 규정하고 정체화할 때, 비로소 자유의 임계에 도달한다. 그 지점에서부터 본격적인 여성정치가 시작될 수 있다. 90년대에 들어서야 비로소 '급진주의 페미니즘' 이론이 국내에 도입되고 운동권 내 가부장제에 대한 비판이 시작되었다고 하니, 이제야 조금씩 진보가부장제에 맞서는 여성들의 주체적 움직임이 일어나고 있는 셈이다.

다시 2008년을 돌아보았다. '촛불소녀'가 여성 정치참여의 아이콘으로 등장하고, 광장에 '민주주의'와 '정의'의 외침이 가득했던 그해 12월, 민주노총에서는 성폭력 사태가 일어났다. 그리고 성폭력 이후 민주노총, 전교조의 조직적인 은폐로 인한 2차 가해가 벌어졌다. 대다수의 언론과 운동 세력이 침묵하는 동안 이 사건을 조명하고 해결하고자 했던 여성들의 정치적 행동은 크게 주목받지 못했다. 그저 "해일이 오는데 조개를 줍는 것처럼" 사소한 '성폭력 사건'으로 치부되었을 뿐이다. 같은 해, 촛불의 물결 속에 동생과 내가 있었다. 광장을 벗어나 사회운동을 시작하고, 오랫동안 가부장적 운동문화에 불편함을 느꼈던 최근까지도 언론에서 'ㅇㅇ녀'로 호명되며 '그'들이 말하는 대의를 위해 스스로를 억눌러야 했던 우리였다. 이러한 진통을 모두 겪고나면, 비로소 우리에게 맞는 옷을 입게 될까. 투쟁심을 시험받지 않아도 되고, 불편함을 허락받지 않아도 되고, 내 목소리를 검열하지 않아도 되는 자리. 우리는 이제야 남들이 규정한 징표에서 벗어나, 더듬거리며 우리 몫의 좌표를 찾고 있다.

우리의 정치는 지금도 계속되고 있다

> 왜 여자들은 자신의 역사를 끝까지 지켜내지 못했을까? 자신
> 들의 언어와 감정들을 지키지 못했을까? 여자들은 자신을 믿
> 지 못했다. 하나의 또다른 세상이 통째로 자취를 감춰버렸다.
> 여자들의 전쟁은 이름도 없이 사라져버렸다. 나는 바로 이 전
> 쟁의 역사를 쓰고자 한다. 여자들의 역사를.
>
> 『전쟁은 여자의 얼굴을 하지 않았다』 스베틀라나 알렉시예비치

　최근 한 팟캐스트 녹음 때 "아직까지 여자들은 정치에 관심이 없는 편인데, 어떻게 하면 여자들도 관심을 가질 수 있을까요?"라는 질문을 받았다. 나는 "여자들이 정치에 관심이 없다고요? 제가 처음 사회운동을 시작했을 때부터 지금까지 활동을 하면서 저는 정치에 관심을 갖는 여자들을 남자만큼 많이 만나왔는데요."라고 답했다. 그는 약간 갸우뚱하면서 "그럼 여자들이 참여할 수 있는 정치참여 방법을 알려주세요."라고 물었고, 나는 기존의 운동 문화 중에는 참여하라고 딱 짚어 권할 곳이 없다고 말했다. '여자가 정치에 관심을 갖는다니 기특하다'는 말은 10년째 사회운동을 하며 꾸준히 들어온 말이지만 들을 때마다 이질감이 느껴진다. 예전엔 '기특하다'는 말을 다른 여자와 다른 나만의 특징 정도로 여기고 칭찬으로 감사하게 받아들였지만, 요즘은 아니다. 오히려 그렇게 말하는 사람들에게 되묻는다. 어디에서 활동을 하고 있기에 여성

들이 정치에 관심이 없다고 느끼시는지, 혹시 주변에 여성들이 없을 만한 이유를 생각해본 적은 있는지 말이다. 그러면 대부분 '여자들은…'이라며 비판의 잣대를 그녀들에게 돌린다.

그들이 말하는 정치와 민주주의란 무엇일까? 투표 때만 되면 누구나 민주주의를 이야기하지만, 그 민주주의를 유독 의회 민주주의로 인식하는 사람들이 많다. 그들은 십중팔구 적과 아를 분명히 구별하는 사람들이다. 국가권력으로부터 억압받는 피해자이거나 그에 저항하는 혁명가 둘 중 하나로 자신을 인식하는 사람들에게 자아성찰은 사치이다. 당장 악한 권력자들에게 저항하는 일에 모든 전력을 쏟아도 모자를 판에 내부를 성찰할 틈이 없기 때문이다.

내부의 성찰을 요구하는 '여성주의적' 관점에 유독 이기적이고, 편협하다며 비난을 일삼는 것은 '우리 편끼리 뭉쳐야지'라는 조급한 심리와 연결되어 있다. '편'이 갖는 폭력성을 지적하며 '곁'의 중요성을 강조한 엄기호의 일갈처럼 타자성에 대해 의사소통의 개방성을 열어두어야만 건강한 '공동체'를 유지할 수 있다. 침묵과 단결보다 소란스러움을 수용하는 것이 건강한 공동체의 모습이다. 차이를 감추려는 공동체는 차이를 드러내는 소수자를 입 다물게 만든다. 다른 목소리를 존중하고 그 존중 속에서 함께 발전할 방향을 진지하게 고민해야 한다.

또한 민주주의나 정치는 그리 협소한 개념이 아니다. 누가 통치하느냐의 차이로 좋은 정치의 달성 유무를 가리는 것은 민주주의가 아니라 과두제일 뿐이다. 과두적 정치와 민주주의적 정치 사이의 혼동이 촛불소녀의 침묵을 낳았고, 여성들의 정치주체화를 막아왔다. 정치는 '그'들의 얼굴을 했지, 그들 '외' 소수자들의 얼굴을 하지 않았다. 정희진도 이러한 관점에서 "민주주의는 타자없는 사회를 말한다. 주체와 대상이 구분없는 사회. 그러나 인류는 아직 이 민주주의를 실현해본 적이 없다."라고 표현했다.

타자없는 사회를 위해서는 스스로가 언제든 가해자가 될 수 있다는 인식이 필요하다. '닥치고 정치', '분노하라'는 사회적 분위기에 휩쓸리지 않고, 숙명적 폭력주체인 자신을 매번 '부끄러워하며' 성찰하는 자세를 가져야 한다. 어느 누구도 타자화되지 않고, 개개인의 주체적 삶과 목소리가 정치로 퍼지는 것이 민주주의와 정의의 실현임을 학습해야 한다. 이는 불가능한 이상이 아니다. 이미 이러한 이상을 일상에서부터 조금씩 작은 공동체들을 통해 실천해나가는 선배들이 있고, 함께 하려는 사람들도 많다.

작년에 '더민주' 청년위원회에서 활동한다는 한 이십대 청년이 카페에 와서는 "요즘 청년들이 어떤 고민을 하는지 들어보려고 왔다"고 말을 했다. 요즘 청년들이 무슨 생각을 하는지 알고 싶다는 그의 말에서 나이만 어린 '기성 정치인'의 분위기가 풍겨왔다. 같은 시공간을 공유하는 청년으로서 왜 자신의 생생한 시각을 버리고 굳이 자신과 청년 일반을 분리시켜 관조하듯 바라보려 하는지 궁금했다. 그가 꿈꾸는 '정치'는 과연 무엇이었을까. '청년'들을 대변하겠다고 나선 새누리당 '청년' 후보 조은비씨에게도 비슷한 감정을 느꼈다.

최근 '전태일 평전'을 다시 읽게 되었다. 전태일은 중학교도 제대로 나오지 못하고, 근로기준법 하나만을 몇 년 동안 닳도록 읽은 사람이었다. 그는 '맑스'나 '민주주의', '정치경제'를 알지는 못했어도, 그 사상을 온 몸으로 살아낸 사람이다. 조영래 선생님은 전태일에게 공부는 '사투' 그 자체였다고 말했다. 나는 전태일의 사상이 치열한 사투 속에서 무르익어 가는 모습을 보면서 공부는 삶과 부딪혀가면서 해나가는 거라는 걸 다시 한 번 배우게 되었다. 교통비를 털어서 더 가난한 사람들에게 빵 한 조각이라도 나누고 매일 두 시간이 넘는 거리를 걸어 다녔던 '생생한 사랑'의 언어는 그 어떤 사상과 구호보다 가슴을 울린다. 전태일은 정련된 언어로 세련된 정치적 구호를 외치지도 않았고, 전문적인 지식을 쌓거나 시사이슈에 밝지도 못했을 테지만, 삶에서 부딪치는 가장 개인적인 불편함을 가장 공적인 문제로 인식했던 매우 정치적인 인물이었다고 생각한다.

여전히 선거철마다 청년과 여성들은 정치에 관심을 가지라는 꾸지람을 듣는다. 그러나 집에서, 학교에서, 자기 삶에서 자기 요구대로 살아본 적이 없는 청년과 여성들이 도대체 어떤 목소리를 낼 수 있을까. 여성을 바라보는 대상화된 시선은 그대로인데, 여성이 어떻게 주체적으로 정치에 참여할 수 있을까. 시험 답안처럼 있는 것들 중 '가장 적절한 것'을 고르라는 것이 그들이 말하는 정치 참여인가.

그래서 나는 삶의 정치, '풀뿌리 민주주의'를 주장한다. 특정 정

5 | 소녀처럼 싸워라

당에 대한 지지의사에 앞서 자기 삶으로부터 나온 주체적 의사가 더 중요하다고 믿는다. 청년, 여성, 소수자의 목소리를 대신 내주는 정치인보다 청년과 여성과 소수자들이 직접 목소리를 낼 수 있는 정치적 시스템이 필요하다고 생각한다. "가장 개인적인 것이 가장 정치적인 것"이므로, 국회의 쇄신보다 일상에서부터의 변화를 더욱 갈망한다. 하나의 '전선' 아래 단결하는 것이 아니라, 개개의 '전선'이 유기적으로 연대하는 것을 요구한다.

주말마다 집회 현장에 나가지만 정작 자녀들은 사교육에 내몰고, 모든 차별에 반대한다고 말하지만 만연한 가부장적 편의는 포기하지 않고, 평범한 사람들의 목소리에 귀 기울여야 한다고 말하면서 영웅 만들기에 동참하는 앎과 삶의 분리. 그 모순들을 들여다보지 않고 외치는 거대담론이 껍데기처럼 허무하게 다가온다. 현실 정치를 어떻게 정의 내리느냐에 따라 "여자들은 어떻게 하면 정치에 관심을 가질 수 있을까요?"라는 질문은 달라질 수 있다. 여자의 얼굴을 한 정치담론에서는 오히려 역으로 물을 수 있다. "어떻게 하면 남자들이 정치에 관심을 가질 수 있을까요?"

해명이 아닌, 해방을 외치는 일이 페미니즘의 힘이라면 우리는 그것을 묻는 작업을 해야 한다. 정치는 누구의 얼굴을 하고 있으며, 누가 정치를 정의하는가. 해명을 요구받아왔던 여성정치는 꾸준히 해명을 통해 타협해야하는가, 아니면 새로운 정치의 영토를 향해 해방되어야 하는가. 새로운 영토에서, 우리의 정치는 지금도 계속되고 있다.

* 마지막으로 한참 사이버 폭력을 당하던 지난 1월에 썼던 편지를 끝으로 글을 마무리하고 싶다. 촛불소녀로 불리었던 여성들이 누가 자신을 호명하도록 두지 않고, 자신의 목소리를 내길 바라는 마음에서. 누군가가 정의한 문제 전에, 자신의 삶에서 느끼는 미세한 흔들림을 느끼고 자신을 믿고 목소리를 내길 바라는 마음을 담아.

B에게 보내는 편지

돌이켜보면 '그것'이 저를 계속 당기고 있었다는 생각이 듭니다. '그것'이 무엇이라고 규정짓기에 당장 제 입에 달라붙는 언어가 없습니다. 우리가 여성주의, 평화학, 페미니즘이라고 부르는 것들이에요.

어릴 때부터 여자아이였기 때문에 익숙하게 들어왔던 외모에 대한 평가가, 다리를 오므리고 앉으라는 엄마의 주의가, 애미나 딸년이나 똑같다는 아빠의 폭언이, 여자인생 뒤웅박 팔자니 남자만 잘 만나면 된다고 조언하던 어른들이, 농활 이장님의 선의를 왜 불편하게 생각하느냐던 선배의 불호령이, 나이트와 도우미를 좋아하던 진보적 교수님의 사생활이, 나를 바라보던 남자친구들의 모든 어머니의 시선이, 결혼할 때쯤 처녀막 재생수술을 할 거라던 친구가, 엄마처럼 살지 않을 거라는 친구들의 슬픔이, 페이스 북에 뜨는 예뻐지는 사랑받는 여자의 비결이, 비이성적이고 감정적이라고 비난하던 주위의 평가가 불편했습니다. 그리고 그 불편함의 원인은 그들이 아니라 저에게 있다고 생각했습니다.

저는 너무 감정적이고, 헤프고, 예민한 사람이고, 약한 사람이라고 여겼어요. 그래서 항상 스스로를 질책했어요. 나는 왜 이렇게 못난 걸까. 모난 걸까. 왜 적당히 타협하고 살아가지 못할까. 그 답을 부모님 이혼으로 인한 가정환경으로 설명해보려고도 했고, 심리학을 공부하며 성격 특성으로 맞춰보려고도 했고, 사주명리를 공부해서 운명으로 해석하고도 싶었습니다.

언제부터는 '아 자본주의가 나를 이렇게 힘들게 만드는 거구나' 라고 믿었습니다. 신자유주의가 만든 모든 개인주의가, 자유와 방종의 모호한 구분이, IMF로 인한 외상 후 스트레스 장애와 그 후 만연한 공포 트라우마가 나를, 사람들을 힘들게 하는 원인이라고 믿었습니다. 그래서 열심히 '세상을 바꾸기 위해' 운동을 했어요. 일주일에 몇 번씩 서울로 상경해서 집회에 참여하기도 했고, 학내 운동을 하고, 휴학을 하고 원주로 몇 달 원정 학생운동을 다니기도 했습니다. 정당과 시민단체에도 가입해서 정권을 바꾸기 위한 활동을 했고, 학교를 졸업한 뒤 카페를 오픈하고도 열심이었습니다. 신문을 읽고, 모든 이슈를 섭렵하고 그것을 비판하고 사람들에게 알리고 싶었어요. 제가 자유롭고 싶어서. 사람들이 함께 자유로워졌으면 좋겠어서요.

그렇게 외치면서도 목구멍에 가시가 걸린 것처럼 사소하지만 거슬리던 의문이 있었어요. '정말, 정권교체만 되면 우리의 삶이 지금보다 나아질까. 비정규직 문제가 해결되면 우리의 삶은 안정될까. 정말, 소녀상 이전을 막고 아베가 사과를 하고 제대로 배상금을 지불하면. 그러면 조금 더 사회가 정의로워졌다고 할 수 있을까. 그러면 할머니들이 행복해질 수 있을까. 여성은 더 이상 성적 피해자가 안 될까. 그렇게 되면 나는 나답게 살 수 있게 되는 걸까.'

돌이켜보면 찜찜하지만 사소하고, 그래서 가장 중요했던 물음들에 대한 답을 피하고 싶었던 것 같아요. 미래에 대한 불안에 휩싸일 때 공무원을 준비하는 게 가장 명확하고 불안하지 않은 길이라서 사람들이 선택하듯이, 저의 운동관도 명확한 방식을 '믿고 싶어 했던 것'은 아니었을까요. 선배가 가르쳐주었던 '마땅히 그래야 하는 운동방식'. 역사를 공부하고, 정치적 구호를 외치면 세상이 바뀐다고 생각했습니다. 정권만 바뀌면, 집회에 많은 사람들이 모이면 우리가 승리하는 거라고 믿었어요. 그런데 사실 운동을 하면서도, 저는 자유롭지 못했습니다. 끊임없이 스스로를 의심하고 부정해야 했어요. 농활에서 이장님이 저를 호칭한 '임자'라는 말과 가벼운 스킨십이 불편하다는 말에 화를 내던 선배. 그 모습을 묵묵히 지켜보던 다수의 사람들. 그 속에서 저는 농민과의 화합을 흐트러뜨려서 죄송해야하는 가해자였습니다. 그때 이후로 개인적인 불편함을 호소하는 것은 조직의 해가 되는 부차적인 것이라고 여겨왔던 걸까요. 언제부턴가 이런 불편함에 입 다물고 살아왔습니다.

최근 며칠간 참 괴로웠습니다. 외면하고 싶었던 '어떤'것이 자꾸 저에게 손짓하는 걸 느꼈거든요. 몇 년 전 한 진보적 남자 교수님으로부터 "페미니즘에 빠지면 너무 편협해져. 적당히 거리를 둬."라는 이야기를 들었던 게 생각나요. 제 책장을 둘러봅니다. 책장에는 '서울, 남성, 중산층, 이성애자, 학벌 좋은 저자'들의 책들이 가득하네요. 그들이 정의한 사회문제, 그들이 정의한 운동방법을 맹목적으로 따르고 있던 나를 직면합니다.

그리고 어쩔 수 없이 글을 쓰게 됐습니다. 글도 잘 못쓰고, 아직 페미니즘에 대해 잘 알지도 못합니다. 그래도 서투르게나마 쓸 수 있는 건, 제가 살아오면서 목격한 너무 많은 불편함을 뱉어내는 게 세상이 진보하는 시작이라고 믿기 때문이에요. 저는 항상 신문에서 목격한 다른 사람들의 아픔을 이야기해왔지만, 정작 제 삶과 밀접하게 관련된 아픔에 대해서는 말하지 못해왔습니다. 개인적인 것이 가장 정치적인 거라는 말을 머리로만 이해해왔네요.

며칠 사이 저는 젊은 여자 운동가에서 일순간 차별의 경험을 친절하게 설명해야하는 피해자의 위치에 놓였습니다. 그 위치는 계속 제가 왜 피해자인지를 이해시켜야하는 외롭고 고단한 곳이었습니다. 단 며칠을 겪었을 뿐인데도 많이 지쳤어요.

어젯밤이 가장 그랬어요. 최근 효녀연합의 활동을 바라보는 언론이나 여론의 시선이 위안부 문제의 근원인 여성에 대한 '가부장적 시선'이나 '성적 대상화'처럼 느껴져서 그러한 성찰을 했으면 좋겠다는 글에 참 많은 사람들이 저를 보고 '지적 허영심에 어리광을 부리고, 질투하고, 본질을 흐린다'고 말했습니다. 그 중 한사람은 여성을 가장 성적 대상화하고 폭력을 저지르는 소라넷을 옹호한 자칭 진보적 남자였습니다. 그는 열심히 '위안부 협상 반대'를 외쳤고, 열심히 '오빠연합'를 비난했어요. 그 모습을 보면서 대체 이런 사람들과 함께 외치는 대승적 진보가 어떤 의미일지 회의

감이 들었습니다. 내가 믿고 있던 사회 변화는 무엇인가. 화가 났습니다. 회의감도 들었고요. 그렇게 주체할 수 없는 마음을 추스를 때 쯤 함께 울고 있는 팀원들이 보였습니다.

그때 이상하게 마음이 차분해졌습니다. "평화는 고통의 정중앙에 놓여있다"는 '정희진처럼 읽기'의 한 문장이 떠올랐습니다. 그렇게 절망적이고 슬픈 순간이었는데 오히려 정확한 희망이 느껴졌어요. 운동을 해오며 느꼈던 깨달음 중 가장 확고한 희망이었고, 뚜렷한 방향이었어요. 여성주의를 선택하는 것. 이것은 진보적인 신문을 읽고, 가끔 집회에 나가고, 사회에 비판 목소리를 내는 것과는 전혀 다른 싸움이 될 것이고, 체제 하나하나와의 지난한 싸움이라는 걸 우리는 직감했습니다. 그리고 그것이 제가 생각하는 유일한 '혁명'이 될 것 같습니다. 집회의 목소리와 삶의 목소리를 일치시키는, 저 스스로도 항상 각성해야하는 피곤한 선택이요.

〈브이포벤데타〉의 이비가 빗속에서 눈물을 흘리며 절규하는 모습. 그 모습이 떠올랐어요. 저는 드디어 해방된 것일까요. 해방만큼 울렁이고 직면해야하는 세상이 제 앞에 펼쳐졌어요. 제게는 든든한 팀원들과 정희진 선생님의 책 한 권과 간밤에 진심어린 편지를 써 준 당신이 있습니다. 생각보다 많은 것이 있는 걸까요.

이제 다시 발을 딛는 문 밖의 세상은 어제와는 전혀 다른 모습일 것 같습니다. 글을 쓰려 책상 앞에 앉은 지금 제 모습이 어제와 전혀 다른 모습이듯이요.

2016년 1월 14일 춘천에서